Frances Hodgson Burnett
De geheime tuin

Frances Hodgson Burnett

De geheime tuin

 Uitgeverij Christofoor, Zeist

Eerste druk   1983
Tweede druk   1985
Derde druk   1990
Vierde druk   1991
Vijfde druk   1994
Zesde druk   1996
Zevende druk 2000

CIP
Vertaling: E. Veegens-Latorf
Omslag: Annet Kossen
ISBN 90 6238 223 1
NUGI 221 SBO 6
Trefw.: jeugdboeken; romans

Nederlandse rechten: Uitgeverij Christofoor, Zeist 1983
Oorspronkelijke titel: *The Secret Garden*
De geheime tuin verscheen eerder in deze vertaling bij Uitgeverij V.A. Kramers in Den Haag.

Inhoud

1 Er is niemand meer over

Toen Mary Lennox naar Huize Misselthwaite werd gestuurd om bij haar oom te wonen, zeiden de mensen dat ze nog nooit zo'n onaantrekkelijk kind hadden gezien. En dat was waar ook. Ze had een smal mager gezichtje, een mager lichaampje, piekerig blond haar en ze keek altijd even onvriendelijk. Niet alleen haar haar was geel, maar haar gezicht ook, omdat ze in India was geboren en daar veel had gesukkeld. Haar vader, die een hoge functie bij het Engelse gouvernement bekleedde, had het altijd druk gehad, terwijl ook hij niet gezond was, en haar moeder was een heel mooie vrouw geweest die niets liever deed dan naar feesten gaan en pret maken met vrolijke mensen. Ze had helemaal geen dochtertje willen hebben, en toen Mary geboren was, had ze haar aan de zorgen van een ayah, een kindermeisje, toevertrouwd, wie te verstaan was gegeven dat, als ze goede vrienden met de Mem Sahib, haar meesteres, wilde blijven, ze het kind maar zo weinig mogelijk moest vertonen. Toen kleine Mary dus een ziekelijke, lelijke kleine baby was, die altijd huilde, werd ze uit de buurt van haar moeder gehouden, en dat bleef zo toen ze een ziekelijke, drenzerige kleuter was. Ze herinnerde zich niet ooit iets anders om zich heen te hebben gezien dan de donkere gezichten van haar ayah en de andere inheemse bedienden, en omdat die haar altijd gehoorzaamden en haar in alles haar zin gaven, omdat de Mem Sahib boos zou worden als ze haar hoorde huilen, was ze op haar zesde jaar het meest eigengereide en verwende kind dat je je voor kunt stellen. De jonge Engelse gouvernante die haar kwam leren lezen en schrijven vond haar zo'n naar kind dat ze na drie maanden haar ontslag nam en de anderen die na haar kwamen bleven allemaal nog korter. Als Mary dus niet zelf verkozen had te leren lezen, zou ze zelfs het abc niet gekend hebben.

7

Toen ze ongeveer negen jaar was werd ze op een snikhete morgen erg kribbig wakker en raakte nog meer uit haar humeur toen ze zag dat de vrouw die naast haar bed stond haar ayah niet was.

'Wat moet jij hier?' zei ze tegen de vreemde vrouw. 'Ik wil je niet hebben. Ga mijn ayah halen.'

De vrouw zag er ontdaan uit, maar ze stamelde alleen maar dat de ayah niet kon komen en toen Mary driftig werd en begon te slaan en te schoppen keek ze nog veel verschrikter en herhaalde dat de ayah onmogelijk bij 'Missie Sahib' kon komen.

Er hing die ochtend iets geheimzinnigs in de lucht. Niets werd op de gewone geregelde manier gedaan en het leek wel of er verschillende van de inheemse bedienden ontbraken, terwijl degenen die Mary zag, met vale en verschrikte gezichten over het erf slopen. Maar niemand wilde haar vertellen wat er aan de hand was en haar ayah bleef onzichtbaar. Eigenlijk liet iedereen haar die ochtend aan haar lot over, zodat ze op het laatst maar de tuin inging en in haar eentje onder een boom bij de veranda ging zitten spelen. Ze speelde dat ze een bloemperk maakte en ze stak grote rode hibiscusbloemen in kleine hoopjes aarde, terwijl ze hoe langer hoe bozer werd en in zich zelf de dingen mompelde die ze tegen Sadie zou zeggen als ze terugkwam.

'Je bent een naar mens! Je bent een varken!' zou ze roepen, want een Indiër voor varken uit te maken is de grootst mogelijke belediging. Met een verbeten gezicht zei ze het telkens weer, tot ze haar moeder met iemand op de veranda hoorde komen. Ze had een blonde jongeman bij zich en ze stonden op een vreemde, gedempte toon met elkaar te praten. Mary kende de blonde man wel, die er zo jongensachtig uitzag. Ze had gehoord dat hij een heel jonge officier was, die pas uit Engeland was gekomen. Het kind wierp even een blik op hem, maar had verder alleen nog maar ogen voor haar moeder. Ze keek altijd naar haar als ze er de kans toe kreeg, want de Mem Sahib, zoals Mary haar meestal noemde, was erg mooi en slank en elegant en ze had altijd van die prachtige kleren aan. Ze had haar als krullende zijde, en een klein fijn neusje dat ze dikwijls minachtend optrok en grote, lachende ogen. Ze droeg bijna altijd ragfijne en doorzichtige kleren, die, zoals Mary zei, 'een en al kant' waren. Die morgen was er nog meer kant dan anders, maar haar ogen lachten helemaal niet. Die waren groot en angstig en keken de blonde jonge man smekend aan.

'Is het zó erg? Is het heus zó erg?' hoorde Mary haar zeggen.

'Ontzettend', antwoordde de jongeman met trillende stem. 'Ontzettend, mevrouw Lennox. U had al twee weken geleden naar de bergen moeten gaan.'

De Mem Sahib wrong zich de handen.

'O, ik weet het!' zei ze wanhopig. 'Ik ben alleen maar gebleven voor dat ongelukkige diner. Hoe heb ik zo dom kunnen zijn!'

Op datzelfde ogenblik brak er zulk een luid gejammer in de bijgebouwen los, dat ze de arm van de jonge man vastgreep en Mary op haar benen stond te beven. Het jammeren werd steeds wanhopiger en wilder.

'Wat is dat? Wat is dat?' hijgde mevrouw Lennox.

'Er is iemand gestorven', antwoordde de jonge officier. 'U hebt mij niet verteld dat uw bedienden waren aangetast.'

'Dat wist ik ook niet!' huilde de Mem Sahib. 'O, ga mee! Ga gauw mee!' en ze draaide zich om en vloog het huis in.

Daarna gebeurden er allerlei vreselijke dingen en kreeg Mary eindelijk te horen wat er eigenlijk aan de hand was. Er heerste een cholera-epidemie en de mensen stierven als ratten. De ayah was 's nachts ziek geworden en het gejammer in de hutten was geweest omdat ze net gestorven was. Nog die zelfde dag stierven drie andere bedienden en namen anderen in doodsangst de vlucht. Aan alle kanten heerste een paniek en in alle hutten lagen mensen op sterven.

In de verwarring en verbijstering van de tweede dag verstopte Mary zich in de kinderkamer en werd door iedereen vergeten. Niemand dacht aan haar, niemand bekommerde zich om haar en er gebeurden vreemde dingen waar ze niets van afwist. Soms huilend, soms slapend, bracht Mary de uren door. Het enige wat ze wist was dat er mensen ziek waren en dat ze onbegrijpelijke en beangstigende geluiden hoorde. Eenmaal sloop ze naar de eetkamer, waar niemand was, hoewel er een half gebruikte maaltijd op de tafel stond. Het leek wel of de stoelen en borden haastig waren weggeschoven, toen de etenden om een of andere reden plotseling waren opgestaan. Het kind at een paar vruchten en biscuits en dronk een bijna vol glas wijn leeg omdat ze zo'n dorst had. De wijn was lekker zoet, maar ze wist niet hoe koppig hij was. Al gauw werd ze erg slaperig en ging naar haar kamer terug waar ze weer in een hoekje kroop, doodsbang voor de kreten die ze uit de hutten hoorde komen en het geluid van haastige voetstappen. De wijn maakte haar zo slaperig dat ze haar ogen haast niet meer open kon houden. Ze ging op haar bed liggen en wist toen een hele tijd niets meer.

De eerstvolgende uren sliep ze vast en rustig, zodat ze niets hoorde van het gejammer van de bedienden en het geluid van dingen, die het huis werden in- en uitgedragen.

Toen ze wakker werd lag ze een tijdlang naar de wand te staren. Het was doodstil in huis, zo stil als het nog nooit geweest was. Ze hoorde geen stemmen en geen voetstappen meer en vroeg zich af of iedereen nu weer beter zou zijn van de cholera en al die narigheid voorbij was. Ze peinsde er ook over wie voor haar zou zorgen nu haar ayah dood was. Er zou natuurlijk een nieuwe ayah komen, die misschien wel nieuwe verhalen zou weten. Die oude, bekende vervulden haar al lang. Ze huilde niet omdat haar kindermeid gestorven was. Aanhankelijkheid lag niet in haar aard en ze had om niemand ooit veel gegeven. De drukte en het zenuwachtige gedoe en het gejammer om de cholera hadden haar angstig gemaakt en ze was boos omdat niemand scheen te bedenken dat zij nog leefde. Ze waren blijkbaar allemaal zo ondersteboven dat ze geen van allen aan een klein meisje dachten, waar niemand van hield. Mensen die de cholera hadden dachten zeker alleen aan zichzelf. Maar als ze beter werden kon er toch wel eens iemand naar haar zoeken.

Maar er kwam niemand en terwijl ze lag te wachten leek het wel of het hoe langer hoe stiller in huis werd. Ze hoorde iets over de vloermat ritselen en ze zag een klein slangetje langs glijden, dat haar met zijn fluwelen oogjes aankeek. Ze was niet bang, omdat het een onschadelijk diertje was, dat haar geen kwaad zou doen en dat haast scheen te hebben om weg te komen. Ze zag het onder de deur doorglippen.

'Wat is het toch gek stil', dacht ze. 'Het lijkt wel of er niemand in huis is behalve ik en die slang.'

Maar vlak daarna hoorde ze voetstappen op het erf en even later op de veranda. Het waren mannenstappen en de mannen kwamen het

10

huis in en spraken tegen elkaar met gedempte stemmen. Niemand kwam hun tegemoet of verwelkomde hen en het leek warempel wel of ze de deuren openden en in de kamers keken.

'Alles uitgestorven!' hoorde ze zeggen. 'Vreselijk! Die bloeiende jonge vrouw! Het kind zeker ook. Er scheen een kind te zijn, maar niemand kreeg het ooit te zien.'

Toen ze even later de deur van de kinderkamer openden, stond Mary midden in het vertrek. Een lelijk, onvriendelijk meisje, dat boos keek omdat ze honger begon te krijgen en zich schandelijk verwaarloosd voelde. De man die het eerst binnenkwam was een lange militair, die ze wel eens met haar vader had zien praten. Hij zag er vermoeid en zorgelijk uit en toen hij haar zag schrok hij zo dat hij bijna achteruit sprong.

'Barney!' riep hij. 'Daar is een kind! Moederziel alleen! In dat smerige choleranest! Goeie genade, wie is dat?'

'Ik ben Mary Lennox', zei het meisje koel. Ze vond die man erg onhebbelijk, om het huis van haar vader een 'smerig choleranest' te noemen. 'Ik ben in slaap gevallen toen ze allemaal de cholera hadden en ik ben net wakker geworden. Waarom komt er niemand?'

'Het is het kind dat niemand ooit te zien kreeg!' riep de man tegen zijn metgezel. 'Ze is blijkbaar vergeten!'

'Waarom ben ik vergeten?' vroeg Mary stampvoetend. 'Waarom komt er niemand?'

De jonge man die Barney heette keek haar medelijdend aan. Mary dacht zelfs dat ze hem met zijn ogen zag knipperen als om tranen tegen te houden. 'Arme kleine meid', zei hij. 'Er is niemand meer die bij je zou kunnen komen.'

Op die vreemde en onverwachte manier hoorde Mary dat ze geen vader en moeder meer had; dat beiden 's nachts gestorven en weggebracht waren en dat de paar inheemse bedienden die nog leefden er vandoor waren gegaan zonder er zelfs maar aan te denken dat er nog een 'Missie Sahib' bestond. Daarom was het zo vreemd stil geweest. Inderdaad was er niemand in huis geweest behalve zij zelf en het kleine ritselende slangetje.

2 'Mary wil niet'

Mary had altijd graag op een afstand naar haar moeder gekeken omdat ze haar zo mooi vond, maar omdat ze haar heel weinig kende was het geen wonder dat ze niet veel van haar gehouden had en haar nauwelijks miste toen ze weg was. Eigenlijk miste ze haar helemaal niet en omdat ze een eenzelvig kind was dacht ze alleen maar aan zichzelf, zoals ze altijd had gedaan. Was ze ouder geweest dan zou het feit dat ze alleen op de wereld stond haar misschien hebben verontrust, maar ze was nog heel jong en omdat er altijd voor haar gezorgd was, dacht ze dat dat nu verder ook wel zou gebeuren. Het enige dat haar voor het ogenblik interesseerde was of zij bij aardige mensen zou komen, die beleefd tegen haar zouden zijn en haar altijd haar zin zouden geven, zoals haar ayah en de andere inheemse bedienden hadden gedaan.

Ze wist dat ze niet in het gezin van de Engelse dominee zou blijven waar ze voorlopig ondergebracht was. Dat wilde ze ook liever niet. De Engelse dominee was arm en hij had vijf kinderen die bijna allemaal van dezelfde leeftijd waren en lelijke kleren aan hadden en altijd kibbelden en elkaars speelgoed afpakten. Mary vond hun rommelige huis afschuwelijk en was zo onaardig tegen hen, dat na een paar dagen niet een kind meer met haar wilde spelen. De tweede dag hadden ze haar al een bijnaam gegeven die haar woedend maakte.

Basil had hem bedacht. Basil was een kleine jongen met ondeugende blauwe ogen en een wipneus en Mary kon hem niet uitstaan. Ze was in haar eentje aan het spelen onder een boom, net als die dag toen de cholera uitgebroken was. Ze maakte een tuintje met bergjes aarde en paadjes, en Basil kwam ernaar kijken. Hij vond het leuk en wilde haar helpen.

'Waarom maak je daar geen rotstuintje, met een hele hoop stenen?' vroeg hij. 'Daar in het midden', en hij boog zich over haar heen om te wijzen waar hij bedoelde.

'Ga weg!' riep Mary. 'Ik wil niet met jongens spelen. Ga weg!' Eerst keek Basil verbluft, maar toen begon hij haar te plagen. Hij plaagde zijn zusjes ook altijd. Hij sprong om haar heen en trok lelijke gezichten en zong en lachte.

> 'Mary Wil-niet, Mary Wil-niet,
> Hoe staat je tuin erbij?
> Met zilveren klokjes en geraniums
> En schelpjes op een rij.'

Hij zong net zo lang tot de andere kinderen het hoorden en ook begonnen te lachen, en hoe bozer Mary werd, deste harder zongen ze van 'Mary Wil-niet, Mary Wil-niet'. Zolang ze bij hen logeerde noemden ze haar 'Mary Wil-niet' als ze onder elkaar over haar praatten en ook dikwijls in haar gezicht.
'Je gaat naar huis', zei Basil op een dag tegen haar. 'Aan het eind van de week. Gelukkig maar!'
'Ik ben ook blij dat ik weg ga', antwoordde Mary. 'Maar wat is "naar huis"?'
'Ze weet niet eens wat 'naar huis' betekent!' zei Basil met de verachting van een zevenjarige. 'Naar Engeland, natuurlijk! Daar woont onze oma en verleden jaar is ons zusje Mabel naar haar toegegaan. Maar jij gaat niet naar je oma. Je hebt er niet eens een. Je gaat naar je oom. Hij heet mijnheer Craven, Archibald Craven.'
'Ik weet niets van hem af', zei Mary snibbig.
'Dat dacht ik wel', antwoordde Basil. 'Je weet niets. Meisjes weten nooit wat. Maar ik heb vader en moeder over hem horen praten. Hij woont in een reusachtig groot, eenzaam oud huis, ergens buiten, en er komt nooit iemand bij hem. Het is zo'n iezegrim, dat hij niemand bij zich wil hebben en er zou trouwens niemand komen, al wilde hij het nog zo graag. Hij heeft een bochel en hij is een hele nare man.'
'Ik geloof er niets van', zei Mary, draaide hem de rug toe en stopte haar vingers in haar oren, omdat ze er niet meer van wilde horen. Maar later moest ze er toch telkens aan denken, en toen mevrouw Crawford haar die avond vertelde, dat ze over een paar dagen met de boot naar Engeland zou gaan, naar haar oom, mijnheer Craven op Huize Misselthwaite, keek ze zo strak en onverschillig dat ze niet wisten wat ze van haar moesten denken. Ze deden hun best aardig voor haar te zijn, maar toen mevrouw Crawford haar een zoen wilde geven draaide ze haar hoofd om en toen mijnheer Crawford haar eens op haar rug klopte, liep ze gauw weg.

'Het is ook zo'n onaantrekkelijk kind', zei mevrouw Crawford later medelijdend. 'En haar moeder was zo charmant. Die had ook juist zo'n aardig optreden, terwijl Mary zo stug en bokkig is als een kind maar zijn kan. De kinderen noemen haar 'Mary wil-niet'. Het is niet aardig van ze, maar ik kan het me wel indenken.'

'Als die moeder haar snoezige gezichtje en haar aardige optreden wat meer in de kinderkamer vertoond had, zou Mary misschien ook wel anders zijn geworden. Het is een treurige gedachte, nu die mooie jonge vrouw dood is, dat de meeste mensen niet eens wisten dat ze een kind had.'

'Ik geloof dat ze nooit naar haar omkeek', zuchtte mevrouw Crawford. 'Toen de ayah dood was heeft blijkbaar niemand zich om het kleine ding bekommerd. Stel je voor, de bedienden zijn er vandoor gegaan en hebben haar alleen in dat uitgestorven huis achtergelaten. Kolonel McCrew zei dat hij zich een ongeluk schrok toen hij de deur open deed en haar daar helemaal alleen midden in de kamer zag staan.'

Mary maakte de lange reis naar Engeland onder de hoede van een officiersvrouw die haar kinderen naar een kostschool bracht. Deze ging helemaal in haar eigen tweetal op en was blij toen ze Mary kon afleveren aan de dame, die mijnheer Craven naar Londen had gestuurd om haar af te halen. Het was zijn huishoudster op Huize Misselthwaite en ze heette juffrouw Medlock. Het was een zware vrouw met rode wangen en scherpe zwarte ogen, en ze had een felle, paarse japon aan, een zwart zijden mantel met franje en een hoed met paarse fluwelen bloemen die recht overeind stonden en trilden als ze haar hoofd bewoog. Mary vond haar helemaal niet aardig, maar dat was niets bijzonders, want ze vond haast nooit iemand aardig; het was trouwens duidelijk dat juffrouw Medlock met haar ook niet erg ingenomen was.

'Lieve help! Wat een onooglijk kind!' zei ze. 'En we hadden nog wel gehoord dat haar moeder zo'n schoonheid was. Dat zou je aan haar niet zeggen, mevrouw!'

'Ze knapt misschien wel op als ze ouder wordt', zei de officiersvrouw goedhartig. 'Als ze niet zo flets was en wat vriendelijker keek, zou het best meevallen. Kinderen kunnen zo veranderen.'

'Nou, dan zou ze heel wat moeten veranderen', antwoordde juffrouw Medlock. 'En op Misselthwaite is niet veel waar een kind van kan opknappen, als u het mij vraagt!'

Ze dachten dat Mary niet luisterde, omdat ze een eindje van hen af stond, voor het raam van het hotel waar ze die nacht zouden logeren. Ze keek naar de voorbijgaande autobussen, rijtuigen en mensen, maar ze hoorde alles en begon erg nieuwsgierig te worden naar haar oom en zijn buitengoed. Wat zou het voor een huis zijn en hoe zou hij er uitzien? Wat was eigenlijk een bochel? Ze had er nog nooit een gezien. Misschien bestonden die niet in India.

Sinds ze onder vreemden leefde en geen ayah meer had, was ze zich eenzaam gaan voelen en waren er wonderlijke gedachten bij haar opgekomen die nieuw voor haar waren. Ze had erover getobd hoe het toch kwam dat zij eigenlijk nooit bij iemand gehoord had, zelfs toen haar vader en moeder nog leefden. Andere kinderen schenen bij hun vaders en moeders te horen, maar het leek net of zij nooit echt iemands kind was geweest. Ze had bedienden en eten en kleren gehad, maar niemand was ooit eens lief voor haar geweest. Ze wist niet dat dit kwam omdat ze een naar kind was, want ze wist natuurlijk zelf niet dat ze zo onaardig was. Ze vond andere mensen dikwijls vervelend, maar ze wist niet dat ze dat zelf ook was.

Mary vond juffrouw Medlock met haar grove rode gezicht en die opgedirkte hoed het naarste mens dat ze ooit gezien had. Toen ze de volgende dag de reis naar Yorkshire begonnen, stapte ze met haar neus in de lucht het perron af en bleef ze ver mogelijk van haar vandaan, omdat ze niet wilde dat de mensen dachten dat ze bij haar hoorde. Stel je voor dat iemand eens zou denken, dat dat haar moeder was!

Maar juffrouw Medlock trok zich van Mary en haar gedachten totaal niets aan. Zij was zo iemand die geen 'kuren en kunsten' van kinderen verdroeg. Dat zou ze tenminste gezegd hebben als iemand het haar gevraagd had. Ze had het erg vervelend gevonden naar Londen te moeten gaan, net toen de dochter van haar zuster Maria zou gaan trouwen, maar als huishoudster op Huize Misselthwaite had ze een makkelijke, goed betaalde betrekking, die ze alleen kon behouden door altijd prompt te doen wat mijnheer Craven zei. Ze waagde het zelfs nooit een vraag te stellen.

15

'Kapitein Lennox en zijn vrouw zijn aan de cholera gestorven', had mijnheer Craven op zijn koele, korte manier gezegd. 'Kapitein Lennox was de broer van mijn vrouw en ik ben voogd over hun dochtertje. Het kind komt hier en u moet haar morgen uit Londen gaan halen.'

Dus had ze haar koffertje gepakt en was naar Londen gegaan.

In haar hoekje van de coupé zat Mary bleek en nors voor zich uit te staren. Ze had niets te lezen of te doen en zat met haar magere kleine handjes in haar schoot gevouwen. In haar zwarte jurk zag ze er nog geler uit dan anders en haar slappe fletse haar kwam in pieken onder haar ouwelijke hoed uit.

'Ik heb nog nooit zo'n onvriendelijk kind gezien', dacht juffrouw Medlock. Ze had ook nog nooit een kind gezien dat zo stil voor zich uit zat te kijken zonder iets te doen en eindelijk begon ze er genoeg van te krijgen en zei met een schelle, harde stem: 'Je wilt zeker wel eens weten waar je eigenlijk heengaat. Weet je iets van je oom af?'

'Nee', zei Mary.

'Heb je je vader en moeder nooit eens over hem horen praten?'

'Nee', zei Mary met een boos gezicht. Ze keek boos, omdat ze bedacht dat haar vader en moeder nooit ergens met haar over gepraat hadden. Verteld hadden ze haar in ieder geval niets.

'Mm', mompelde juffrouw Medlock, terwijl ze naar het vreemde, onbewogen gezichtje keek. Ze zweeg een ogenblik en begon toen opnieuw. 'Het is toch beter dat je weet waar je terecht komt. Dan ben je tenminste voorbereid. Je krijgt een eigenaardig thuis.'

Mary zei geen woord en juffrouw Medlock was even uit het veld geslagen door zoveel onverschilligheid, maar nadat ze eens diep adem had gehaald ging ze verder. 'Niet dat het geen prachtig landgoed is, maar somber, weet je, en niet dat mijnheer Craven er op zijn manier niet trots op is – maar daar is ook al niet veel vrolijks aan. Het huis is wel zeshonderd jaar oud, en het staat aan de rand van de hei. Er zijn bijna honderd kamers in, maar de meeste zijn afgesloten. Het is vol schilderijen en mooie oude meubelen en andere kostbare dingen, waar niemand naar omkijkt, en het ligt in een groot park en er zijn tuinen met bomen waarvan de takken over de grond slepen. Sommige tenminste.'

Ze zweeg even en haalde weer diep adem. 'Maar verder is er niets', besloot ze plotseling.

Onwillekeurig had Mary geluisterd. Het klonk allemaal zo anders dan India en iets nieuws trok haar wel aan. Maar ze liet het nooit merken als iets haar interesseerde. Dat was een van haar onplezierige gewoonten. Dus zei ze niets.

'En?' vroeg juffrouw Medlock. 'Wat zeg je daar nu wel van?'

'Niets', antwoordde Mary. 'Ik heb nog nooit zo'n huis gezien.' Daar moest juffrouw Medlock even om lachen.

'Zo', zei ze. 'Je lijkt waarachtig wel een oude vrouw. Kan het je dan niets schelen?'

'Het doet er niet toe', zei Mary, 'of het me kan schelen of niet.' 'Daar heb je gelijk in', zei juffrouw Medlock. 'Het doet er niets toe. Waarom je op Huize Misselthwaite moet wonen begrijp ik niet. Misschien omdat het de makkelijkste manier is. Hij zal zich niets van je aantrekken, dat staat vast.' Ze zweeg alsof ze net bijtijds aan iets gedacht had. 'Hij heeft een hoge rug', zei ze. 'Dat heeft hem veel kwaad gedaan. Toen hij jong was, was hij ook al zo verbitterd en had helemaal geen plezier van zijn geld en dat mooie landgoed. Hij is pas veranderd toen hij trouwde.'

Mary keek haar aan en vergat een ogenblik haar voornemen om onverschillig te lijken. Ze had er nooit aan gedacht dat de 'bochel' getrouwd kon zijn en ze was een beetje verbaasd. Juffrouw Medlock had het onmiddellijk in de gaten en omdat ze spraakzaam van aard was, vertelde ze met meer animo verder. Dat bekortte tenminste een beetje de tijd.

'Ze was een lief en mooi schepseltje en hij zou de sterren voor haar van de hemel hebben geplukt. Niemand had gedacht, dat ze met hem zou trouwen, maar ze heeft het toch gedaan en de mensen zeiden dat ze hem om zijn geld nam. Maar dat was niet waar, dat was beslist niet waar', zei juffrouw Medlock. 'Toen ze stierf...'

Mary maakte een beweging van schrik.

'Och! Is ze gestorven?' riep ze onwillekeurig uit. Ze had juist aan een sprookje gedacht dat ze eens gelezen had en dat 'Riket met de kuif' heette. Het ging over een gebochelde en een mooie prinses en ze had plotseling mijnheer Craven erg zielig gevonden.

'Ja, ze is gestorven', antwoordde juffrouw Medlock. 'En daarna is hij zonderlinger dan ooit geworden. Hij geeft om niemand. Hij wil geen mens zien. Meestal is hij op reis en als hij op Misselthwaite is sluit hij zich in de westervleugel op en dan is Pitcher de enige die bij hem mag komen. Pitcher is een oude sok, maar hij heeft hem als kind al verzorgd en hij is aan hem gewend.'

Het klonk als iets uit een boek, maar erg prettig leek het Mary niet. Een huis met honderd kamers, die bijna allemaal op slot waren – een huis aan de rand van een hei – wat dat ook wezen mocht, een hei – het klonk somber. En een man met een hoge rug die zich ook al opsloot! Met op elkaar geklemde lippen staarde ze naar buiten en het leek niet meer dan natuurlijk dat de regen in grauwe schuine stralen begon neer te stromen en tegen de raampjes kletterde. Als die mooie mevrouw nog geleefd had zou die alles wel wat hebben opgevrolijkt door zoals haar moeder, gauw even goededag te komen zeggen en naar feesten te gaan in jurken vol kant. Maar ze was er niet meer.

'Denk maar niet dat je hem te zien krijgt', zei juffrouw Medlock. 'Want daar is niet veel kans op. En denk ook maar niet dat er mensen zullen zijn om mee te praten. Je zult op je eentje moeten spelen en je eigen gang gaan. We zullen je wel vertellen in welke kamers je mag komen en waar je vandaan moet blijven. De tuin is groot genoeg. Maar je hebt het hart niet in huis te gaan rondsnuffelen. Dat wil mijnheer Craven volstrekt niet hebben.'

'Ik ben helemaal niet van plan te gaan rondsnuffelen', zei de knorrige kleine Mary, en even plotseling als ze medelijden met mijnheer Craven had gekregen, was dat gevoel weer verdwenen en vond ze dat zo'n akelige man alles verdiende wat hem overkomen was.

Ze keerde haar gezicht weer naar het raampje, waar het water in stralen langs stroomde en staarde naar de grauwe regen die er uitzag of hij nooit meer zou ophouden. Ze keek er zo lang en strak naar dat de grauwheid hoe langer hoe dichter voor haar ogen werd en ze eindelijk in slaap viel.

3 Over de heide

Ze had een hele tijd geslapen en toen ze wakker werd had juffrouw Medlock aan een van de stations een lunchpakket gekocht en aten ze broodjes met vlees en kaas en dronken een bekertje thee. Het regende harder dan ooit en alle mensen op het perron droegen natte, glimmende regenjassen. De conducteur kwam de lampen in de coupé aansteken en juffrouw Medlock knapte zichtbaar op van de broodjes en de warme thee. Ze at een heleboel en viel daarna ook in slaap en Mary zat te kijken hoe de mooie hoed op één oor zakte, net zolang tot ze zelf, gewiegd door het eentonige gekletter van de regen tegen de raampjes, ook weer indommelde. Toen ze voor de tweede maal wakker werd was het buiten helemaal donker. De trein stond stil aan een station en juffrouw Medlock schudde haar bij haar schouder.

'Wat heb jij geslapen!' zei ze. 'Word eens wakker! We zijn in Thwaite en we hebben nog een hele rit voor de boeg.'

Mary stond op en probeerde haar ogen open te houden, terwijl juffrouw Medlock de bagage bij elkaar zocht. Het meisje bood niet aan haar te helpen, omdat in die tijd in India de inheemse bedienden altijd alles voor je opraapten en droegen en ze het heel gewoon vond dat andere mensen haar bedienden.

Het was een klein stationnetje, waar blijkbaar verder niemand uitstapte. De chef maakte een gemoedelijk praatje met juffrouw Medlock en sprak met een vreemd, boers accent dat, zoals Mary later ontdekte, Yorkshire's was.

'Zo, bent u daar weer?' zei hij. 'En u hebt de kleine meegebracht, zie ik.'

'Joa, dat is ze', antwoordde juffrouw Medlock, die nu zelf ook Yorkshire's sprak, met een hoofdbeweging in Mary's richting. 'Hoe moakt de vrouw het?'

'Kan d'r mee door. Het rijtuig staat buiten al op u te wachten.'

Buiten voor het station stond een coupé. Mary zag dadelijk, dat het een deftig rijtuig was en een deftige palfrenier die haar hielp instappen. Zijn lange oliejas en hoed glommen en dropen van de regen zoals alles – de welgedane stationschef niet uitgezonderd.

Toen hij de deur had dichtgedaan en naast de koetsier op de bok was geklommen reden ze weg en Mary voelde dat ze op een zachte bank met fluwelen kussens zat. Maar ze had nu geen zin meer om te slapen. Ze tuurde door het raam en probeerde iets van de weg te zien, die naar het wonderlijke buitengoed voerde, waar juffrouw Medlock van verteld had. Ze was volstrekt geen verlegen kind en bang was ze niet, maar je wist toch maar nooit wat er gebeuren kon in een huis met honderd kamers, die bijna allemaal afgesloten waren – een huis dat aan de rand van de heide stond.

'Wat is een heide?' vroeg ze opeens.

'Kijk over een minuut of tien nog maar eens naar buiten, dan zal je het wel zien', antwoordde de vrouw. 'We hebben nog vijf mijl over de Misselse hei te rijden voor we aan het Huis komen. Veel zal je niet zien op zo'n donkere avond, maar toch altijd wel iets.'

Mary vroeg niet verder, maar wachtte af in haar donkere hoekje, haar ogen op het raampje gericht. De rijtuiglantaarns wierpen bundels lichtstralen op de weg en soms zag ze een glimp van de dingen die ze voorbijreden. Van het station komende waren ze door een klein dorpje gereden en had ze witte huisjes en de lichten van een herberg gezien. Daarna waren ze langs een kerk en een pastorie gereden en een huisje met een klein winkelraam, waarin speelgoed en snoep en allerlei andere dingen lagen uitgestald. Toen kwamen ze op een grote weg en kon ze heggen en bomen onderscheiden. Daarna bleef het een hele tijd hetzelfde, het leek haar tenminste een hele tijd.

Eindelijk begonnen de paarden langzamer te lopen, alsof ze tegen een helling opklommen, en kort daarna schenen er geen heggen en bomen meer te zijn. Ze zag niets anders dan aan beide zijden diepe duisternis. Ze boog zich voorover en drukte haar gezichtje tegen het raampje juist toen het rijtuig een flinke schok kreeg.

'Hola! Als dat de hei niet is!' zei juffrouw Medlock.

De lantarens wierpen een geel schijnsel op een oneffen weg die aan weerszijden tussen laag struikgewas doorliep en in een wijde donkere ruimte eindigde die hen aan alle kanten leek te omringen. De wind stak op en maakte een eigenaardig wild ruisend geluid.

'Dat is . . . dat is toch niet de zee?' vroeg Mary, naar haar begeleidster opkijkend.

'Welnee', antwoordde juffrouw Medlock. 'En het zijn ook geen landerijen of bergen, alleen maar een eindeloze woeste vlakte, waar niets op groeit dan hei en brem en distels en waar alleen wilde pony's en schapen leven.'

'Het kon best de zee zijn, als er water op was', vond Mary. 'Het klinkt net als de zee.'

'Dat is de wind die door de struiken blaast', zei juffrouw Medlock. 'Ik voor mij houd niet van die kale, sombere vlakte, maar er zijn mensen genoeg die er gek op zijn, vooral wanneer de hei bloeit.'

Ze reden maar door in het pikkedonker, en hoewel het niet meer regende, gierde en loeide de wind en maakte de vreemdste geluiden. De weg steeg en daalde en het rijtuig reed een paar maal over kleine bruggetjes, waaronder snelstromend water veel lawaai maakte. Mary dacht dat er nooit een eind aan de rit zou komen en had het gevoel dat de eindeloze verlaten hei een grote zwarte oceaan was, waar ze op een smal strookje droog land doorheen reed.

'Ik vind het naar', zei ze bij zichzelf. 'Ik vind het naar', en ze klemde haar dunne lippen nog stijver op elkaar.

Toen de paarden een steil gedeelte van de weg beklommen, zag ze voor het eerst een lichtje. Juffrouw Medlock had het ook gezien en slaakte een zucht van verlichting.

'Hè, hè, wat ben ik blij dat ik dat lichtje zie', riep ze uit. 'Het is het huis van de parkwachter. Nu krijgen we tenminste over een poosje een kopje thee.'

Het was inderdaad 'over een poosje', want toen het rijtuig het hek was binnengereden volgde er nog een twee mijlen lange oprijlaan, die, doordat de kruinen van de bomen elkaar bijna raakten, wel een lange donkere tunnel leek.

De tunnel eindigde bij een open plek en daar stopten ze voor een ontzaglijk langgerekt maar laag huis, dat om een stenen binnenplaats scheen te zijn gebouwd. Eerst dacht Mary dat er achter al die ramen nergens licht brandde, maar toen ze uit het rijtuig stapte zag ze een flauw schijnsel in een hoekraam op de eerste verdieping.

De zware, massief eikehouten voordeur had eigenaardig gevormde panelen met dikke ijzeren spijkers en grote ijzeren bouten. Zij verleende toegang tot een enorme hal die zo spaarzaam verlicht was, dat Mary maar liever niet naar de portretten aan de muren en de geharnaste riddergestalten keek. Zoals ze daar op de stenen vloer stond leek ze een heel klein schriel zwart wezentje en ze voelde zich net zo klein en verlaten en schriel als ze er uitzag.

Achter de knecht die de deur voor hen had opengedaan, stond een keurig geklede, magere oude man.

'U moet haar naar haar kamer brengen', zei hij met een hese stem. 'Hij wil haar niet zien. Hij gaat morgenochtend naar Londen.'

'Goed, mijnheer Pitcher', antwoordde juffrouw Medlock. 'Als ik maar weet wat er van mij verlangd wordt, dan komt het wel in orde.'

'Wat er van u verlangd wordt, juffrouw Medlock', zei mijnheer Pitcher, 'is te zorgen dat hij niet wordt lastig gevallen en dat hij niet ziet wat hij niet zien wil.'

En toen moest Mary Lennox een brede trap op en een lange gang door en nog een paar treden op en toen weer een gang en nog een, tot de huishoudster een deur open deed en ze in een kamer bleek te staan, waar een open vuur brandde en een gedekte tafel stond.

'Alsjeblieft', zei juffrouw Medlock grimmig. 'Deze kamer en die ernaast zijn voor jou, en verder blijf je overal vandaan. Knoop dat goed in je oren!'

Dat was Mary's aankomst in Huize Misselthwaite en misschien had ze zich in haar hele leven nog nooit zo Mary 'wil-niet' gevoeld.

4 Martha

De volgende morgen werd ze wakker doordat een jong dienstmeisje was binnengekomen om de kachel aan te maken en met veel lawaai de as uitpookte. Mary lag even naar haar te kijken en nam toen de kamer eens op. Ze had nog nooit zo'n rare, sombere kamer gezien. De muren waren met tapijten behangen, die een jachttafereel voorstelden. Er zaten wonderlijk geklede mensen onder bomen en op de achtergrond was een kasteel met torens. Er waren jagers en paarden en honden en dames. Mary kreeg het gevoel dat ze samen met die mensen in dat bos was. Door een raam met een diepe vensterbank zag ze een wijde, glooiende vlakte, waar geen enkele boom op scheen te staan en die wel een eindeloze, eentonige paarsbruine zee leek.

'Wat is dat?' vroeg ze, uit het raam wijzend.

Martha, het jonge dienstmeisje, dat net opgestaan was, keek en wees toen ook.

'Dat daar?' zei ze.

'Ja.'

'Da's de hei', zei ze met een vrolijk lachje. 'Mooi, hè?'

'Nee', zei Mary. 'Afschuwelijk.'

'Da-komt omdat je er niet aan gewend bin', zei Martha, die weer naar de haard toeging. 'Je vindt 'm nou te groot en te kaal maar daar wen je wel an.'

'Vind jij hem dan mooi?' informeerde Mary.

'Nou en of', antwoordde Martha, terwijl ze er stevig op los poetste. 'Ik ben d'r gek op. Hij is ook helemaal zo kaal niet. Er groeit van alles op, dat zo lekker ruikt. In de zomer en het najaar als de hei en de brem en alles in bloei staan, is het reusachtig mooi. Dan ruikt het naar honing en de lucht is zo lekker en de hemel lijkt zo hoog en de bijen zoemen en de leeuweriken zingen zo fijn! Nee, hoor, ik zou nergens anders willen wonen dan op de hei!'

Mary lag met een ernstig, verbaasd gezicht naar haar te luisteren. De bedienden waar ze in India aan gewoon was geweest, waren zo totaal anders. Die waren nederig en onderdanig en zouden het nooit hebben gewaagd met hun meesters te praten alsof ze hun gelijken waren. Ze maakten buigingen.

Indische bedienden kregen bevelen en daarmee uit. Het was geen gewoonte 'alsjeblieft' te zeggen en Mary had haar ayah zelfs wel geslagen, als ze boos was. Ze zou wel eens willen weten wat dit meisje zou doen als ze haar sloeg. Ze zag er rond en blozend en goedhartig uit, maar ze had iets kordaats, waardoor Mary zich afvroeg of ze misschien niet zou terugslaan, als een klein meisje zoiets met haar zou proberen.

'Wat ben jij een rare bediende', zei ze uit de hoogte van tussen de kussens.

Martha richtte zich op haar hurken op, met haar potloodborstel in haar hand en scheen niet in het minst beledigd.

'Joa! Da' weet ik', zei ze. 'Als er hier een deftige mevrouw op Misselthwaite was, hadden ze me nooit als kamermeisje willen hebben. Dan hadden ze me misschien als hulp in de bijkeuken genomen, maar in de kamers was ik dan nooit gekomen. Daar ben ik niet fijn genoeg voor en ik praat ook te boers. Maar het is hier een raar huishouden, al is het nog zo'n rijke boel. Behalve mijnheer Pitcher en juffrouw Medlock zijn er hier eigenlijk geen meneer en mevrouw. Meneer Craven wil als hij thuis is nergens iets mee te maken hebben en hij is trouwens bijna altijd weg. Juffrouw Medlock heeft me uit medelijden aangenomen, maar ze zei dat ze het nooit had kunnen doen als het op Misselthwaite net zo toeging als in andere grote huizen.'

'Word jij hier mijn meid?' vroeg Mary, nog altijd op haar bevelende, Indische toontje.

Martha poetste weer aan de haard verder. 'Ik ben in dienst van juffrouw Medlock', zei ze nadrukkelijk, 'en die is in dienst van meneer Craven – en ik moet de kamer hier schoonhouden en jou zo'n beetje bedienen. Maar je zult niet veel bediening nodig hebben.'

'Wie moet me aankleden?' vroeg Mary.

Martha ging weer overeind zitten en staarde haar aan. Van verbazing begon ze plat Yorkshire's te praten.

'Kudde ge'oe eigen zellevers nie' ankliên?'

'Wat zeg je? Ik begrijp je niet.'

'O, ja', zei Martha. 'Juffrouw Medlock heeft gezegd dat ik moest oppassen, want dat je me anders niet zou verstaan. Ik bedoel, kun je je eigen kleren niet aantrekken?'

'Nee', antwoordde Mary verontwaardigd. 'Dat heb ik nog nooit in mijn leven gedaan. Mijn ayah kleedde mij natuurlijk aan.'

'Nou', zei Martha, zich blijkbaar in het geheel niet bewust dat ze brutaal was, 'dan wordt het tijd dat je het leert. Daar kun je niet jong genoeg mee beginnen. Het zal je goed doen als je hier een beetje voor jezelf moet zorgen. Mijn moeder zegt altijd dat ze niet begrijpt hoe rijkelui's kinderen ooit flinke mensen moeten worden, met al die kinderjuffrouwen die hen wassen en aankleden en mee uit wandelen nemen alsof ze idioot zijn.'

'In India is dat heel anders', zei Mary uit de hoogte. Ze kon dit gepraat haast niet langer aanhoren.

Maar Martha was allerminst uit het veld geslagen.

'Ja, dat begrijp ik', zei ze op meewarige toon. 'Dat komt natuurlijk doordat er zo'n hoop zwarten zijn in plaats van fatsoenlijke blanke mensen. Toen ik hoorde dat je uit India kwam, dacht ik dat je ook een zwartje zou wezen.'

Mary vloog woedend overeind.

'Wat!' riep ze. 'Wat! Dacht je dat ik een inheemse was. Varken dat je bent!'

Het bloed steeg Martha naar het hoofd, maar ze zei kalm:

'Je hoeft me niet uit te schelden hoor! En er is geen reden om zo kwaad te zijn. Ik heb niets tegen de zwarten. Als je in traktaatjes over ze leest, zijn ze altijd heel godsdienstig. Er staat altijd in dat de zwarten ook mensen zijn en onze broeders. Ik heb er nog nooit een gezien en ik vond het zo echt dat ik er nou eens een van dichtbij zou zien. Toen ik vanmorgen binnenkwam om je kachel aan te maken, ben ik op m'n tenen naar je bed geslopen en heb de deken een eindje weggetrokken om je te bekijken. Maar nee hoor', zei ze teleurgesteld, 'je bent net zo min zwart als ik – al vind ik wel dat je er gelig uitziet.'

Mary deed zelfs geen poging meer om haar woede en gegriefdheid te onderdrukken.

'Dus je dacht dat ik een inheemse was! Hoe durf je! Je weet niets van inheemsen af! Het zijn geen mensen, het zijn bedienden, die voor je moeten buigen. Je weet niets van India af. Je weet nergens iets van af!'

Ze was zó driftig en wist zich helemaal geen raad tegenover dat onnozele wezen dat haar maar zat aan te staren, dat ze zich opeens vreselijk eenzaam voelde en ver weg van alles wat ze begreep en wat háár begreep. Ze begroef haar gezicht in de kussens en begon hartstochtelijk te snikken. Ze snikte zo wanhopig, dat de goedhartige, boerse Martha ervan schrok en medelijden met haar kreeg. Ze ging naar het bed en boog zich over haar heen.

'Kom nou!' zei ze. 'Niet zo huilen, niet zo huilen! Ik wist niet dat je er zo boos om zou zijn. Ik weet nergens iets van – 't is net zoals je zegt. Neem het me maar niet kwalijk, jongejuffrouw. Huil nou maar niet meer.'

Er was iets troostends en hartelijks in haar grappige boerentaaltje en haar onbevangen optreden, dat een goede uitwerking op Mary had. Ze hield langzamerhand op met huilen en kwam weer tot rust. Martha was blij toe.

''t Is nou tijd om op te staan', zei ze. 'Ik moet van juffrouw Medlock je ontbijt en je thee en je middageten in de kamer hiernaast brengen. Die is als speelkamer in orde gemaakt. Ik zal je wel effies met je kleren helpen als je uit je bed komt. Die knopen van achteren kun je toch niet zelf dicht krijgen.'

Toen Mary eindelijk besloot op te staan, zag ze dat de kleren die Martha uit de kast haalde andere waren dan die ze de vorige avond bij haar aankomst had aangehad.

'Dat zijn mijn kleren niet', zei ze. 'De mijne zijn zwart.'

Kritisch bekeek ze de lichtgekleurde mantel en jurk van warme wollen stof en zei toen genadig:

'Deze zijn veel leuker dan de mijne.'

'Deze moet je ook aantrekken', antwoordde Martha. 'Meneer Craven heeft ze door juffrouw Medlock in Londen laten kopen. Hij zei: 'Ik wil niet, dat er hier een kind in de rouw rondloopt', zei-die. 'Dat maakt het hier nog somberder dan het al is. Trek haar maar wat fleurigs aan!' Moeke zei, dat ze begreep wat hij bedoelde. Moeke begrijpt altijd alles wat de mensen bedoelen. Ze moet zelf ook niets van zwart hebben.'

'Ik vind zwarte kleren afschuwelijk', zei Mary.

Van de aankleedpartij leerden ze allebei wat. Martha had heel wat bloesjes en jurkjes van haar kleine zusjes dichtgeknoopt, maar ze had nooit een kind gezien dat zo als een pilaar bleef staan tot een ander haar alles aandroeg en aantrok, alsof ze zelf geen handen of voeten had.

'Waarom trek je zelf je schoenen niet aan?' vroeg ze, toen Mary kalm haar voeten uitstak.

'Dat deed mijn ayah altijd', antwoordde Mary verbaasd. 'Dat was de gewoonte.'

Ze zei dat dikwijls: 'Dat was de gewoonte.' De inheemse bedienden hadden dat ook altijd gezegd. Als je hun beval iets anders te doen dan hun voorouders duizend jaar lang hadden gedaan, keken ze je vriendelijk aan en zeiden: 'dat is de gewoonte niet' en dan wist je dat er niet meer over te praten viel.

Het was de gewoonte geweest dat de jongejuffrouw zich als een pop liet aankleden, maar voordat ze klaar was voor het ontbijt begon ze te vermoeden dat ze op Huize Misselthwaite allerlei nieuwe dingen zou moeten leren, zoals haar eigen kousen en schoenen aantrekken en zelf oprapen wat ze had laten vallen. Als Martha een goedgedresseerde fijne kamenier was geweest, zou ze zich onderdaniger en eerbiediger hebben gedragen en het als haar taak hebben beschouwd Mary's haar te borstelen, haar schoenen dicht te knopen en dingen op te rapen en op te bergen. Maar ze was een onervaren boerenmeisje, dat in een huisje op de hei was grootgebracht met een zwerm broertjes en zusjes, die nooit van iets anders gedroomd hadden dan zichzelf en de kleineren te helpen die òf in de wieg lagen òf net hadden leren lopen en overal rondscharrelden.

Een vrolijker, opgewekter kind dan Mary zou misschien om Martha's spraakzaamheid hebben gelachen, maar Mary luisterde alleen maar koeltjes toe en begreep niet dat iemand zo vrijpostig kon zijn.

Eerst interesseerde het haar niets wat ze zei, maar langzamerhand, terwijl het meisje op haar eenvoudige, goedhartige manier doorbabbelde, begon Mary te luisteren.

'Je moest ze eens zien', zei ze. 'We zijn met ons twaalven en me vader verdient maar zestien shilling in de week. Ik kan je zeggen dat het voor moeke een toer is om rond te komen, hoor. Ze spelen en stoeien de hele dag op de hei, en moeke zegt dat ze dik van de gezonde lucht worden. Ze zegt dat ze gelooft dat ze gras eten, net als de wilde pony's. Onze Dickon is twaalf en heeft een pony, die van hem is, zegt hij.'

'Hoe is hij daaraan gekomen?' vroeg Mary.

'Die heeft hij op de hei gevonden met zijn moeder, toen hij nog een veulen was en hij is goeie vrienden met hem geworden door hem stukjes brood te voeren. En nou is het dier zo gek op hem, dat het hem overal achterna loopt en hem op zijn rug laat zitten. Dickon is een goeie jongen en alle dieren houden van hem.'

Mary had nooit zelf een dier bezeten, maar had er wel altijd graag een willen hebben. Ze begon dus een klein beetje belangstelling voor Dickon te voelen, en omdat ze nog nooit voor iemand belangstelling had gehad behalve voor zichzelf, was dit een gezond gevoel dat in haar wakker werd.

Toen ze in de kamer kwam die haar speelkamer moest voorstellen, zag ze dat die maar heel weinig van de andere verschilde. Het was geen kamer voor een kind maar voor een groot mens, met sombere oude schilderijen aan de wand en zware oude eiken meubelen. Op een tafel in het midden was een flink, stevig ontbijt klaargezet, maar Mary had altijd heel weinig eetlust en keek dan ook met tegenzin naar het eerste bord dat Martha voor haar neerzette.

'Dat wil ik niet hebben', zei ze.

'Wat! Wil je je pap niet hebben!' riep Martha ongelovig uit.

'Nee.'

'Je weet niet hoe lekker hij is. Doe er een beetje stroop in of wat suiker.'

'Ik heb er geen trek in', zei Mary nog eens.

'Jakkes!' zei Martha, 'ik kan het niet aanzien dat er voor zulk goed eten wordt bedankt. Als onze kinderen hier aan tafel zaten, zou binnen vijf minuten alles schoon op zijn.'

'Waarom?' vroeg Mary koel.

'Waarom?' echode Martha. 'Omdat ze haast nooit in hun leven genoeg krijgen! Ze zijn zo hongerig als wolven.'

'Ik weet niet wat het is hongerig te zijn', zei Mary, onverschillig voor alles wat haar vreemd was. Martha keek verontwaardigd.

'Nou, dan zou het je goed doen als je het eens ondervond, dat weet ik wel', zei ze heftig. 'Ik kan het niet uitstaan, een kind dat haar eten niet aanroert. Zulk kostelijk brood en al dat vlees! Ik zou er wat voor geven als Dickon en Phil en Jane en de anderen dat allemaal in hun buik hadden!'

'Waarom neem je het dan niet voor hen mee?' stelde Mary voor.

'Omdat het me niet toekomt', antwoordde Martha beslist. 'En het is ook niet mijn vrije dag. Ik heb eens in de maand een uitgaansdag, net als de anderen. Dan ga ik naar huis om voor moeke de boel schoon te maken en haar eens wat rust te geven.'

Mary dronk een kopje thee en at een dun sneetje geroosterd brood met een beetje jam.

'Ik zou me maar eens warm aankleden als ik jou was en buiten gaan spelen en rondlopen', zei Martha. 'Dat zal je goed doen en dan krijg je misschien wat honger.'

Mary ging naar het raam. Er was een grote tuin met paden en hoge bomen, maar alles zag er doods en winters uit.

'Naar buiten? Wat moet ik buiten doen in die kou?'

'Nou, als je niet naar buiten gaat moet je binnen blijven en wat wil je dan uitvoeren?'

Mary keek om zich heen. Er was inderdaad niets te doen. Toen juffrouw Medlock de kinderkamer in orde had gemaakt had ze niet aan speelgoed gedacht. Misschien was het dan toch maar beter eens in de tuin te gaan rondkijken.

'Wie gaat er met me mee?' vroeg ze.

Martha staarde haar aan, opnieuw stomverbaasd.

'Je gaat alleen, wat dacht je anders?' antwoordde ze. 'Je moet leren spelen net zoals andere kinderen, die geen broertjes of zusjes hebben. Onze Dickon gaat soms urenlang alleen de hei op. Zo heeft hij vriendschap met de pony gesloten. Er zijn schapen op de hei, die hem kennen, en vogels die uit zijn hand komen eten. Al is er thuis nog zo weinig te eten, hij bewaart altijd een stukje brood om zijn dieren mee te lokken.'

Het was dit verhaal over Dickon dat Mary tenslotte deed besluiten naar buiten te gaan, ook al besefte ze dat zelf niet. Er zouden buiten vogels zijn, al waren er dan geen pony's of schapen. Ze zouden anders zijn dan de vogels in India en het was misschien wel de moeite waard daar eens naar te gaan kijken.

Martha haalde een mantel en een muts voor haar en een paar stevige schoenen en wees haar de weg naar beneden.

'Als je daar door gaat', zei ze, op een hekje in een dichte haag wijzend, 'dan kom je in de tuinen. 's Zomers staan die vol bloemen, maar nu bloeit er niets.' Het was of ze even aarzelde voor ze verder ging. 'Eén van de tuinen is afgesloten. Daar is in geen tien jaar een mens in geweest.'

'Waarom niet?' kon Mary niet nalaten te vragen. Alweer een gesloten deur bij die honderd andere in dat gekke huis.

'Meneer Craven heeft haar laten afsluiten toen zijn vrouw zo plotseling gestorven is. Hij wil niet dat er iemand in komt. Die tuin was van haar. Hij heeft de deur op slot gedaan en de sleutel ergens begraven. Daar belt juffrouw Medlock, nou moet ik gauw naar beneden.'

Toen ze weg was, liep Mary het pad af dat naar het hek tussen de heesters voerde. Ze moest aan die tuin denken waar tien jaar lang niemand in was geweest. Hoe zou het er daar nu uitzien en zouden er nog bloemen groeien? Toen ze door het hekje was stond ze in een groot park met uitgestrekte gazons, waar bochtige paden met lage, geschoren ligusterranden door liepen. Er waren bomen en bloemperken en tot vreemde vormen gesnoeide heesters en in het midden een vijver met een oude, grijze fontein. Maar de bloemperken waren kaal en winters en de fontein spoot niet. Dit was de afgesloten tuin niet. Hoe kon een tuin afgesloten zijn? Tuinen waren toch altijd open?

Juist terwijl ze hierover nadacht, zag ze aan het eind van het pad waar ze op liep een lange, dicht met klimop begroeide muur. Onbekend met Engelse buitenplaatsen, begreep ze niet dat ze bij de moestuinen kwam, waar groenten en vruchten gekweekt werden. Ze ging naar de muur toe en ontdekte tussen het klimop een groene deur, die open stond. Dit was dus blijkbaar niet de afgesloten tuin en hier kon ze vrij naar binnen gaan.

Ze ging door de deur en kwam in een tuin terecht die aan alle kanten door muren omringd was, en waar weer andere ommuurde tuinen aan grensden, die allemaal in elkaar leken te lopen. Ze ontdekte een tweede groene deur, waardoor ze heesters zag en paden tussen bedden met wintergroenten. Er groeiden vruchtbomen plat tegen de muur en sommige van de groentebedden waren met glasruiten afgedekt. Wat was het allemaal dor en lelijk, vond Mary, terwijl ze om zich heen keek. Misschien was het 's zomers mooier, als alles groen was, maar nu was er niets aan.

Opeens kwam er een oude man met een schop over zijn schouder door de deur die naar de tweede tuin leidde. Hij schrok toen hij Mary zag, maar tikte toch even aan zijn pet. Hij had een knorrig oud gezicht en scheen helemaal niet blij haar te zien, maar Mary, die zijn tuin ook allesbehalve mooi vond en haar 'wil-niet' gezicht zette, was ook bepaald niet blij hèm te zien.

'Wat is dat hier?' vroeg ze.

'Een van de moestuinen', antwoordde hij.

'En dat?' vroeg Mary, naar de andere groene deur wijzend.

'Nog een', zei hij kortaf. 'Achter die muur is er nog een en daarachter ligt de boomgaard.'

'Mag ik daar in?' vroeg Mary.

'Als je d'r zin in hebt. Maar d'r is niks te zien.'

Mary gaf geen antwoord. Ze liep het pad af en de tweede groene deur door. Daar waren weer andere muren en wintergroenten en glasruiten, maar in de tweede muur was ook weer een groene deur en die stond **niet** open. Misschien was daarachter de tuin waar in tien jaar niemand geweest was. Omdat ze allesbehalve bescheiden was en altijd deed waar ze zin in had, ging Mary naar de groene deur en lichtte de klink op. Eigenlijk had ze gehoopt dat de deur niet open zou kunnen, omdat ze dan misschien die geheimzinnige tuin zou hebben ontdekt, maar hij ging heel gemakkelijk open en toen ze er door was stond ze in een boomgaard.

Ook hier waren aan alle kanten muren waar vruchtbomen langs groeiden, verder kale bomen in het verdorde winterse gras – maar nergens een groene deur. Mary zocht er tevergeefs naar. Toch had ze toen ze binnenkwam opgemerkt, dat de muur niet met de boomgaard eindigde, maar verder doorliep alsof hij aan de andere kant nog een ander stuk tuin insloot. Ze zag de toppen van bomen boven de muur uitkomen en toen ze bleef stilstaan ontdekte ze een vogeltje met een helderrood borstje dat op de allerhoogste tak van een van de bomen zat en plotseling in zijn winterzang uitbarstte – net alsof hij haar gezien had en haar iets toeriep.

Mary bleef naar hem staan luisteren en zijn vrolijke, vriendelijke getjilp gaf haar een prettig gevoel. Zelfs een knorrig klein meisje kan wel eens eenzaam zijn, en het grote dichte huis en de grote kale hei en de grote kale tuinen hadden haar een gevoel gegeven alsof zij heel alleen op de wereld was. Als ze een gevoelig kind was geweest, dat veel liefde gewend was, zou ze wanhopig geweest zijn, maar zelfs 'Mary wil-niet' voelde zich verlaten, en de kleurige kleine vogel bracht een uitdrukking op haar strakke gezichtje, die op een glimlach leek. Ze bleef naar hem luisteren tot hij wegvloog. Hij was heel anders dan de vogels in India en ze vond hem erg lief en was benieuwd of ze hem nog wel eens terug zou zien. Misschien woonde hij wel in de geheimzinnige tuin en wist daar alles van.

Misschien kwam het doordat ze verder helemaal niets te doen had, maar ze moest aldoor aan die verlaten tuin denken. Ze was er nieuwsgierig naar en zou hem dolgraag willen zien. Waarom zou mijnheer Craven de sleutel hebben begraven? Als hij zoveel van zijn vrouw had gehouden, waarom hield hij dan niet van haar tuin? Zou ze die vreemde oom wel ooit te zien krijgen? Ze wist zeker, dat ze hem een nare man zou vinden en dat ze hem zonder een woord te zeggen zou aanstaren, hoewel ze hem vreselijk graag zou willen vragen waarom hij zoiets raars had gedaan.

'De mensen vinden mij toch nooit aardig en ik de mensen ook niet', dacht ze. 'En ik kan ook nooit praten zoals die kinderen van Crawford. Die praatten en lachten altijd en maakten zo'n lawaai.' Ze dacht aan het roodborstje en aan de wonderlijke manier waarop hij haar zijn liedje toegezongen had en toen ze zich de boomtop herinnerde waarin het gezeten had, bleef ze plotseling midden op het pad stilstaan.

'Ik denk dat die boom in de geheime tuin stond, vast en zeker', zei ze. 'Er was een muur omheen en geen deur.'

Ze liep weer naar de eerste moestuin terug, waar de oude man aan het spitten was. Ze ging naast hem staan en bleef even op haar koele, hooghartige manier naar hem kijken. Toen hij niet de minste notitie van haar nam begon ze tegen hem te praten.

'Ik ben in die andere tuinen geweest', zei ze.

'D'r stond je niks in de weg', antwoordde hij knorrig.

'Ik ben ook naar de boomgaard gegaan.'

'Da's niks bijzonders.'

'Er was geen deur naar de andere tuin', zei Mary.

'Wat voor tuin?' zei hij bars, zijn spitten een ogenblik stakend.

'Die aan de andere kant van de muur', antwoordde Mary 'wil-niet'. 'Er waren bomen, ik heb de toppen gezien. Er zat een vogeltje met een rood borstje te zingen.'

Tot haar verbazing zag ze dat het grimmige, oude, verweerde gezicht plotseling een heel andere uitdrukking kreeg. Er streek een glimlachje over, waardoor de tuinman er heel anders uitzag. Mary dacht opeens, dat de mensen er eigenlijk veel aardiger uitzagen als ze lachten. Dat had ze nooit eerder bedacht.

Hij keerde zich om naar de kant van de boomgaard en begon te fluiten – zacht en lokkend. Ze had nooit gedacht, dat zo'n knorrepot zulke strelende geluidjes kon maken.

Bijna op hetzelfde ogenblik gebeurde er iets enigs. Ze hoorde een zacht gesuis in de lucht... en daar kwam het vogeltje met de rode borst naar hen toegevlogen en streek zowaar neer op een grote kluit aarde vlak naast de voet van de tuinman.

'Daar heb je hem', zei de oude man, en toen ging hij tegen het vogeltje praten alsof het een kind was.

'Zo, waar heb je gezeten, kleine rakker?' zei hij. 'Ik heb je vandaag nog helemaal niet gezien. Ben je al zó vroeg in het jaar op een wijfje uit? Wat heb je een haast, ventje!'

Het vogeltje hield zijn kopje schuin en keek naar hem op met zijn heldere zachte oogjes, die net zwarte kraaltjes waren. Hij scheen volkomen op zijn gemak en totaal niet bang. Hij hipte om hen heen en pikte driftig in de aarde, op zoek naar zaadjes en wormen. Mary kreeg een ongekend gevoel in haar hartje, omdat hij zo grappig en vrolijk was en net een klein mensje. Hij had een klein dik lijfje en een scherp snaveltje en dunne tere pootjes.

'Komt hij altijd als je hem roept?' fluisterde ze.

'Ja, dat doet-ie. Ik kende hem al toen hij pas uit het nest kwam. Hij komt uit de andere tuin en toen hij over de muur gevlogen was, kon hij niet terug omdat hij nog te zwak was. Toen zijn we goede maatjes geworden. Later is hij de muur weer overgevlogen, maar toen was de rest van het broedsel weg, en omdat hij zo alleen was is hij weer bij me teruggekomen.'

'Wat is het voor een vogel?' vroeg Mary.

'Weet je dat niet? Het is een roodborstje. Dat zijn de aardigste beestjes die er bestaan. Ze zijn bijna zo trouw als honden, als je maar met ze weet om te gaan. Kijk nou eens hoe hij onder het pikken telkens even naar ons omkijkt. Hij weet dat we over hem praten.'

Het was merkwaardig om te zien met hoeveel trots en genegenheid de oude baas naar het kleine mollige vogeltje met zijn rode befje stond te kijken.

'Hij heeft verbeelding voor zes', zei hij lachend. 'Hij vindt het wàt prettig als er over hem gepraat wordt. En nieuwsgierig dat hij is! Daar is het eind van weg. Hij steekt overal zijn snavel in. Hij komt altijd kijken wat ik uitvoer. Hij weet veel meer van de tuin dan meneer Craven. Die kijkt er trouwens nooit naar om. Dat vogeltje is hier zogezegd de eerste tuinbaas.'

Het roodborstje hipte rond, bedrijvig in de aarde pikkend en bleef toen staan om naar hen te kijken. Mary meende dat hij haar met zijn zwarte kraaloogjes nieuwsgierig aankeek. Het leek heus wel of hij meer van haar wilde weten. Het wonderlijke warme gevoel in haar hartje werd sterker.

'Waar zijn de andere uit het nest heen gevlogen?' vroeg ze.

'Dat weet je nooit. De ouden jagen ze uit het nest en dan vliegen ze weg. Voordat je het weet zijn ze verdwenen. Dit was een wijsneus, die wist dat-ie eenzaam was.'

Mary deed een stapje dichter naar het roodborstje toe en keek hem aandachtig aan.

'Ik ben ook eenzaam', zei ze.

Ze had nooit geweten, dat dit een van de redenen was die haar zo stroef en nors maakte. Ze ontdekte het plotseling toen het roodborstje haar en zij het roodborstje aankeek.

De oude tuinman schoof zijn pet achterover op zijn kale hoofd en nam haar eens goed op.

'Ben jij die kleine meid uit India?' vroeg hij.

Mary knikte.

'Dan is het geen wonder, dat je eenzaam bent. Dat zal 'r hier niet beter op worden.'

Hij begon weer te spitten en stak zijn schop diep in de vette zwarte aarde, terwijl het roodborstje bedrijvig om hen heen trippelde.

'Hoe heet jij?' vroeg Mary.

Hij richtte zich op om haar te antwoorden.

'Ben Weatherstaff', zei hij en liet er met een grimmig lachje op volgen: 'Ik ben zelf ook eenzaam, behalve als hij bij me is', en hij wees met zijn duim naar de vogel. 'Hij is mijn enige vriend.'

'Ik heb er helemaal geen', zei Mary. 'Nooit gehad. Mijn ayah hield niet van me en ik heb nog nooit met iemand gespeeld.'

De mensen in Yorkshire zijn gewoon onomwonden voor hun mening uit te komen en de oude Ben Weatherstaff was op de hei van Yorkshire geboren en getogen.

'We hebben wel wat van mekaar weg', zei hij. 'We zijn van hetzelfde soort. Mooi zijn we geen van tweeën en vriendelijk zijn we ook niet. Ik wed, dat we allebei een beroerd humeur hebben.'

34

Ben Weatherstaff wond er geen doekjes om en Mary had nog nooit iemand ontmoet die haar zo de waarheid had durven zeggen. De inheemse bedienden bogen altijd eerbiedig en bleven onderdanig, wat je ook deed. Ze had zich nooit veel om haar uiterlijk bekommerd, maar ze vroeg zich af of ze heus net zo lelijk was als Ben Weatherstaff en ook of ze altijd net zo kwaad keek als hij had gedaan voor het roodborstje gekomen was. Ze begon zich af te vragen of ze inderdaad een 'beroerd humeur' had. Ze kreeg het er een beetje benauwd van.

Plotseling klonk er een helder tierelierend geluidje boven haar hoofd en verrast keerde ze zich om. Ze stond een paar passen van een jonge appelboom af en het roodborstje was op een van de takken gevlogen en zong het hoogste lied. Ben Weatherstaff lachte nu toch echt.

'Waarom doet hij dat?' vroeg Mary.

'Hij is van plan goeie maatjes met je te worden', antwoordde Ben. 'Ik geloof heus dat je bij hem in de smaak valt.'

'Ik?' zei Mary en ze liep voorzichtig naar het boompje toe en keek omhoog.

'Wil je mijn vriendje worden?' zei ze tegen het roodborstje, net of ze tegen een mens sprak. 'Wil je dat heus?' En ze zei het niet op haar gewone harde toon en ook niet op haar bevelende Indische toon, maar met zo'n zacht, verlangend en vleiend stemmetje, dat Ben Weatherstaff net zo verbaasd keek als zij toen ze hem had horen fluiten.

'Nee maar!' riep hij, 'dat heb je nou net zo vriendelijk en menselijk gezegd alsof je een echt kind was in plaats van een zure oude tante. Je praatte bijna net zoals Dickon tegen de dieren op de hei praat.'

'Ken je Dickon?' vroeg Mary, zich met een ruk omkerend.

'Die kent iedereen. Dickon zwerft overal rond. Zelfs de bramen en de heistruiken kennen hem. Ik geloof, dat de vossen hem wijzen waar ze hun jongen hebben en de leeuweriken hun nesten niet voor hem verbergen.'

Mary had dolgraag nog meer willen weten. Ze was even nieuwsgierig naar Dickon als naar de geheime tuin. Maar juist op dat ogenblik schudde het roodborstje, dat klaar met zijn liedje was, even zijn vlerkjes, spreidde ze uit en vloog weg. Zijn bezoek was afgelopen en hij had andere dingen te doen.

'Hij is over de muur gevlogen!' riep Mary uit, hem nakijkend.

'Hij is de boomgaard ingevlogen… hij is over die andere muur gevlogen – in de tuin die geen deur heeft!'

'Daar woont-ie', zei oude Ben. 'Daar is-ie uit het ei gekomen. Als-ie verliefd is maakt-ie een roodborstjuffertje het hof, dat daar in de oude rozestruiken woont.'

'Rozestruiken', zei Mary. 'Zijn daar rozestruiken?'

Ben Weatherstaff nam zijn schop weer op en begon te spitten.

'Die waren d'r tenminste tien jaar geleden', mompelde hij.

'Ik zou ze zo graag eens zien', zei Mary. 'Waar is de groene deur? Er moet toch ergens een deur zijn.'

Ben stak zijn schop diep in de aarde en keek weer even bars als toen ze hem voor het eerst had gezien.

'Tien jaar geleden was d'r een, maar nou is d'r geen', zei hij.

'Geen deur!' riep Mary. 'Er is er vast wél een.'

'Niet een die te vinden is en niet een waar iemand iets mee te maken heeft. Steek jij je neus maar niet in dingen waar hij niet thuishoort. Kom, ik moet eens voortmaken met mijn werk. Hoepel nou maar op en ga wat spelen. Ik heb geen tijd meer.'

En hij hield op met spitten, gooide zijn schop over zijn schouder en liep weg, zonder zelfs nog even naar haar om te kijken of haar goeiendag te zeggen.

5 Het geluid in de gang

De eerste tijd had Mary Lennox het gevoel, dat alle dagen precies hetzelfde waren. Iedere morgen werd zij wakker in haar kamer met het jachttafereel aan de wand en zat Martha voor de haard geknield, bezig het vuur aan te maken; iedere morgen ontbeet ze in de speelkamer waar niets leuks aan was, en na ieder ontbijt stond ze uit het raam te staren naar de grote heide, die zich naar alle kanten scheen uit te strekken en tot aan de hemel reikte, en als ze een tijdlang gestaard had begreep ze, dat ze, als ze niet naar buiten ging, binnen zou moeten blijven en zich vervelen – en dus ging ze maar naar buiten. Ze wist niet, dat dit het beste was wat ze had kunnen doen en ze wist niet dat wanneer ze vlug langs de paden liep of zelfs de oprijlaan afholde, ze haar trage bloed in beweging bracht en ze sterker werd door tegen de wind te vechten, die haar van de hei tegemoet kwam. Ze holde alleen maar om warm te worden en ze had het land aan de wind, die in haar gezicht blies en bulderde en haar tegenhield alsof het een reus was die ze niet kon zien. Maar de grote happen zuivere frisse lucht, die over de hei op haar aanstormden, vulden haar longen met iets dat haar hele tengere lichaampje goed deed en joegen kleur op haar wangen en glans in haar doffe ogen, ook al was ze zich van dit alles niet bewust. Maar na een paar dagen buitenlucht werd ze op een ochtend wakker en wist opeens wat het was om honger te hebben, en toen ze voor de ontbijttafel zat schoof ze haar pap niet met tegenzin weg, maar nam haar lepel op en at het hele bord leeg.

'Da's d'r vanmorgen goed ingegaan, geloof ik', zei Martha.

'De pap is lekker vandaag', antwoordde Mary, die zelf niet goed wist hoe ze het had.

'Het is de heilucht, waar je trek van krijgt', zei Martha. 'Wees maar blij dat je behalve trek ook genoeg te eten hebt. Bij ons thuis benne d'r wel eens twaalf geweest met honger en niks om in hun maag te stoppen. Je moet maar alle dagen buiten spelen, dan krijg je wat vlees op je botten en ga je d'r wat minder sikkeneurig uitzien.'

'Ik speel niet', zei Mary. 'Ik heb niets om mee te spelen.'

'Niets om mee te spelen!' riep Martha uit. 'Onze kinderen spelen met stokken en steentjes. Ze hollen maar rond en schreeuwen en kijken naar allerlei dingen.'

Mary schreeuwde niet, maar naar allerlei dingen kijken deed ze wel. Ze had niets anders te doen. Ze liep in de tuinen rond en dwaalde langs de paden in het park. Soms keek ze uit naar Ben Weatherstaff, maar hoewel ze hem dikwijls aan het werk zag, had hij het te druk om naar haar te kijken of hij was te slecht gehumeurd. Eens toen ze naar hem toekwam, nam hij zijn schop op en ging de andere kant uit, alsof hij het expres deed.

Er was één plek waar ze vaker heen ging dan ergens anders. Dat was het pad langs de tuinmuren. Aan weerszijden waren kale bloemperken en de muren zelf waren dicht met klimop begroeid. Er was één stuk muur waar de glanzende donkergroene bladeren slordiger en dichter groeiden dan op andere plaatsen. Het zag ernaar uit of dat gedeelte lange tijd verwaarloosd was. De overige klimop was gesnoeid en netjes onderhouden, maar aan het uiteinde van dit pad was er niets aan gedaan.

Een paar dagen nadat ze met Ben Weatherstaff gepraat had, bleef Mary bij dat gedeelte van de muur staan en vroeg zich af waarom het er zo slordig uitzag. Ze keek omhoog naar een lange klimoprank die door de wind heen en weer bewogen werd, toen ze plotseling iets roods zag en een vrolijk getsjilp hoorde en daar, boven op de muur, zat warempel Ben Weatherstaffs roodborstje, dat met zijn kopje opzij naar haar keek.

'O!' riep ze uit, 'ben je daar weer, ben je daar weer?' En ze vond het heel gewoon, dat ze tegen hem praatte alsof hij haar kon verstaan en antwoorden.

En hij antwoordde. Hij kwetterde en tsjilpte en sprong op de muur heen en weer alsof hij haar van alles vertelde. Mary had het gevoel dat ze hem ook best verstond, al sprak hij niet met woorden.

Het was net of hij zei: 'Goeie morgen! Waait de wind niet heerlijk? Schijnt de zon niet heerlijk? Is alles niet heerlijk? Laten we samen maar eens tsjilpen en dansen en kwetteren. Kom, vooruit! Kom, vooruit!'

Mary begon te lachen en toen hij wegtrippelde en telkens een klein eindje langs de muur vloog, holde ze met hem mee. Arme, kleine, magere, bleke Mary – ze zag er werkelijk een ogenblik bijna blij uit. 'Wat ben je lief! Wat ben je lief!' riep ze, terwijl ze het pad afhuppelde, en ze tsjilpte en probeerde te fluiten, hoewel ze helemaal niet wist hoe ze dat moest doen. Maar het roodborstje scheen er best tevreden mee te zijn en tsjilpte en floot dapper terug. Ten slotte spreidde hij zijn vlerkjes uit en vloog met een snorrend geluid een boomtop in, waar hij het hoogste lied ging zingen.

Dat deed Mary denken aan de eerste keer toen ze hem gezien had. Toen had hij ook op een boomtak gezeten en had zij in de boomgaard gestaan. Nu was ze aan de andere kant van de boomgaard en stond op het pad langs een muur, veel verderop, en daarbinnen was diezelfde boom.

'Die staat in de tuin waar niemand in kan', zei ze bij zichzelf.

'De tuin zonder deur. Daar woont het roodborstje. Ik zou toch zo dolgraag willen weten, hoe het er daar uitziet!'

Ze holde het pad af naar de groene deur, waar ze de eerste morgen was doorgegaan. Toen holde ze de moestuin door naar de tweede deur en zo de boomgaard in, en toen ze omhoog keek zag ze de boom weer aan de andere kant van de muur en ja, daar zat het roodborstje, dat juist zijn liedje uit had en met zijn snaveltje zijn veren gladstreek.

'Dat is de tuin', zei ze. 'Vast en zeker.'

Ze liep heen en weer en onderzocht nauwkeurig die kant van de muur in de boomgaard, maar ze kwam tot de ontdekking, wat ze eigenlijk al wel wist, dat er nergens een deur was. Toen holde ze de moestuinen weer door en terug naar het pad langs de lange, met klimop begroeide muur; ze liep het nog eens helemaal af en zocht overal, maar er was geen deur, en toen liep ze nog eens de andere kant uit langs de muur en zocht daar, maar ook daar was geen deur.

'Hoe kan dat nou toch', zei ze. 'Ben Weatherstaff zei, dat er geen deur was en er is ook geen deur. Maar tien jaar geleden moet er toch een geweest zijn, want mijnheer Craven heeft de sleutel begraven.'

Dit gaf haar zoveel te denken, dat ze er helemaal in verdiept raakte, en er geen spijt van had dat ze op Huize Misselthwaite was gekomen. In India had ze het altijd zo warm gehad en was te lusteloos geweest om zich ergens voor te interesseren, maar hier waaide de frisse heiwind door haar heen en begon ze een beetje wakker te worden.

Ze bleef bijna de hele dag buiten en toen Martha haar het avondeten bracht had ze echt honger en een prettig slaperig gevoel. Ze vond het niets erg dat Martha, zoals gewoonlijk, honderd-uit babbelde. Eigenlijk vond ze het wel gezellig, en tenslotte besloot ze haar iets te vragen. Toen ze haar eten op had en op het haardkleedje bij het vuur zat, stak ze van wal.

'Waarom had mijnheer Craven zo het land aan die tuin?' vroeg ze.

Ze had Martha gevraagd nog een poosje bij haar te blijven en

Martha had daar geen enkel bezwaar tegen. Ze was nog heel jong en gewend aan een kamer vol broertjes en zusjes, en ze vond het een saaie boel beneden in de grote personeelskamer, waar de knechts en kamermeisjes haar boerse accent nadeden en op haar neerkeken, en met elkaar zaten te ginnegappen en te praten. Martha praatte graag en ze vond het vreemde kind, dat uit India kwam en door 'zwartjes' verzorgd was, nog altijd machtig interessant.

Ze kwam, zonder dat het haar gevraagd werd, bij Mary op het kleedje zitten.

'Denk je nog altijd over die tuin?' zei ze. 'Dat dacht ik wel. Ik was er zelf ook zo nieuwsgierig naar, toen ik er pas van hoorde.'

'Waarom had hij er het land aan?' hield Mary aan.

Martha trok haar benen onder zich op en ging eens echt op haar gemak zitten. 'Hoor die wind eens om het huis bolderen. Je zou niet op je benen kunnen staan, als je vanavond de hei op moest.'

Mary wist niet wat 'bolderen' betekende, maar toen ze luisterde begreep ze het. Het was zeker dat loeiende, holle geluid, dat aldoor om het huis raasde, alsof een onzichtbare reus tegen de muren en ramen beukte en probeerde in te breken. Maar je wist dat hij er lekker niet in kon en dat gaf je zo'n veilig en warm gevoel in de kamer met het gloeiende kolenvuur.

'Maar waaròm had hij er zo het land aan?' vroeg ze, nadat ze even geluisterd had. Ze wilde erachter komen of Martha het wist.

Toen kwam Martha met haar verhaal voor de dag.

'Denk erom', zei ze, 'juffrouw Medlock wil niet dat er over gepraat wordt. Er zijn hier allerlei dingen waar niet over gepraat mag worden. Dat heeft meneer Craven bepaald. Het personeel heeft niks met zijn zaken te maken, zegt-ie. Zonder die tuin zou-d-ie nooit zijn geworden, zoals-ie nou is. Het was mevrouw d'r tuin, die ze had laten aanleggen toen ze pas getrouwd waren en ze was er stapelgek mee en ze verzorgden altijd samen de bloemen. De tuinlui mochten er nooit komen. Hij en zij gingen er alle dagen heen en dan sloten ze de deur en zaten er soms uren achtereen te lezen en te praten. Ze was maar een klein ding, zo licht als een veertje en er was een oude boom met een gebogen tak, waar ze net op kon zitten. En die liet ze helemaal met rozen begroeien en daar zat ze altijd op. Maar op een keer brak de tak af, en ze viel op de grond en ze kwam zo ongelukkig terecht dat ze de volgende dag stierf. De dokters dachten dat-ie gek zou worden van verdriet, en ook zou doodgaan. Daarom kan-ie die tuin niet meer zien, begrijp je. Er is na die tijd nooit meer iemand in geweest en er mag nooit over worden gepraat.'

Mary vroeg niet verder. Ze keek naar de gloeiende kolen in de haard en luisterde naar het 'bolderen' van de wind. Het was of hij luider bolderde dan ooit.

Op dat ogenblik overkwam haar iets heel goeds. Eigenlijk was het, sinds ze op Huize Misselthwaite woonde, al het vierde goede ding dat haar overkwam. Ze had het gevoel gehad dat ze met een roodborstje kon praten; ze had in de wind gehold tot haar bloed er warm van was geworden; ze had voor het eerst van haar leven een gezonde honger gehad; en nu ontdekte ze wat het was om medelijden met iemand te hebben. Ze maakte goede vorderingen. Maar terwijl ze naar de wind luisterde, hoorde ze ook iets anders. Ze wist niet wat het was, omdat ze het eerst nauwelijks van de wind kon onderscheiden. Het was een vreemd geluid – het leek haast of er ergens een kind huilde. De wind klonk ook wel eens als een huilend kind, maar Mary wist nu toch zeker dat dit geluid ergens uit het huis en niet van buiten kwam. Het was ver weg, maar het was in huis. Ze keek Martha aan.

'Hoor jij ook iemand huilen?' vroeg ze.

Martha keek plotseling onzeker. 'Nee', antwoordde ze. 'Dat is de wind. Die klinkt soms net of er iemand op de hei verdwaald is en loopt te jammeren. Hij maakt de gekste geluiden.'

'Maar hoor nou toch', zei Mary. 'Het is in huis. In een van die lange gangen.'

Op dat zelfde ogenblik ging er zeker beneden ergens een deur open, want er streek een tochtvlaag door de gang waardoor de deur van de kamer waarin ze zaten met een ruk openvloog, en toen ze allebei opsprongen woei het licht uit en klonk duidelijk uit de verte het huilende geluid door de gang.

'Zie je wel', zei Mary. 'Ik heb het wel gezegd. Daar huilt iemand – en het is geen groot mens.'

Martha deed haastig de deur dicht en draaide de sleutel om, maar voor ze het gedaan had hoorden ze beiden hoe een andere deur, blijkbaar in een ver verwijderde gang, met een klap werd dichtgeslagen; en toen was het opeens stil, want zelfs de wind hield een ogenblik op met bolderen.

'Het was de wind', zei Martha beslist. 'En anders was het Betty Butterworth, die in de bijkeuken helpt. Die had de hele dag al zo'n kiespijn.'

Maar iets verwards en verlegens in haar houding maakte, dat Mary haar strak aankeek. Ze geloofde niet dat Martha de waarheid sprak.

6 Er huilde iemand – vast en zeker!

De volgende dag gietregende het weer en toen Mary uit het raam keek was de hei nagenoeg onzichtbaar door grauwe nevels en wolken. Er was geen sprake van uitgaan.

'Wat doen jullie in dat kleine huisje, als het zo regent?' vroeg ze aan Martha.

'Niet veel anders dan proberen elkaar niet ondersteboven te lopen', antwoordde Martha. 'Gossie, dan is het zo'n gekrioel. Moeke heeft een best humeur, maar dan wordt het haar soms te machtig. De oudsten gaan dan wel in de koestal spelen. Dickon kan het niets schelen of het regent, die gaat evengoed uit. Hij zegt, dat hij met regenweer dingen ziet, die je met mooi weer niet ziet. Hij heeft eens een jong vosje gevonden, dat half verdronken was in zijn hol; hij heeft het onder zijn trui mee naar huis gebracht, om het warm te houden. De moeder was doodgeschoten en het hol stond onder water en de andere jongen waren dood. Hij heeft het nou thuis. Een andere keer heeft hij een half verdronken jonge kraai gevonden en die heeft hij ook mee naar huis gebracht en tam gemaakt. Hij heet Roet, omdat hij pikzwart is, en hij trippelt en fladdert overal achter hem aan.'

Mary ergerde zich nu al niet meer aan Martha's familiaire manier van praten. Ze begon zelfs geboeid te raken door wat ze vertelde en het jammer te vinden als ze ophield of wegging. De verhalen van haar ayah in India waren heel anders geweest dan die Martha wist te vertellen over het huisje op de hei, waar veertien mensen in vier kleine kamers woonden en nooit helemaal genoeg te eten kregen. Het leek wel of al die kinderen daar ravotten en speelden als een nest jonge honden. Vooral over de moeder en Dickon kon Mary nooit genoeg horen. Martha's verhalen over wat 'moeke' zei of deed klonken altijd zo gezellig.

'Had ik ook maar een kraai of een jong vosje om mee te spelen', zei Mary. 'Maar ik heb niks.'

Martha dacht na.

'Kun je niet breien?' vroeg ze toen.

'Nee', antwoordde Mary.

'En naaien?'

'Ook niet.'

'Lezen dan?'

'Jawel.'

'Waarom lees je dan niet eens een boek of probeer je wat te leren? Daar ben je toch groot genoeg voor.'

'Ik heb hier geen boeken', zei Mary. 'Die ik had zijn in India gebleven.'

'Da's jammer', zei Martha. 'Liet juffrouw Medlock je maar eens in de bibliotheek, daar zijn duizenden boeken.'

Mary vroeg niet waar de bibliotheek was, omdat ze plotseling een ingeving kreeg. Ze zou die zelf wel eens gaan zoeken. Van juffrouw Medlock trok ze zich niets aan. Die zat toch altijd beneden in haar eigen warme kamer. Je zag in dit wonderlijke huis trouwens haast nooit iemand. Alleen de dienstmeisjes, die als hun meester op reis was een lui en makkelijk leventje leidden in het souterrain. Daar was een enorme keuken met blinkend tin- en koperwerk aan de muren, en een grote personeelskamer waar dagelijks vier of vijf overvloedige maaltijden werden verorberd, en waar, als juffrouw Medlock niet in de buurt was, heel wat pret werd gemaakt.

Mary's eten kwam stipt op tijd boven en Martha bediende haar, maar verder liet niemand zich iets aan haar gelegen liggen. Juffrouw Medlock kwam om de andere dag eens even naar haar kijken, maar niemand vroeg wat ze uitvoerde of zei haar wat ze moest doen. Ze dacht dat de kinderen in Engeland misschien allemaal zo behandeld werden. In India had haar ayah altijd voor haar gezorgd, haar overal nagelopen en op haar wenken bediend. Ze had dikwijls meer dan genoeg van haar gehad. Hier was niemand die haar naliep en leerde ze zichzelf aankleden, want Martha keek haar aan of ze gek was als ze haar kleren niet zelf aantrok.

'Zeg, ben je niet wijs?' zei ze op een keer, toen Mary stokstijf bleef staan tot Martha haar handschoenen over haar vingers zou schuiven. 'Onze Susan is tweemaal zo bijdehand als jij en die is nog maar vier! 't Is soms net of er een bij je op de loop is!'

Mary had daarna zeker een uur met haar wil-niet gezicht rondgelopen, maar het had haar toch aan het denken gezet.

Toen Martha die ochtend de haard nog eens had aangeveegd en naar beneden was gegaan, bleef Mary nog een minuut of tien uit het raam kijken. Ze dacht over het plannetje dat bij haar was opgekomen, toen Martha over de bibliotheek had gesproken. Niet dat die bibliotheek zelf haar zoveel kon schelen, daarvoor had ze nog te weinig gelezen. Maar ze had plotseling weer aan die honderd kamers met gesloten deuren moeten denken. Ze zou wel eens willen weten of die werkelijk allemaal op slot waren en wat ze te zien zou krijgen, als er eens een open was. Zouden het er heus honderd zijn? Waarom zou ze niet eens gaan tellen hoeveel deuren er waren? Dan had ze vanmorgen tenminste iets te doen, nu ze toch niet uit kon. Ze had nooit geleerd, dat je voor sommige dingen toestemming moest vragen, en niemand had haar ooit iets verboden, dus zou ze, zelfs als ze juffrouw Medlock had gezien, het niet nodig hebben gevonden te vragen of ze door het huis mocht lopen.

Ze opende de deur van haar kamer en stapte de gang in om haar onderzoekingstocht te beginnen. Het was een lange gang, waar weer andere gangen op uitkwamen en er waren kleine trapjes, die naar nog weer andere gangen leidden. Er waren talloze deuren en aan de muren hingen schilderijen. Soms waren het sombere, vreemde landschappen, maar meestal waren het portretten van heren en dames in wonderlijke, deftige kleren van satijn en fluweel. Op een gegeven ogenblik stond ze in een lange galerij, waarvan de wanden geheel met zulke portretten bedekt waren. Ze had nooit gedacht dat er huizen met zoveel portretten bestonden. Ze liep langzaam de galerij door en staarde naar de vreemde gezichten. Het was of ze haar ook aankeken en niet begrepen wat een klein meisje uit India hier in hun huis te maken had. Er waren ook portretten bij van kinderen – kleine meisjes in glimmende satijnen jurken die tot op de grond reikten en wijd uitstonden, en jongens met pofmouwen en kanten kragen en lang haar, of met stijve plooisels om hun hals. Bij de kinderen bleef ze telkens staan en vroeg zich af, hoe ze zouden heten, waar ze gebleven waren en waarom ze zulke rare kleren droegen. Er was één stijf, lelijk meisje bij dat wel wat op haar leek, vond ze. Ze droeg een jurk van groen brokaat en er zat een groene papegaai op haar uitgestoken vinger. Het was net of haar ogen Mary nieuwsgierig aankeken.

'Waar woon je nu?' vroeg Mary hardop. 'Was je maar hier.'

Er heeft stellig nog nooit een klein meisje zo'n wonderlijke morgen doorgebracht. Het leek wel of er niemand in het hele reusachtige, geheimzinnige huis was behalve haar eigen kleine persoontje, dat trappen op en trappen af dwaalde, door nauwe gangen en door wijde, die zó stil waren dat ze een gevoel kreeg alsof er nog nooit eerder iemand door was gelopen. Omdat er zoveel kamers waren gebouwd, moesten er wel mensen in hebben gewoond, maar het leek allemaal zo uitgestorven dat ze het zich haast niet kon voorstellen.

Pas toen ze op de tweede verdieping gekomen was bedacht ze, dat ze wel eens kon proberen of ze een deur open kon krijgen. Enkele kamers waren afgesloten, zoals juffrouw Medlock gezegd had, maar eindelijk vond ze er een waarvan, bijna tot haar schrik, de deur langzaam en zwaar openweek. Het was een massieve deur, die toegang gaf tot een grote slaapkamer. Er hingen geborduurde tapijten aan de wand en er stonden meubelen met ingelegde figuren, zoals ze wel in India gezien had. Een groot raam met glas-in-lood ruiten gaf uitzicht op de heide en boven de schoorsteen-mantel hing weer een portret van het stijve lelijke kleine meisje dat haar nog nieuwsgieriger leek aan te staren dan daarnet.

'Misschien heeft ze hier wel geslapen', zei Mary. 'Ik krijg het er benauwd van, zoals ze me aankijkt.'

Daarna deed ze nog andere deuren open, zóveel, dat ze moe van alle kamers werd die ze zag. Ze dacht, dat het er wel honderd geweest waren, hoewel ze vergeten had ze te tellen. Overal hingen van die oude schilderijen en oude wandtapijten met vreemde voorstellingen, en in bijna alle kamers stonden wonderlijke meubelstukken en onbekende voorwerpen.

In een damesvertrek waren de wanden van geborduurd fluweel, en er was een glazen kast met wel honderd ivoren olifantjes. Er waren er van allerlei grootte, ook enkele met draagstoelen en baldakijnen op hun rug. Sommige waren heel groot en andere zó piepklein, dat het zeker baby's waren. Mary had in India veel gesneden ivoor gezien en wist alles van olifanten af. Ze deed de deur van het kastje open, klom op een voetenbankje en speelde er een hele tijd mee. Toen ze er genoeg van had, zette ze ze weer netjes op een rij en deed de deur van het kastje dicht.

Op haar zwerftocht door de eindeloze gangen en de lege kamers had ze niets levends gezien, maar in deze kamer ontdekte ze iets. Net toen ze het kastje dicht had gedaan hoorde ze een klein, ritselend geluidje. Ze schrok ervan en keek achter zich naar de bank bij de haard, waar het vandaan scheen te komen. In de hoek van de bank lag een kussen en in het fluwelen overtrek daarvan was een gaatje en uit dat gaatje kwam een heel klein kopje met een paar verschrikte oogjes.

Mary sloop er op haar tenen heen. De kraaloogjes waren van een klein grijs muisje, dat een gat in het kussen had geknaagd en daar een lekker nestje had gemaakt. Er lagen zes baby-muisjes te slapen, en al was er dan verder in al die honderd kamers nergens een levend wezen, deze muizenfamilie voelde zich hier stellig best op haar gemak.

'Als ze niet zo schuw waren zou ik ze meenemen', zei Mary.

Ze had nu zo lang rondgedwaald dat ze er genoeg van had en ook te moe was om verder te gaan. Op de terugweg verdwaalde ze een paar maal doordat ze een verkeerde gang insloeg en het was een hele toer de goede weg terug te vinden, maar eindelijk was ze toch weer op haar eigen verdieping aangeland, al bleek ze nog een heel eind van haar kamer af te zijn en al wist ze niet precies waar ze was.

'Ik geloof dat ik weer de verkeerde kant uit ben gelopen', zei ze, stilstaand aan het eind van een kort gangetje met tapijten aan de wand. 'Ik weet niet, welke kant ik nu uit moet. Wat is het hier toch stil!'

Het was terwijl ze daar stond en dit net gezegd had, dat de stilte verbroken werd door een geluid. Het was weer of er iemand huilde, maar anders dan de vorige avond; het was maar een zacht geluidje, een verdrietig kindergejengel, dat gedempt van achter de muren klonk. 'Het is dichterbij dan gisteren', zei Mary, terwijl haar hart sneller begon te kloppen. 'En het *is* huilen.'

Ze kwam toevallig met haar hand aan het dichtstbij hangende wandtapijt en sprong verschrikt achteruit. Het tapijt hing voor een deur, die openging en waarachter nog een stuk gang bleek te zijn, waarin juffrouw Medlock met haar sleutelbos en een heel boos gezicht kwam aanstappen.

'Wat voer jij hier uit?' zei ze, en greep Mary bij haar arm en trok haar achteruit. 'Wat heb ik je gezegd?'

'Ik was verkeerd afgeslagen', legde Mary uit. 'Ik wist niet meer waar ik heen moest en ik hoorde iemand huilen.'

Ze vond juffrouw Medlock op dat ogenblik een afschuwelijk mens, en het volgende ogenblik vond ze haar nog afschuwelijker.

'Onzin. Je hebt niets gehoord', zei de huishoudster. 'En als je nou niet gauw naar je eigen kamer gaat, krijg je een draai om je oren.' En ze nam haar bij haar arm en duwde en trok haar gang-in gang-uit tot ze weer voor de deur van haar eigen kamer stonden.

'En nu blijf je waar je bent, of je wordt opgesloten', zei ze. 'Meneer moest maar een gouvernante voor je nemen, zoals hij trouwens eerst van plan was. Jij bent er een die toezicht nodig heeft en daar heb ik geen tijd voor.'

Ze ging de kamer uit en trok de deur met een nijdige klap achter zich dicht. Mary ging wit van woede op het haardkleedje zitten. Ze moest op haar lippen bijten om niet te huilen.

'Er heeft wèl iemand gehuild – wèl waar, wèl waar!' zei ze hardop. Ze had het nu tweemaal gehoord en ze zou er wel achter komen, wat het was. Ze had die ochtend een heleboel ontdekkingen gedaan. Het was net of ze een lange reis gemaakt had, en ze vond dat ze veel beleefd had; ze had met de ivoren olifantjes gespeeld en ze had een grijze muis met haar kleintjes in hun nestje in het fluwelen kussen gezien.

7 De sleutel van de tuin

Twee dagen later, toen Mary 's morgens haar ogen open deed, vloog ze meteen overeind in bed en riep tegen Martha:
'Kijk eens naar buiten! Kijk eens naar buiten!'
Storm en regen waren uitgewoed en de grauwe nevel en wolken 's nachts door de wind weggevaagd. De wind zelf was gaan liggen en nu welfde zich een schitterend blauwe hemel hoog boven de heide. Nooit, nee nooit had Mary van zo'n blauwe lucht kunnen dromen. In India was de lucht verzengend heet, maar dit was een diep, koel blauw, dat haast zo schitterde als het water van een prachtig, bodemloos meer, en hier en daar, hoog, heel hoog in dat blauwe gewelf, dreven sneeuwwitte, wollige wolkjes. De tot de horizon reikende heidevelden zelf hadden een zachtblauwe glans in plaats van somber paarsig-zwart of dat vreselijke eentonige grauw.
'Jaa, jaa', zei Martha met een blij gezicht, 'het slechte weer is weer voor een poosje gedaan. Dat gebeurt meestal om deze tijd van het jaar. Soms verdwijnt het opeens, net of het er nooit geweest is en nooit meer zal terugkomen. Dat komt omdat het voorjaar in aantocht is. Het duurt nog wel een poos, maar komen doet het toch!'
'Ik dacht eigenlijk dat het in Engeland altijd regende en bewolkt was', zei Mary.
'Wel nee!' zei Martha, terwijl ze tussen haar potloodborstels op haar hurken ging zitten. 'Hoe haal je het in je hoofd! Als de zon schijnt is Yorkshire het zonnigste plekje van de hele wereld. Ik heb je immers gezegd, dat je na een poosje wel van de hei zou gaan houden? Wacht maar tot de brem bloeit en later de dophei met al die paarse lampionnetjes en de gewone hei, en je honderden mooie vlinders en zoemende bijen ziet en zingende leeuweriken hoort. Je zult eens zien, hoe een zin je dan krijgt om vroeg op te staan en net als onze Dickon de hele dag de hei op te gaan.'
'Zou ik daar wel ooit komen?' vroeg Mary verlangend. Ze keek uit het raam naar het verre blauw. Het was zo nieuw voor haar, zo wijd en heerlijk en het was zo'n prachtige kleur.
''k Weet niet', antwoordde Martha. 'Ik geloof dat je nog nooit van je leven je benen gebruikt hebt. Je kunt geen vijf mijl lopen, denk ik.

Ons huisje is hier vijf mijl vandaan.'

'Ik zou jullie huis best eens willen zien.'

Martha keek haar een ogenblik verbaasd aan voor ze haar borstel weer opnam. Ze dacht bij zichzelf, dat het kleine, fletse gezichtje nu lang niet zo onvriendelijk keek als die eerste morgen. Het leek zelfs een klein beetje op Susans gezichtje, als die iets heel graag hebben wou.

'Ik zal het eris met moeke over hebben', zei ze. 'Die weet haast overal raad op. Het is vandaag mijn vrije dag en ik ga naar huis. Fijn! Juffrouw Medlock is erg op moeke gesteld. Misschien kan ze 't haar eens vragen.'

'Wat heb jij een aardige moeder', zei Mary.

'Nou, en of', antwoordde Martha, terwijl ze vlijtig verder poetste.

'Maar ik heb haar nog nooit gezien', zei Mary.

'Nee, da's waar', beaamde Martha.

Ze ging weer op haar hurken zitten en wreef met de rug van haar hand langs haar neus, alsof ze over iets moeilijks nadacht, en zei toen triomfantelijk:

'Iedereen moet wel van haar houden, of hij haar kent of niet. Je weet niet hoe verstandig en hartelijk en zorgzaam ze altijd is, en hoe hard ze kan werken. Als ik op mijn vrije dag naar huis ga, dans ik soms over de hei van plezier, dat ik haar weer zal zien.'

'Dickon vind ik ook aardig', vervolgde Mary. 'En die heb ik ook nooit gezien.'

'Nou', zei Martha, 'ik heb je toch immers verteld dat zelfs de vogels en de konijnen, en de wilde schapen en de pony's, en tot de vossen toe van hem houden! Ik zou wel eens willen weten wat Dickon van jou zou vinden.'

'Hij zal niets van me moeten hebben', zei Mary, nu weer op haar koele, hooghartige toontje. 'Niemand vindt mij aardig.'

Martha dacht weer na.

'Hoe vind je jezelf?' vroeg ze, alsof ze daar werkelijk nieuwsgierig naar was.

Mary aarzelde even en dacht na.

'Niet erg aardig – eigenlijk', antwoordde ze. 'Maar daar heb ik nog nooit over nagedacht.'

Martha begon te lachen, alsof haar plotseling iets grappigs te binnen schoot.

'Dat heeft moeke eens tegen mij gezegd', vertelde ze. 'Ze stond aan de wastobbe en ik was uit mijn humeur en ik had op iedereen wat te zeggen. Opeens draaide ze zich om en zei: 'Malle meid, hou toch op! Dat zegt maar, dié bevalt me niet en dié bevalt me niet. Hoe beval je jezelf eigenlijk?' Ik moest erom lachen en toen was ik mijn kwaadheid meteen kwijt.'

Zodra ze Mary haar ontbijt gebracht had, ging Martha verheugd weg. Ze had een wandeling over de hei van vijf mijl voor de boeg en ze ging haar moeder met de was helpen en met brood bakken, en het zou een heerlijke dag worden.

Toen Mary wist, dat Martha niet meer in huis was voelde ze zich nog eenzamer dan anders. Ze ging maar zo gauw mogelijk naar buiten en begon met tien keer de tuin met de fontein rond te hollen. Ze telde de keren zorgvuldig af en toen dat klaar was voelde ze zich al een heel stuk opgewekter. De hoge, helderblauwe hemel welfde zich over Huize Misselthwaite en over de heide; ze moest er aldoor naar kijken en probeerde zich voor te stellen hoe het zou zijn als je eens op een van die kleine witte wolkjes kon liggen en daarmee ronddrijven. Ze ging de eerste moestuin in, waar ze Ben Weatherstaff met twee van de tuinknechts aan het werk vond. De weersverandering scheen hem ook goed te hebben gedaan. Hij begon tenminste uit zichzelf een praatje met haar te maken.

'Het voorjaar is in aantocht', zei hij. 'Ruik je wel?'

Mary snoof de lucht op en dacht werkelijk, dat ze iets rook.

'Alles ruikt zo lekker fris en vochtig', zei ze.

'Da's de goeie vruchtbare aarde', antwoordde hij, krachtig spittend. 'Die is nou bezig alles voor de groei in orde te maken. Zij is blij dat de tijd van zaaien en planten komt. 's Winters is er niks te doen, en da's natuurlijk saai voor haar. In de bloementuin daarginds begint het beneden in het donker al te werken. De zon verwarmt de bollen al zo'n beetje en over een poosje zie je groene puntjes uit de grond komen.'

'Wat worden dat dan?' vroeg Mary.

'Krokussen, sneeuwklokjes en narcissen. Heb je die nooit gezien?'

'Nee. In India is na de regentijd alles warm en vochtig en groen. Ik geloof dat de dingen daar in één nacht groeien.'

'Nou, hier groeien ze niet in een nacht, hoor. Je moet geduld hebben. Ze worden hiér een beetje groter, en er komt dáár nog een sprietje uit de grond, en ze krijgen er vandaag een blaadje bij en morgen weer een. Je moet goed opletten.'

'Dat zal ik doen', beloofde Mary.

Even later hoorde zij weer het lichte geruis van vlerkjes door de lucht en begreep ze dat het roodborstje weer gekomen was. Hij was erg parmantig en bedrijvig en hipte vlak bij haar voeten rond; hij hield zijn kopje scheef en keek haar zo schrander aan, dat zij Ben Weatherstaff vroeg:

'Zou hij me herkennen?'

'Je herkennen!' zei Weatherstaff verontwaardigd. 'Hij herkent iedere koolstronk in de tuinen, dus laat staan de mensen. Hij heeft hier nog nooit zo'n klein meisje gezien en nou wil hij alles van je te weten komen. Je hoeft heus niet te proberen iets voor hem te verbergen!'

'Zouden er ook planten onder de grond beginnen te groeien in die tuin waar hij woont?' vroeg Mary.

'Wat voor tuin?' gromde Weatherstaff, die opeens weer onvriendelijk werd.

'Die met de oude rozestruiken.' Ze kon het niet laten verder te vragen, omdat ze het zo dolgraag wilde weten. 'Zijn alle bloemen daar dood of komen er 's zomers nog wel van op? Zijn er wel eens rozen?'

'Dat moet je hem maar vragen', zei Ben Weatherstaff, met een schouderbeweging naar het roodborstje. 'Hij is de enige die het weet. Er is tien jaar lang niemand anders in geweest.'

Tien jaar was een hele tijd, vond Mary. Tien jaar geleden was zij geboren.

Peinzend drentelde ze verder. Ze was van de tuin gaan houden, zoals ze ook van het roodborstje hield en van Dickon en de moeder van Martha. Ook van Martha zelf begon ze hoe langer hoe meer te houden. Dat waren heel wat mensen om van te houden – als je niet gewend was van iemand te houden. Het roodborstje hoorde voor haar bij de mensen. Ze liep naar het pad langs de lange, met klimop begroeide muur waar ze de boomtoppen bovenuit zag steken en toen ze er voor de tweede keer langs kwam gebeurde er iets geweldig leuks en ongewoons en dat kwam allemaal door het roodborstje van Ben Weatherstaff.

Ze hoorde tsjilpen en kwetteren en toen ze naar het kale bloemperk links van haar keek, hipte hij daar rond en deed net of hij dingen uit de grond pikte om haar wijs te maken, dat hij haar niet nagevlogen was.

Maar ze wist dat hij haar wel nagevlogen was en dat was zo'n heerlijke verrassing, dat zij er bijna een beetje van beefde.

'Je weet nog wie ik ben', riep ze uit. 'Heus! Ik heb nog nooit zoiets schattigs gezien!'

Ze probeerde ook te tsjilpen, en ze praatte en vleide, en hij hipte en wipte met zijn staartje en kwetterde terug. Het was net of hij praatte. Zijn rode bekje leek wel van satijn en hij zette zijn borstje op en was zo grappig en parmantig, dat het net leek of hij haar eens wilde laten zien hoe gewichtig en menselijk een roodborstje wel kon zijn. Mary vergat dat ze ooit in het leven Mary 'wil-niet' was geweest. Hij liet toe dat ze steeds dichter bij hem kwam en zich bukte en babbelde en probeerde een soort roodborstjesgeluidjes te maken.

Och! Te bedenken dat hij haar werkelijk zo dichtbij liet komen! Hij wist dat ze voor niets ter wereld haar hand naar hem zou uitsteken of hem ook maar héél even aan het schrikken maken. Hij wist het, omdat hij net een klein mensje was – alleen veel aardiger dan alle andere mensen. Ze was zo opgetogen, dat ze nauwelijks durfde ademhalen.

Het bloemperk was niet helemaal kaal. Er stonden geen bloemen in, omdat de vaste planten voor de winterrust waren afgesneden, maar achter in het perk groeiden hoge en lage heesters en toen het roodborstje daaronder rondtrippelde zag ze dat hij op een klein hoopje omgewoelde aarde sprong. Hij bleef er even staan om een worm te pikken. De aarde was omgewoeld, omdat een hond achter een mol aan had gezeten en een vrij diep gat had gekrabd.

Mary keek ernaar, zonder goed te begrijpen hoe dat gat daar kwam en terwijl ze keek viel haar oog op iets dat bijna onder de aarde begraven was. Het leek wel een ring van verroest ijzer of koper, en toen het roodborstje een boom invloog stak ze haar hand uit en raapte de ring op. Maar het was meer dan een ring; het was een oude sleutel die er uitzag of hij lange, lange tijd begraven was geweest.

52

Mary kwam overeind en bekeek de vondst, die aan haar vinger hing, met een bijna verschrikt gezicht.

'Misschien heeft hij wel tien jaar onder de grond gelegen', fluisterde ze. 'Misschien is het de sleutel van de tuin!'

8 Hoe het roodborstje de weg wees

Ze stond een hele poos met de sleutel in haar hand. Ze draaide hem om en om en overlegde wat ze nu verder zou doen. Zoals ik al gezegd heb, had ze nooit geleerd toestemming voor iets te vragen of grote mensen te raadplegen. Het enige waar ze aan dacht was dat, als dit werkelijk de sleutel van de afgesloten tuin was en zij de deur maar vond, ze die vermoedelijk wel open zou kunnen krijgen. En dan kon ze kijken hoe het er achter die muren uitzag en hoe het met de oude rozestruiken stond. Juist omdat alles zo lang afgesloten was geweest, was ze er zo vreselijk nieuwsgierig naar. Ze stelde zich voor, dat alles er anders zou uitzien dan in andere tuinen. Wie weet wat er in die tien jaar gebeurd was. Bovendien zou ze er dan elke dag heen kunnen gaan en de deur achter zich sluiten en een spel verzinnen dat ze heel alleen speelde, omdat niemand ooit zou weten waar ze was. Ze dachten immers allemaal dat de deur nog op slot en de sleutel onvindbaar was? Ze vond dat een leuk idee.

Het eenzame leven in dat wonderlijke huis met honderd geheimzinnige afgesloten kamers, waar ze niets te doen had, had haar verbeelding wakker geschud. De frisse, zuivere, opwekkende heidelucht had daar stellig ook toe bijgedragen. Zoals die haar eetlust had bezorgd en zoals het worstelen tegen de wind haar bloed in beweging had gebracht, zo hadden diezelfde dingen ook haar geest aan het werk gezet. In India had ze het altijd te warm gehad en was te slap en te lusteloos geweest om zich ergens om te bekommeren. Maar hier werd dat anders en begon ze zin te krijgen allerlei nieuwe dingen te doen. Ze voelde zich lang niet meer zo 'wil-niet' als vroeger, al begreep ze niet hoe dat kwam.

Ze stopte de sleutel in haar mantelzak en drentelde het pad op en neer. Er scheen hier nooit iemand anders te komen, dus ze kon op haar gemak de muur, of liever gezegd de klimop langs de muur, onderzoeken. Die klimop was de moeilijkheid. Hoe goed ze ook keek, ze zag niets dan een dikke laag glanzende, donkergroene bladeren. Ze was erg teleurgesteld en voelde weer iets van haar oude humeurigheid boven komen, toen ze voor de zoveelste maal langs de muur liep en naar de boomtoppen keek die er bovenuit staken. Het was vervelend er zo dichtbij te zijn en er niet in te kunnen. Toen ze naar huis ging, hield ze de sleutel bij zich en nam zich voor hem altijd mee te nemen als ze naar buiten ging, zodat ze hem bij de hand zou hebben als ze ooit de verborgen deur mocht ontdekken.

Juffrouw Medlock had Martha verlof gegeven bij haar ouders te blijven slapen, maar ze was 's morgens bijtijds voor haar werk terug, blozender en meer in haar schik dan ooit.

'Ik ben om vier uur opgestaan', vertelde ze. 'Het was toch zo mooi op de hei. De zon ging net op en de vogels werden wakker en er waren honderden konijnen. Ik heb niet het hele eind hoeven te lopen. Er kwam mij een man met een kar achterop en die liet me een heel stuk meerijden. Fijn dat het was!'

Ze raakte niet uitgepraat over al de heerlijkheden van haar vrije dag. Haar moeder was zo blij geweest dat ze kwam, en ze hadden samen brood gebakken, en de hele was klaar gekregen. Ze had zelfs nog voor elk van de kinderen een oliebol gebakken, met suiker erop. 'Toen de kinderen van de hei kwamen waren ze net klaar, zó uit de pan. En er hing zo'n lekkere baklucht en het vuur brandde zo fijn, dat ze allemaal sprongen en dansten van plezier. Onze Dickon zei, dat het nergens op de hele wereld zo prettig kon zijn als in ons huis.'

's Avonds hadden ze met z'n allen om het vuur gezeten en terwijl Martha en moeder kapotte kleren verstelden en kousen stopten, had Martha hun verteld van het kleine meisje, dat helemaal uit India gekomen was en dat haar leven lang door 'zwarten' bediend was, zodat ze nog niet eens wist hoe ze haar eigen kousen moest aantrekken.

'Nou! Ze moesten alles van je weten', zei Martha. 'Ze wilden alles van die zwarten horen en van het schip waar je mee gekomen bent.

Ik kon ze gewoon niet genoeg vertellen.'
Mary dacht even na. 'Voor je volgende uitgaansdag zal ik je nog een heleboel meer vertellen', zei ze. 'Dan kun je hun nog veel meer verhalen doen. Ze zullen het wel leuk vinden, wat over olifanten en kamelen te horen, en dat je daar op kunt rijden, en over de officieren die op de tijgerjacht gaan.'
'Gossiemijne!' riep Martha opgetogen. 'Ze zullen niet weten wat ze horen! Als je dàt zou willen doen! Het zou net het wildebeestespul zijn, dat wel eens in York is geweest.'
'India is heel, heel anders dan Yorkshire', zei Mary nadenkend. 'Dat wist ik vroeger ook niet. Vonden je moeder en Dickon het ook leuk, wat je van me vertelde?'
'Dickon? Z'n ogen vielen haast uit zijn hoofd, zó groot werden ze', antwoordde Martha. 'Maar moeke, die vond het maar niks gedaan dat je hier zo allenig was. Ze zei: 'Heeft meneer Craven dan geen gouvernante voor haar genomen of een kinderjuffrouw?' En ik zei: Nee, helemaal niet, maar juffrouw Medlock zegt, dat hij dat wel zal doen als hij eraan denkt, maar ze zegt, dat kan nog wel een paar jaar duren.'
'Ik wil geen gouvernante', verklaarde Mary beslist.
'Maar moeke zegt dat je toch wat moet leren, daar ben je groot genoeg voor. En er moet zich eens iemand met je bemoeien. Ze zei: 'Hoe zou jij het vinden, als je daar moederziel alleen in zo'n groot huis rondliep en niet eens een moeder had? Probeer d'r maar een beetje op te vrolijken', zei ze, nou, en ik heb beloofd dat ik dat zou doen.'
Mary keek haar ernstig aan.
'Je vrolijkt me al op', zei ze toen. 'Ik vind het zo leuk wat je allemaal vertelt.'
Even later ging Martha de kamer uit en kwam terug met iets, wat ze onder haar schort hield.
'Wat denk je wel, dat ik hier heb?' zei ze lachend. 'Ik heb een cadeautje voor je meegebracht.'
'Een cadeautje?' riep Mary uit. Hoe kon je nu een cadeautje krijgen uit een huis met veertien hongerige mensen!
'Er was gisteren een koopman op de hei', legde Martha uit, 'die met zijn wagen voor onze deur stilhield. Hij had potten en pannen bij

zich en alle mogelijke dingen, maar moeke had er geen geld voor. Juist toen ie weer wegging riep onze Liesbeth: 'Moeder, hij heeft springtouwen met rode en blauwe klossen.' Toen roept moeke ineens: 'Hee, wacht eens even, koopman! Wat kosten die?' 'Een dubbeltje', zegt-ie, en moeke kijkt in d'r beurs en zegt tegen me: 'Martha, je hebt als een brave meid je loon thuisgebracht, en ik moet wel elke stuiver omkeren voor ik 'm uitgeef, maar nou neem ik er toch een dubbeltje af, om dat kind een springtouw te kopen.' Nou, en hier is het.' Ze haalde het onder haar schort vandaan en liet het trots aan Mary zien. Het was een stevig, dun touw met een rood en blauw gestreept handvat aan ieder uiteinde. Maar Mary Lennox had nog nooit een springtouw gezien, en ze keek ernaar met een gezicht of ze er niets van begreep.

'Wat moet je daarmee doen?' vroeg ze nieuwsgierig.

'Mee doen?' riep Martha uit. 'Hebben ze in India niet eens springtouwen, met al hun olifanten en tijgers en kamelen? Ach, dat komt natuurlijk omdat ze haast allemaal zwart zijn. Dàt moet je ermee doen! Kijk maar!'

Ze ging midden in de kamer staan, nam in elke hand een klos en toen begon ze te springen – te springen – te springen, terwijl Mary van haar stoel opstond om naar haar te kijken en de strakke gezichten op de oude portretten aan de wand leken haar aan te staren, verontwaardigd over wat zo'n gewoon boerenmeisje daar brutaalweg onder hun deftige neuzen uitvoerde. Maar Martha lette niet eens op hen. Ze zag alleen maar de verbazing en het plezier op Mary's gezicht, en ze bleef maar doorspringen, steeds tellende, tot ze bij honderd gekomen was.

'Vroeger hield ik het nog veel langer vol', zei ze toen ze eindelijk ophield. 'Toen ik twaalf was heb ik wel eens tot vijfhonderd gesprongen, maar toen was ik niet zo dik als nu en toen deed ik het elke dag.'

Mary was dichterbij gekomen en begon er hoe langer hoe meer zin in te krijgen het ook eens te proberen.

'Het lijkt me enig', zei ze. 'Wat lief van je moeder. Denk je dat ik het ook zo zal kunnen leren?'

'Probeer maar eens', animeerde Martha, terwijl ze haar het touw gaf. 'Je kunt natuurlijk niet dadelijk tot honderd komen, maar als je veel oefent leer je het hoe langer hoe beter. Dat heeft moeke ook gezegd. Ze zei: 'Een springtouw, da's nou net wat zo'n kind hebben moet. Het is het beste speelgoed voor haar. Laat haar maar buiten in de frisse lucht spelen en springen, da's goed voor haar spieren en dan wordt ze wat steviger."

Het bleek wel dat Mary's spieren nog niet veel zaaks waren, toen ze begon te springen. Het ging nog niet erg goed, maar ze vond het zo heerlijk, dat ze niet kon ophouden.

'Trek je jas aan en ga buiten springen', zei Martha. 'Moeke zei dat je maar zoveel mogelijk buiten moest spelen, ook als het een beetje regent. Dan moest je je maar goed warm aankleden.'

Mary trok haar mantel aan, zette haar muts op en nam haar springtouw over haar arm. Ze had de deurknop al in haar hand, toen ze iets bedacht en langzaam in de kamer terugkwam.

'Martha, het was jouw loon, dus eigenlijk jouw dubbeltje. Dank je wel.' Ze zei het houterig, omdat ze niet gewend was iemand te bedanken of op te merken, dat anderen iets voor haar deden. 'Dank je wel', zei ze, en stak haar hand uit, omdat ze niet wist wat ze anders moest doen.

Martha schudde het magere handje verlegen, alsof zij ook niet wist wat ze met zulke dingen aan moest. Toen begon ze te lachen.

'Wat ben je toch een mal oud wijfje', zei ze. 'Als je onze Liesbeth geweest was, zou je me een zoen hebben gegeven.'

Mary keek strakker dan ooit.

'Moet dat dan?'

Martha begon alweer te lachen.

'Wel nee, van mij niet, hoor. Als je een ander soort kind was zou je het misschien uit jezelf doen. Maar dat ben je nou eenmaal niet. Ga maar gauw naar buiten met je touw.'

Mary ging een beetje verlegen de kamer uit. De mensen in Yorkshire waren zo raar en van Martha begreep ze helemaal niet veel. Eerst had ze niets van haar moeten hebben, maar dat was nu wel anders geworden.

Het springtouw was verrukkelijk. Ze telde en sprong, telde en sprong, tot ze echte rode wangen had. Ze had nog nooit van haar leven zo'n plezier gehad. De zon scheen en het woei een beetje – niet zo'n harde wind, maar lekkere zachte vlaagjes, die de geur van vers-omgespitte aarde meebrachten. Al touwtje springend huppelde ze de fonteintuin door, pad-op, pad-af, tot ze eindelijk de moestuin insprong waar Ben Weatherstaff aan het spitten was. Hij praatte ook weer tegen zijn roodborstje, dat om hem heen hipte. Toen ze springend het pad afkwam keek hij verrast op. Zou hij gezien hebben wat ze deed? Ze hoopte maar, dat hij haar had zien springen.

'Nee maar!' riep hij uit. 'Wat zie ik daar! Misschien ben je dan toch een echt kind en heb je bloed in je lijf in plaats van karnemelk. Je hebt er rode wangen van gekregen, zo waar als ik Ben Weatherstaff heet. 'k Had nooit gedacht, dat je dat zou kunnen.'

'Ik heb nog nooit touwtje gesprongen', zei Mary. 'Ik begin pas. Ik kom nog maar tot twintig.'

'Oefen maar flink, hoor. 't Gaat heel aardig voor een meissie dat alleen onder de heidenen heeft geleefd. Kijk hem eens naar je kijken', zei Ben met een hoofdbeweging naar het roodborstje. 'Hij is je gisteren achterna gevlogen. Je zal zien dat-ie dat vandaag weer doet. Hij moet natuurlijk het fijne van dat springtouw weten. Zoiets heeft-ie nog nooit gezien. Pas maar op!' zei hij hoofdschuddend tegen het vogeltje, 'die nieuwsgierigheid zal je dood nog eens zijn!'

Mary sprong al de tuinen en de boomgaard door, telkens even rustend.

Eindelijk ging ze naar haar eigen pad langs de klimopmuur en besloot eens te proberen of ze het helemaal af kon springen. Het was een heel eind en ze begon langzaam, maar voor ze halverwege was had ze het zo warm gekregen en was ze zo buiten adem, dat ze moest ophouden. Maar ze had toch al tot dertig geteld en liet met een lachje van plezier haar touw zakken, toen ze daar warempel het roodborstje weer op een lange klimoprank zag zitten. Hij was haar nagevlogen en begroette haar met een vrolijk getsjilp. Onder het springen had Mary aldoor iets zwaars in haar zak gevoeld, en toen ze nu het roodborstje zag, zei ze lachend:

'Je hebt me gisteren de sleutel laten vinden. Nu moest je me vandaag de deur eens wijzen. Maar ik denk, dat je niet weet waar die is.'

Het roodborstje vloog van zijn wiegelende klimoptak, en hup! daar zat hij op de muur. Hij opende zijn bekje en zong een prachtige heldere triller, enkel en alleen om eens te laten horen wat hij wel kon. Dat doen roodborstjes namelijk bijzonder graag.

Mary had heel wat over toverij gehoord uit de verhalen van haar ayah en ze zei altijd, dat wat er toen gebeurde bijna toverij was. Er streek plotseling een windvlaagje langs het pad, wat krachtiger dan het vorige, krachtig genoeg om de takken van de bomen in beweging te brengen en zeker krachtig genoeg om de loshangende klimopranken die van de muur afhingen heen en weer te doen zwaaien. Mary was naar het roodborstje toegekomen en plotseling blies de wind een paar losse klimopslingers opzij, waarvan ze er, nog veel plotselinger, een beetpakte. Dat deed ze, omdat ze er iets onder zag zitten – een ronde knop waar de bladeren overheen hadden gehangen.

Het was de knop van een deur.

Ze greep met haar handen onder de bladeren en begon ze opzij te rukken en te duwen. Hoewel de klimop dicht op elkaar groeide, vormde hij toch een soort los, beweegbaar gordijn, dat zich slechts hier en daar aan hout en ijzer had vastgehecht. Mary's hart begon te bonzen en haar handen beefden van opwinding en blijdschap. Het roodborstje zong en kwetterde maar raak en hield telkens zijn kopje opzij, alsof hij even nieuwsgierig was als zij. Wat voelde ze daar onder haar handen? Iets vierkants van ijzer, met een gaatje erin? Het was het slot van de deur die tien jaar gesloten was geweest! Ze stak haar hand in haar zak, haalde de sleutel te voorschijn en voelde dat hij in het sleutelgat paste. Het omdraaien van de sleutel was een hele toer; ze moest het met twee handen doen, maar het lukte toch. En toen haalde ze diep adem en keek achter zich of er iemand op het lange pad te zien was. Nee, niemand. Er was nooit iemand, en ze haalde nog eens diep adem – dat gebeurde vanzelf – hield het losse klimopgordijn opzij en duwde tegen de deur die langzaam, heel langzaam openging.

Ze glipte erdoor en deed de deur gauw weer dicht; ze stond er met haar rug tegenaan en keek om zich heen en hijgde een beetje van opwinding en nieuwsgierigheid en blijdschap.

Ze stond *in* de geheime tuin.

9 Wat is dit een raar huis

Het was het liefelijkste, meest sprookjesachtige plekje wat je maar kon bedenken. De hoge muren, die het aan alle kanten omsloten, waren bedekt met bladerloze rozetakken, die tot een dicht netwerk waren ineengegroeid. Mary wist dat het rozen waren, omdat ze die in India veel gezien had. De grond was geheel met bruinig wintergras bedekt, waarin hier en daar groepjes struiken stonden, die stellig als ze nog leefden ook rozestruiken waren. Er waren een massa stamrozen, die zich zo hadden vertakt, dat het wel kleine bomen leken. Er stonden ook nog andere bomen, en het wonderlijkste van alles was, dat daar aan alle kanten klimrozen overheen waren gegroeid, waarvan lange ranken neerhingen die als zacht-fladderende gordijnen heen en weer wiegelden. Op verschillende plaatsen hadden de ranken zich aan elkaar of aan ver uitstekende takken vastgehecht en hadden lichte bruggen van boom tot boom geweven. Er zaten nu geen bladeren of rozen aan en Mary wist niet of ze dood of levend waren, maar hun fijne grijze en bruine twijgen en ranken leken wel een soort wazig kleed, dat over de muren en de bomen lag uitgespreid en dat zelfs, als de ranken in de hoogte geen houvast meer hadden, het bruine gras bedekte. Het was dit doorzichtige netwerk van boom tot boom dat de tuin tot zoiets geheimzinnigs maakte. Mary had aldoor wel gedacht dat hij anders zou zijn dan andere tuinen, die niet zo lang aan hun lot waren overgelaten, en inderdaad, ze had nog nooit van haar leven zoiets wonderlijks gezien.

'Wat is het hier stil!' fluisterde ze. 'Wat vreselijk stil!'

Ze bleef even staan als om naar de stilte te luisteren. Het roodborstje, dat naar zijn boomtop was gevlogen, was even stil als al het andere. Zelfs zijn vleugeltjes bewogen niet; het zat roerloos naar Mary te kijken.

'Geen wonder dat het stil is', fluisterde ze weer. 'Ik ben de eerste die hier in tien jaar gesproken heeft.'

Ze deed een paar stappen van de deur weg, op haar tenen alsof ze vreesde iemand wakker te schrikken. Gelukkig dat er overal gras was en haar voetstappen geen geluid maakten. Ze liep onder een van de sprookjesachtige poorten tussen de bomen door en keek omhoog naar het netwerk van ranken en twijgen.

'Zouden ze allemaal dood zijn?' zei ze. 'Is dit een hele dode tuin? Ik hoop van niet.'

Als ze Ben Weatherstaff geweest was, zou ze met één oogopslag hebben kunnen zien of het hout dood was of niet, maar zij zag alleen grijze en bruine uitlopers en takken waar nergens ook maar een klein knopje aan te bespeuren viel.

Maar ze was nu in elk geval in de wondertuin. Ze kon, wanneer ze maar wilde, door de deur onder de klimop naar binnen gaan. Ze had het gevoel of ze een werelddeel voor zich alleen ontdekt had.

Binnen de vier muren scheen de zon en het leek wel of het wijde hemelgewelf boven dit kleine stukje Misselthwaite nog zachter en dieper blauw was dan boven de heide. Het roodborstje kwam uit zijn boomtop gevlogen en trippelde om haar heen en vloog haar na van struik tot struik. Hij kwetterde druk en deed erg bedrijvig alsof hij het was die haar alles liet zien. Alles was even vreemd stil en het leek of ze eindeloos ver van iedereen af was, en toch voelde ze zich helemaal niet eenzaam. Het enige dat haar hinderde was dat ze niet wist of alle rozen dood waren of dat er misschien bij waren die nog leefden en die als het warmer werd blaadjes en knoppen zouden krijgen.

Ze hoopte maar, dat het niet een hele dode tuin was. Wat zou het verrukkelijk zijn als het nog een levende tuin was en wat een massa rozen zouden er dan groeien!

Ze had toen ze binnenkwam haar springtouw over haar arm gehangen en toen ze een poosje rondgelopen had, bedacht ze dat ze wel eens de hele tuin door kon springen en stilhouden als ze iets wilde bekijken. Zo hier en daar waren overblijfselen van paden en in een paar hoeken waren prieeltjes van groene heesters met stenen banken en grote, met mos bedekte bloemvazen.

Toen zij bij het tweede prieel kwam liet ze haar springtouw zakken. Er was hier blijkbaar een bloemperk geweest en ze dacht dat ze daar iets uit de zwarte aarde zag steken – een paar scherpe, kleine, lichtgroene puntjes. Ze herinnerde zich wat Ben Weatherstaff gezegd had en ging op haar hurken zitten om ze te bekijken.

'Ja, het zijn kleine groeiende plantjes', fluisterde ze, en het konden wel eens krokusjes of sneeuwklokjes of narcissen zijn.

Ze boog zich er diep overheen en snoof de frisse lucht van de vochtige aarde op. Wat rook het lekker!

'Misschien komen er nog meer op', zei ze. 'Ik zal de hele tuin eens afzoeken.'

Ze sprong nu geen touwtje meer, maar liep langzaam rond, haar ogen op de grond gericht. Ze keek in de oude bloembedden en tussen het gras, en toen ze de hele tuin door was geweest en geen plekje had overgeslagen, had ze nog een massa van die kleine lichtgroene puntjes ontdekt. Ze was er opgewonden van.

'Het is toch geen hele dode tuin!' riep ze zacht uit. 'Zelfs als de rozen dood zijn, is er nog een heleboel anders dat wél leeft.'

Ze wist niets van tuinieren af, maar op sommige plaatsen waar de groene puntjes zich een weg uit de aarde baanden, stond het gras zo dicht dat ze geen ruimte leken te hebben om te groeien. Ze zocht net zo lang tot ze een puntig stuk hout gevonden had, en knielde neer en begon de aarde los te woelen en het onkruid en het gras uit te wieden tot er kleine open plekjes om de groene puntjes waren.

'Nu kunnen ze tenminste ademhalen', zei ze, toen ze met de eerste klaar was. 'Ik ga er nog veel en veel meer doen, zoveel ik er maar zie. Als ik vandaag niet klaar kom, ga ik morgen verder.'

Ze ging van het ene plekje naar het andere en groef en wiedde en vond het zo'n heerlijk werk, dat ze telkens weer een ander perk opzocht en ook voor de plantjes in het gras onder de bomen ruimte maakte. Ze kreeg het zo warm, dat ze eerst haar mantel uitgooide en toen haar muts en zonder het te weten, voortdurend tegen het gras en al die lichtgroene puntjes lachte.

Het roodborstje had het geweldig druk. Hij was erg in zijn schik dat zijn eigen domein nu ook eens een beurt kreeg. Hij had Ben Weatherstaff dikwijls niet begrepen. Als er in een tuin gewerkt wordt komen er allerlei lekkere eetbare dingen uit de grond te voorschijn. Dit nieuwe wezen, dat maar half zo groot was als Ben, was tenminste op het idee gekomen zijn tuin ook eens onderhanden te nemen.

Mary werkte door tot het tijd was voor haar middageten, of eigenlijk was het al over de tijd, en toen ze haar mantel en muts en springtouw bij elkaar pakte, kon ze niet begrijpen dat ze twee of drie uur bezig was geweest. Ze had het heerlijk gevonden en keek trots naar de tientallen groene puntjes die er, nu ze op open plekjes stonden, veel fleuriger uitzagen dan toen ze door gras en onkruid werden verstikt.

'Ik kom vanmiddag terug', zei ze, nog eens in haar nieuwe koninkrijk rondkijkend. Ze praatte tegen de bomen en de rozestruiken alsof ze haar konden verstaan.

Toen holde ze gauw het gras over, duwde de deur open en kroop onder het klimopgordijn door naar buiten. Ze had zulke rode wangen en tintelende ogen en at zoveel, dat Martha haar ogen niet kon geloven.

'Tweemaal vlees en tweemaal rijstpudding!' riep ze uit. 'Nou! Moeke zal blij wezen als ze hoort, hoe het springtouw gewerkt heeft.'

Toen ze met haar puntige stokje in de aarde wroette had Mary een soort witte wortel opgegraven, die wel wat op een ui leek. Ze had hem weer onder de grond gestopt en de aarde zorgvuldig aangedrukt; ze vroeg zich af of Martha soms zou weten wat dat geweest was.

'Wat zijn dat voor witte wortels, die zo op uien lijken?' vroeg ze.

'Dat zijn bollen', antwoordde Martha. 'Daar komen allerlei voorjaarsbloemen uit. De hele kleintjes zijn sneeuwklokjes en krokusjes en de grotere zijn tulpen en narcissen, en de hele grote zijn lelies en irissen. Ze zijn prachtig. Dickon heeft er een heleboel in ons eigen tuintje geplant.'

'Heeft Dickon er verstand van?' vroeg Mary, die opeens een ingeving kreeg.

'Onze Dickon kan een bloem uit een stenen muur laten groeien. Moeke zegt dat hij ze uit de grond tovert.'

'Hebben bollen een lang leven? Zouden ze een heleboel jaren kunnen leven als niemand er ooit iets aan doet?' vroeg Mary gespannen.

'Ze groeien vanzelf', zei Martha. 'Daarom hebben arme mensen ze ook in hun tuin. Als je ze met rust laat, leven ze gewoon onder de grond verder en breiden zich uit en krijgen er kleintjes bij. Hier in het park staan duizenden sneeuwklokjes. Het is in het voorjaar een van de mooiste plekjes van heel Yorkshire, en niemand weet wanneer ze geplant zijn.'

'Ik wilde dat het al lente was', zuchtte Mary. 'Ik ben toch zo verlangend om te zien wat er in Engeland allemaal groeit.'

Ze was klaar met eten en zat nu op haar lievelingsplekje op het haardkleedje.

'Ik wilde dat ik een klein schepje had', zei ze.

'Wat wil je daar in vredesnaam mee doen?' vroeg Martha lachend. 'Wil je soms aan het spitten gaan? Dat moet ik moeke ook eens vertellen!'

Mary staarde in het vuur en dacht na. Ze moest voorzichtig zijn als ze het geheim van haar tuin wilde bewaren. Ze deed wel geen kwaad, maar als mijnheer Craven ontdekte dat de deur open was zou hij vreselijk boos worden en een nieuw slot laten maken en de tuin voor altijd afsluiten. Dat zou werkelijk ontzettend zijn.

'Alles is hier zo groot en verlaten', zei ze langzaam, alsof ze de zaak bij zichzelf overwoog. 'Het huis is verlaten, en het park is verlaten, en de tuinen zijn verlaten. Er is zoveel afgesloten. In India deed ik ook nooit veel, maar daar waren meer mensen om naar te kijken – inheemsen en soldaten die voorbij marcheerden, en soms muzikanten, en mijn ayah vertelde altijd verhalen. Hier is niemand met wie ik kan praten, behalve met jou en Ben Weatherstaff. En jij hebt je werk en Ben Weatherstaff heeft dikwijls geen zin om te praten. Ik dacht zo dat als ik nu een schep had, ik ook ergens kon gaan spitten, net als hij, en dan zou ik misschien een tuintje kunnen maken, als hij me wat zaad gaf.'

Martha's gezicht begon te stralen.

'Nee maar!' riep ze uit, 'da's nou krek wat moeke zei. Ze zei: 'Dat terrein is zo groot, waarom geven ze haar niet een stukje voor d'r eigen, desnoods alleen om peterselie en radijsjes in te zaaien? Als ze maar wat kon spitten en harken zou het wurm zich veel gelukkiger voelen.' Dat waren haar eigen woorden.'

'Heus?' vroeg Mary. 'Wat weet ze een boel, hè?'

'Asjeblieft', zei Martha. ''t Is net zoals ze zegt: 'Een vrouw die twaalf kinderen grootbrengt, leert nog wel wat anders dan het abc. Van kinderen leer je nog meer dan van rekenen.'

'Wat zou een schep zowat kosten, een kleintje?' vroeg Mary.

'Nou', was Martha's nadenkende antwoord, 'er is in het dorp een winkel en daar heb ik laatst stelletjes tuingereedschap voor kinderen gezien; een schep en een hark en een schoffeltje voor twee shilling. En ze zagen er stevig uit ook.'

'Ik heb wel meer geld in mijn beurs', zei Mary. 'Ik heb vijf shilling van mevrouw Morrison gehad, en juffrouw Medlock heeft me iets van mijnheer Craven gegeven.'

'Heeft hij daar waarachtig aan gedacht?' riep Martha verbaasd uit. 'Juffrouw Medlock heeft gezegd, dat ik iedere zaterdag een shilling zakgeld kreeg, maar ik wist niet wat ik ermee moest doen.'

'Gommenikkie, wat een geld', zei Mary. 'Daar kun je voor kopen wat je maar wilt. Onze huishuur is maar een shilling en drie stuiver in de week, en het is een heksetoer om dat bij mekaar te krijgen. Maar nu bedenk ik ineens wat', eindigde ze, en zette haar handen in haar zij.

'Wat dan?' vroeg Mary nieuwsgierig.

'In de winkel in Thwaite kun je pakjes bloemzaad voor een stuiver per stuk krijgen en onze Dickon weet precies welke de mooiste zijn en wat je ermee doen moet. Hij gaat vaak genoeg naar Thwaite. Kun je drukletters schrijven?'

'Wel schrijfletters', antwoordde Mary.

Martha schudde haar hoofd.

'Onze Dickon kan alleen drukletters lezen. Als jij die nou kon schrijven, zouden we hem een briefje kunnen sturen en hem vragen tegelijk het tuingereedschap en het zaad te kopen.'

'O! je bent een schat!' riep Mary. 'Ik meen het echt. Ik wist niet dat je zo lief was. Ik kan vast wel drukletters schrijven als ik er mijn best voor doe. Zullen we juffrouw Medlock om pen en inkt en papier gaan vragen?'

'Dat heb ik zelf wel', zei Martha. 'Ik heb het laatst gekocht om moeke zondags eens een briefje te kunnen schrijven. Ik zal het gauw even halen.'

Ze snelde de kamer uit en Mary stond voor het vuur en wreef zich in haar magere handjes van louter plezier.

'Als ik een schep heb', fluisterde ze, 'kan ik de grond lekker los maken en het onkruid wegspitten. Als ik zaad heb, kan ik bloemen laten groeien en dan is de tuin helemaal niet dood meer – dan wordt hij weer levend.'

Ze ging die middag niet meer naar buiten, want toen Martha met pen en inkt en papier terugkwam moest ze eerst nog de tafel afruimen en de borden en schalen naar beneden brengen, en toen ze in de keuken kwam moest ze een werkje voor juffrouw Medlock doen, zodat het een hele tijd duurde voor ze terugkwam. En toen was het een heel werk om aan Dickon te schrijven. Mary had heel weinig geleerd, omdat haar gouvernantes altijd zo gauw waren weggegaan. Spellen kon ze niet erg goed, maar de drukletters lukten gelukkig wel. Dit was de brief die Martha haar dicteerde:

Beste Dickon.
Ik hoop dat je het goet maakt met mij gaat het ook goet. Dat meisje Mary heeft gelt genoeg en wil je naar Thwaite gaan en wat bloemzaat voor haar kopen en van dat kleine gereetschap om een tuintje te maken. Wil je de mojste uitkiezen en die het goet doen want zij heeft het nog nojt gedaan want zij heeft in India gewoont en dat is heel anders. De groete aan moeder en aan jellie allemaal. Het meisje zal mij nog een heleboel vertelen en als ik weer tuis kom weet ik alles van olivanten en kamelen en heren die op leuwen en tijgers schieten.

Je liefhebbende zus
Martha Sowerby

„We zullen het geld in de envelop stoppen en dan vraag ik de slagersjongen of hij het in zijn mand meeneemt. Dat is een grote vriend van Dickon', zei Martha.
'Maar hoe krijg ik die dingen dan hier, als Dickon ze gekocht heeft?' vroeg Mary.
'O, die komt hij wel brengen. Dat vindt hij een lekkere wandeling.'
'Fijn!' riep Mary uit. 'Dan zie ik hem ook eens. Ik had niet gedacht dat ik Dickon ooit te zien zou krijgen.'
'Wilde je hem dan zo graag zien?' vroeg Martha plotseling. Mary keek zo verheugd.
'Natuurlijk. Ik heb nog nooit een jongen gezien die vossen en kraaien had. Ik wil hem dolgraag zien.'
Martha sloeg zich tegen het voorhoofd, alsof haar plotseling iets te binnen schoot.
'Da's waar ook', riep ze uit, 'dat zou ik haast vergeten en ik had het je

nog wel dadelijk vanmorgen willen vertellen. Ik heb het aan moeke gevraagd en ze zei dat ze het zelf aan juffrouw Medlock zou vragen.'
'Bedoel je...' begon Mary.
'Wat ik dinsdag tegen je zei, weet je nog wel? Of je eens met het rijtuig naar ons huisje mocht komen om pannekoeken te eten en een glas melk te drinken.'
Het leek wel of alle heerlijke dingen op één dag tegelijk gebeurden. Op klaarlichte dag over de hei te rijden met zo'n mooie blauwe lucht! En naar dat huisje met twaalf kinderen te gaan!
'Denkt ze, dat juffrouw Medlock het goed zal vinden?' vroeg ze ongerust.
'Vast wel. Ze weet, dat moeke een best mens is en het er bij ons keurig uitziet.'
'Als ik ga, zie ik je moeder en Dickon allebei', zei Mary, die er hoe langer hoe meer zin in begon te krijgen. 'Ze is geloof ik heel anders dan de moeders in India.'
Het werken in de tuin en alle opwinding van die middag hadden haar een beetje moe en soezerig gemaakt. Martha bleef bij haar tot theetijd, maar ze zaten stilletjes bij elkaar en spraken weinig. Net toen Martha naar beneden wilde gaan om het theeblad te halen, kwam Mary echter met een vraag.
'Martha', zei ze, 'had dat meisje in de bijkeuken vandaag weer zo'n kiespijn?'
Martha schrok, dat kon je zó zien.
'Waarom vraag je dat?' zei ze.
'Omdat ik, toen het zo lang duurde voor je terugkwam, de gang ben ingelopen om te kijken of je nog niet kwam. En toen heb ik dat gekerm in de verte weer gehoord, net als laatst op die avond. Het waait vandaag niet, dus de wind kan het niet geweest zijn.'
'Hè', zei Martha ontstemd, 'je moet niet in de gangen gaan lopen en zo nieuwsgierig zijn, mijnheer Craven zou zó boos worden als hij het wist, dat er wel eens verschrikkelijke dingen konden gebeuren.'
'Ik was niet nieuwsgierig', zei Mary. 'Ik liep op jou te wachten, en toen hoorde ik het heel toevallig. Dat is nu al de derde keer.'
'Gunst, daar belt juffrouw Medlock', riep Martha, en liep zo vlug ze maar kon de kamer uit.
'Wat een raar huis toch', zuchtte Mary slaperig, terwijl ze haar hoofd

op de zitting van een armstoel legde. De buitenlucht, het werken in de tuin en het springtouw hadden haar zo moe gemaakt, dat ze heerlijk in slaap viel.

10 Dickon

Bijna een week lang scheen de zon op de geheime tuin, zoals Mary haar domein noemde. Dat vond ze een passende naam. Verder genoot ze van het gevoel dat, als ze binnen die oude begroeide muren was, niemand haar kon vinden. Net of ze dan in een sprookjeswereld leefde, die helemaal buiten het gewone leven stond. De weinige boeken, die ze gelezen en mooi gevonden had, waren sprookjesboeken geweest en daar waren wel tovertuinen in voorgekomen. Soms vielen de mensen daar wel eens honderd jaar in slaap, wat ze altijd nogal dom had gevonden. Ze was niet van plan in slaap te vallen! Integendeel, iedere dag die ze op Misselthwaite woonde, werd ze wakkerder. Ze begon het buiten spelen prettig te vinden; ze liep nu ook graag in de wind, waar ze in het begin zo het land aan had gehad. Ze kon veel harder hollen dan in het begin en hield het langer vol; ook kon ze al tot honderd touwtje springen. De bollen in de geheime tuin wisten bepaald niet hoe ze het hadden. Ze kregen lekkere open plekjes om zich heen en konden net zo vrij ademhalen als ze wilden, en werden – hoewel Mary dat niet wist – onder de donkere aarde hoe langer hoe blijer en werkten geweldig hard. De zon kon hen nu beschijnen en verwarmen en als er regen viel drong die dadelijk tot hen door, zodat ze hoe langer hoe levenslustiger werden.

Mary had, zo jong als ze was, een wilskrachtige natuur, en nu ze iets gevonden had dat haar interesseerde ging ze er ook helemaal in op. Ze werkte en· spitte en wiedde onvermoeid en in plaats van er genoeg van te krijgen, begon ze het steeds prettiger te vinden. Het had iets van een boeiend spel. Er kwamen veel en veel meer van die lichtgroene puntjes uit de grond dan ze had durven hopen. Ze leken wel overal en aan alle kanten te voorschijn te komen, en elke dag ontdekte ze weer nieuwe hele kleintjes, soms zo klein dat ze maar net zichtbaar waren. Er waren er zoveel, dat ze moest denken aan wat Martha verteld had over 'duizenden sneeuwklokjes' en bollen die zich uitbreidden en kleintjes kregen. Deze bollen waren tien jaar lang aan hun lot overgelaten en misschien waren het er nu, net als die sneeuwklokjes, wel duizenden geworden. Ze was benieuwd hoelang het zou duren voor het bloemen werden. Soms hield ze met spitten op om in de tuin rond te kijken en zich voor te stellen hoe het er uit zou zien als er duizenden bloemen zouden staan.

In die zonnige week raakte ze ook op vertrouwelijker voet met Ben Weatherstaff. Een paar maal verraste zij hem door plotseling naast hem te staan, alsof ze uit de grond was opgerezen. Dit kwam omdat ze opzettelijk heel zachtjes naar hem toesloop, uit vrees dat hij zijn gereedschap zou opnemen en weggaan als hij haar zag aankomen. Maar de oude Ben had niet meer zoveel tegen haar als in het begin. Misschien was hij in het diepst van zijn hart een beetje gevleid, omdat ze kennelijk zijn gezelschap zocht. Daarbij kwam dat ze veel beleefder was dan in het begin. Hij wist niet dat ze, toen ze hem voor het eerst zag, tegen hem had gesproken zoals ze het tegen de bedienden in India deed en ze had niet geweten dat een kribbige, stugge, oude Yorkshirer niet gewoon was voor zijn meerderen te buigen en zich door hen te laten bevelen.

'Je bent net het roodborstje', zei hij op een ochtend toen hij opkeek en haar voor zich zag staan. 'Ik weet nooit wanneer ik je zal zien of waar je vandaan zult komen.'

'Hij is nou zo aardig tegen me', vertelde Mary.

'Ja, zo is-ie', zei Ben hoofdschuddend. 'Hij zet voor het vrouwvolk zijn beste beentje voor uit pure lichtzinnigheid en ijdelheid. Er is niets wat ie zo graag doet als met zijn mooie staartveren pronken. Hij is de grootste ijdeltuit die er bestaat.'

Meestal praatte hij niet veel en soms beantwoordde hij Mary's vragen alleen maar met een onverstaanbaar gegrom, maar die morgen was hij spraakzamer dan gewoonlijk. Hij richtte zich uit zijn gebukte houding op, zette zijn zware spijkerschoenen op zijn schop en keek haar eens goed aan.

'Hoe lang ben je nou hier?' vroeg hij.

'Ik geloof zowat een maand', antwoorrde ze.

'Je begint Misselthwaite waarachtig eer aan te doen', zei hij. 'Je bent wat dikker geworden en je ziet niet meer zo geel. Toen ik je voor het eerst zag was je net een geplukte kip. Ik dacht bij mezelf, dat ik nog nooit zo'n lelijk scharminkel had gezien.'

Omdat Mary niet ijdel was en zich nooit veel om haar uiterlijk bekommerd had, trok ze zich weinig van dit oordeel aan.

'Ik weet dat ik dikker ben geworden', zei ze. 'Mijn kousen beginnen te spannen. In het begin zaten er allemaal rimpels in. Daar heb je het roodborstje, Ben!'

Ja, daar was het roodborstje en Mary vond hem mooier en grappiger dan ooit. Zijn rode befje glom als satijn. Hij liet zijn vlerkjes trillen en wipte met zijn staartje, draaide met zijn kopje en trippelde met allerlei kokette kunstjes om hen heen. Blijkbaar had hij het erop gezet door Ben te worden bewonderd. Maar Ben was nog een beetje brommerig.

'Zo, ben je daar weer eens!' zei hij. 'Vandaag kon je zeker niets beters krijgen en dan is Ben goed genoeg, hè? Twee weken lang ben je je vestje aan het roodkleuren en je veren aan het opstrijken geweest. Ik weet best wat daar achter zit. Je zit weer achter een of ander juffertje aan en maakt haar wijs dat je het mooiste roodborstmannetje op de hele Misselse hei bent en dat de rest maar op moet komen. We kennen dat!'

'O! Kijk hem nu eens!' riep Mary.

Het roodborstje was blijkbaar in een aanhalige en vertrouwelijke stemming. Hij hipte al dichter en dichter bij en keek Ben Weatherstaff vragend aan. Hij vloog in de dichtstbijstaande bessestruik, hield zijn kopje scheef en zong een liedje tegen hem. 'Je probeert me in te palmen', zei Ben, zijn gezicht in zulke rare rimpels trekkend, dat Mary begreep dat hij probeerde niet vriende- lijk te kijken. 'Je denkt dat je onweerstaanbaar bent – dat is het wat je denkt.'

Het roodborstje spreidde zijn vleugeltjes uit en – Mary kon haar ogen haast niet geloven – kwam boven op de steel van Ben Weatherstaffs schop zitten. Toen nam het rimpelige gezicht van de oude man langzaam een andere uitdrukking aan. Hij stond zo stil alsof hij bang was om adem te halen, alsof hij voor geen geld een beweging zou hebben gemaakt, die zijn roodborstje verjoeg. Hij fluisterde héél zachtjes.

'Wel verdraaid!' zei hij zo vriendelijk alsof hij eigenlijk heel iets anders zei: 'Jij weet hoe je iemand moet aanpakken – dat moet ik zeggen. 't Is een mirakel zo wijs als je bent.'

En hij bleef roerloos staan, bijna zonder te ademen, tot het vogeltje nog eens met zijn vlerkjes klapte en wegvloog. Toen stond hij naar het handvat van zijn schop te kijken alsof dat betoverd was. Daarna ging hij weer aan het werk zonder een woord te zeggen.

Maar omdat hij telkens in zichzelf bleef lachen, durfde Mary tegen hem te praten.

'Heb jij zelf ook een tuin?' vroeg ze.

'Nee. Ik ben ongetrouwd en ik woon bij Marten, bij het hek.'

'Maar als je er een had, wat zou je er dan in zetten?'

'Kool en aârpels en uien.'

'Maar als je een bloementuin wilde maken', hield Mary aan, 'wat zou je er dàn in zetten?'

'Bollen en dingen met lekkere luchiés – maar vooral rozen.'

Mary's gezicht klaarde op. 'Hou je van rozen?' vroeg ze.

Ben Weatherstaff trok een handvol onkruid uit en gooide het opzij voor hij antwoordde.

'Ja, daar hou ik wel van. Dat heb ik geleerd van een dame waar ik tuinman bij was. Die had er een massa in een tuin waar ze stapelgek op was en ze hield van d'r rozen of het kinderen waren, of roodborstjes. Ik heb d'r wel eens een roos een zoen zien geven.' Hij trok nog een pluk onkruid uit en keek er met een grimmig gezicht naar.

'Maar da's wel tien jaar geleden.'

'Waar is die dame nu?' vroeg Mary belangstellend.

'Hemel', antwoordde hij kortaf en dreef zijn schop diep in de aarde. 'Tenminste volgens de dominee.'

'Wat is er met de rozen gebeurd?' vroeg Mary met toenemende belangstelling.

'Die zijn aan hun lot overgelaten.'

Mary raakte steeds meer in opwinding.

'Zijn ze helemaal doodgegaan? Gaan rozen helemaal dood als je ze

71

aan hun lot overlaat?' waagde ze te vragen.

'Nou, om je de waarheid te zeggen', bekende Ben onwillig, 'ik was van die rozen gaan houden omdat ik haar graag mocht en zij zoveel van de rozen hield, en daarom heb ik er zo'n paar maal per jaar wel eens wat aan gedaan, ze wat gesnoeid en ze los gegraven om de wortels. Ze zijn wel verwilderd, maar ze stonden in goeie grond, en er zijn er een heleboel blijven leven.'

'Maar als er geen blaadjes aan zitten en ze er zo grijs en bruin en droog uitzien, hoe weet je dan of ze dood of levend zijn?' vroeg Mary.

'Wacht maar tot de lente ze te pakken krijgt, wacht maar tot na de regen de zon schijnt en de regen op de zon komt, dan zal je eens wat zien.'

'Maar wat... wat dan?' riep Mary, die vergat dat ze voorzichtig moest zijn.

'Kijk maar eens langs de twijgen en takken en als je hier en daar een dik bruin knobbeltje ziet, hou dat dan maar in de gaten zo gauw er een warm voorjaarsregentje gevallen is.' Hij hield plotseling op en keek haar onderzoekend aan. 'Waarom wil jij plotseling zoveel van rozen weten?' vroeg hij.

Mary voelde dat ze bloosde en durfde haast niet te antwoorden.

'Ik... ik speel dat... dat ik een eigen tuintje heb', stamelde ze. 'Ik... ik heb hier nooit iets te doen. Ik heb niemand.'

'Inderdaad', zei Ben Weatherstaff nadenkend, terwijl hij haar eens goed aankeek. 'Da's waar. Arm schaap. Je hebt hier niet veel.' Hij zei het op zo'n eigenaardige toon, dat Mary heus geloofde dat hij een beetje medelijden met haar had. Ze had nooit medelijden met zichzelf gehad; ze had zich alleen dikwijls lusteloos gevoeld en was kribbig geweest, omdat ze de mensen en alles zo akelig vond. Maar nu leek het wel of de wereld aan het veranderen was en een beetje prettiger werd. Als niemand haar ontdekking van de geheime tuin bemerkte, zou ze daar altijd heerlijk kunnen spelen.

Ze bleef nog een kwartiertje om Ben heen draaien en stelde zoveel vragen als ze durfde. Hij beantwoordde ze stuk voor stuk op zijn gewone knorrige manier, maar echt boos scheen hij toch niet te zijn en hij liep ook niet met schop en al weg. Hij zei nog iets over rozen net toen ze weg wilde gaan en dat deed haar denken aan de rozen waar hij van verteld had.

'Ben je nog pas naar die rozen wezen kijken?' vroeg ze.

'Van 't jaar nog niet. Te stijf in me leden van de rimmetiek.'

Hij zei het net zo brommerig als altijd en toen leek hij plotseling erg boos op haar te worden, hoewel ze niet begreep waarom.

'Is het nou eens uit met al dat gevraag?' zei hij nijdig. 'Ik heb nog nooit zo'n nieuwsgierige meid gezien. Vooruit, ga nou maar spelen. Ik heb voor vandaag genoeg gekletst.'

Dat klonk zo onvriendelijk, dat Mary maar wegliep; ze had er nu toch niets meer aan of ze al bleef. Ze sprong langzaam met haar springtouw het buitenste pad af en dacht nog eens over Ben na. Ja, hoe gek het ook klonk, ook hem vond ze aardig, al was hij nog zo'n brompot. Ze probeerde altijd hem aan het praten te krijgen en ze geloofde dat hij alles van bloemen wist wat er van te weten viel. Er was een pad tussen ligusterhagen dat om de geheime tuin heen liep en bij een hek eindigde dat toegang gaf tot het park. Ze zou dat pad maar eens helemaal afspringen en een kijkje in het park nemen. Misschien waren daar wel konijnen. Het springen ging heerlijk en toen ze bij het hekje kwam, duwde ze het open en ging erdoor, want ze hoorde een eigenaardig zacht fluitend geluid en wilde eens weten wat dat was.

Inderdaad, het was iets heel ongewoons. Ze bleef staan en hield haar adem in van verrassing. Onder een boom, met zijn rug er tegenaan, zat een jongen die op een houten fluitje blies. Het was een jongen van een jaar of twaalf, en hij zag er grappig uit, vond Mary. Brandschoon, met een wipneus en vuurrode wangen en wijd-open, ronde, helblauwe ogen. Een bruin eekhoorntje klemde zich vast aan de stam van de boom waar hij tegen leunde en zat naar hem te kijken, en van achter een struik gluurde met uitgestrekte nek een kleurige fazant, terwijl vlak voor hem twee konijntjes op hun achterpootjes zaten en snuffelden met trillende neusjes. Het leek wel of ze allemaal steeds dichterbij kwamen om hem te bekijken en naar het zachte, lokkende geluid te luisteren, dat hij uit zijn primitieve fluit wist te halen.

Toen hij Mary zag, stak hij zijn hand op en sprak zacht tegen haar met een stem die bijna net zo klonk als zijn gefluit.

'Niet bewegen', zei hij. 'Dan lopen ze weg.'

Mary bleef roerloos staan. Hij hield op met fluiten en stond op, maar zó langzaam en voorzichtig dat het bijna leek of hij niet bewoog. Maar eindelijk stond hij overeind en toen schuifelde het eekhoorntje de boom in, de fazant trok zijn kopje terug en ook de twee konijntjes hipten weg, maar helemaal niet alsof ze geschrokken waren.

'Ik ben Dickon', zei de jongen. 'Jij bent zeker Mary.'

Mary besefte, dat ze eigenlijk dadelijk had geweten dat hij Dickon was. Wie anders had konijnen en fazanten kunnen bezweren zoals de inheemsen in India slangen bezwoeren? Hij had een grote, beweeglijke mond en als hij lachte straalde zijn hele gezicht.

'Ik stond zo langzaam op', legde hij uit, 'omdat ze schrikken van een snelle beweging. Je moet met dieren in het wild altijd voorzichtig zijn en zachtjes praten.'

Hij sprak tegen haar alsof ze elkaar al lang kenden. Mary was niet aan jongens gewend en deed nog een beetje stijf, omdat ze eigenlijk verlegen was.

'Heb je Martha's brief gelezen?' vroeg ze.

Hij knikte met zijn rossige krullekop.

'Daarom ben 'k gekomen.'

Hij bukte zich om iets op te rapen, dat naast hem op de grond had gelegen terwijl hij zat te fluiten.

'Hier heb ik het tuingereedschap. Een spa en een hark en een schep en een schoffel. 't Zijn goeie spullen, hoor. Er is ook nog een troffeltje bij. En de juffrouw in de winkel heeft me nog een pakje witte papavers en een met blauwe riddersporen toegegeven, toen ik het andere zaad kocht.'

'Mag ik het zaad eens zien?' vroeg Mary.

Ze wilde dat ze ook maar kon praten zoals hij. Het klonk allemaal zo gewoon en onbevangen, alsof hij haar wel aardig vond, maar geen ogenblik bang was dat zij hèm niet aardig zou vinden, terwijl hij toch maar een arme jongen van de hei was, met gelapte kleren en zó'n grappig gezicht en rood haar. Toen ze dichter bij hem kwam, vond ze dat hij zo fris naar hei en gras en bladeren rook, net alsof hij daarvan gemaakt was. Lekker was dat. Toen ze naar zijn grappige gezicht met die rode wangen en ronde blauwe ogen keek, vergat ze haar verlegenheid.

'Zullen we ze eens bekijken?' vroeg ze.

Zij gingen op een boomstronk zitten en hij haalde een slordig bruin pakje uit zijn broekzak. Hij maakte het touwtje los en toen kwamen er een heleboel kleine platte zakjes uit, elk met een plaatje van een bloem erop.

'D'r is een heleboel reseda en klaprozen', zei hij. 'Niks ruikt zo lekker als reseda en het groeit waar je het maar neergooit. Ik vind het de leukste bloemen, want ze doen het zo makkelijk.'

Plotseling hield hij op en keek verrast achter zich.

'Waar zit dat roodborstje dat ons daar roept?' vroeg hij.

Het getsjilp kwam uit een dichte hulststruik, die vol rode bessen zat en Mary geloofde dat ze het herkende.

'Roept hij ons nou echt?' vroeg ze.

'Jazeker', zei Dickon, alsof het de gewoonste zaak van de wereld was. 'Hij roept iemand die hij goed kent. Net of-ie roept: 'Daar ben ik. Kijk eens naar me. Ik heb zin in een praatje.' Daar zit hij, in die struik. Van wie is-ie?'

'Van Ben Weatherstaff, maar hij kent mij geloof ik ook al een beetje', antwoordde Mary.

'Hij kent je vast', zei Dickon weer heel zacht. 'En hij mag je graag. Zo meteen gaat-ie me alles van je vertellen.'

Hij ging naar de hulstboom toe, met die zachte bewegingen die Mary al eerder bij hem had opgemerkt, en toen maakte hij een geluidje dat bijna precies als het tsjilpen van het roodborstje klonk. Het roodborstje luisterde even aandachtig en antwoordde toen net alsof hij een vraag beantwoordde.

'Ja, hoor, hij is een vriendje van je', lachte Dickon zachtjes.

'Geloof je dat heus?' riep Mary opgetogen. Ze wilde het zo dolgraag weten. 'Geloof je heus dat hij een beetje van me houdt?'

'Anders zou hij niet zo dicht bij je komen', antwoordde Dickon. 'Vogels zijn kieskeurig, hoor, en als een roodborstje niets van je wil weten dan is er niks aan te doen. Kijk, nou begint-ie tegen je te flikflooien. 'Wil je me dan helemaal niet zien?' vraagt-ie.'

En het leek werkelijk wel of Dickon gelijk had, zo trippelde en kwetterde en lonkte het vogeltje, zijn kopje scheefhoudend, naar Mary.

'Versta jij alles wat de vogels zeggen?' vroeg Mary.

Dickon had zo'n brede lach dat hij wel een en al mond leek; hij streek eens over zijn ruige haar.

'Ik geloof het wel en zij geloven het ook', zei hij. 'Ik woon al zo lang bij ze op de hei. Ik heb er zoveel uit het ei zien komen, en gezien hoe ze leerden vliegen en zingen, dat ik soms ga geloven dat ik zelf een vogel ben. Ik denk wel eens, dat ik een vogel ben, of een vos, of een konijn, of een eekhoorn, of zelfs een tor, zonder dat ik het zelf weet.'

Hij lachte en ging weer op de boomstronk zitten en begon weer over de bloemzaden te praten. Hij vertelde haar, hoe ze er uit zouden zien als het bloemen waren; hij vertelde haar, hoe ze ze moest zaaien en verzorgen en begieten.

'Weet je wat', zei hij, 'ik zal ze zelf wel even voor je zaaien. Waar is je tuintje?'

Mary kneep haar magere handjes, die in haar schoot lagen, in elkaar. Ze wist niet wat ze moest zeggen, dus daarom zei ze eerst maar niets. Ze had daar nooit aan gedacht. Ze wist zich geen raad en had een gevoel of ze eerst rood en toen bleek werd.

'Je hebt toch wel een lapje grond?' vroeg Dickon weer.

Ze was werkelijk achtereenvolgens rood en bleek geworden. Dickon zag het en daar ze nog steeds niets zei, begreep hij er hoe langer hoe minder van.

'Wilden ze je geen tuintje geven?' vroeg hij nog eens. 'Krijg je er misschien nog een?'

Ze kneep haar handen nog vaster in elkaar en keek hem toen ernstig aan.

'Ik weet niets van jongens af', zei ze langzaam. 'Maar zou je een geheim kunnen bewaren, als ik je er een vertelde? Het is een heel groot geheim. Ik zou me geen raad weten als iemand erachter kwam. Dan zou ik geloof ik doodgaan!' Ze zei de laatste zin met grote nadruk.

Dickon keek of hij het een rare vraag vond en graaide nog eens in zijn rode haar, maar zijn antwoord klonk geruststellend.

'Ik heb zoveel geheimen te bewaren', zei hij. 'Als ik tegenover de andere jongens geen geheimen kon bewaren over jonge vossen en vogelnesten en holen van andere dieren, dan zou er geen een meer veilig zijn op de hei. Jawel hoor, ik kan best een geheim bewaren.'

Mary was niet voornemens geweest haar hand uit te steken en hem bij zijn mouw te pakken, maar toch deed ze dat.

'Nou dan... ik heb een tuin gestolen', zei ze heel zacht. 'Hij is niet van mij, hij is eigenlijk van niemand. Geen mens wil hem hebben, geen mens zorgt ervoor, er komt nooit iemand. Misschien is alles al lang dood, dat weet ik niet.'

Ze begon hoe langer hoe bozer te worden en weerbarstiger dan ooit tevoren.

'Het kan me ook geen steek schelen! Niemand mag hem mij afnemen, als ik er wèl om geef en de anderen niet. Ze hebben hem helemaal laten doodgaan, achter die dichte deur', eindigde ze heftig en toen sloeg ze haar handen voor haar gezicht en barstte in snikken uit, arme kleine Mary 'wil-niet'.

Dickons ronde blauwe ogen werden hoe langer hoe ronder.

'Tjéééé!' zei hij langgerekt, op een toon die zowel verbazing als meegevoel uitdrukte.

'Ik heb hier niets te doen', zei Mary. 'Niets is van mezelf. Maar die tuin heb ik zelf gevonden en de deur ook. Ik heb niets anders gedaan dan het roodborstje en dat laten ze toch ook zijn gang gaan.'

'Waar is-ie?' vroeg Dickon met gedempte stem.

Mary sprong dadelijk op. Ze wist dat ze weer koppig en eigenzinnig was, maar het kon haar niets schelen. Dit was weer de oude, opstandige Mary uit India, die gewend was haar eigen zin te doen en daarmee uit. Maar de heilige verontwaardiging was nieuw.

'Kom maar mee, dan zal ik je hem laten zien', zei ze.

Ze trok hem mee het pad met de ligusterhagen af en toen langs de dichtbegroeide klimopmuur. Dickon volgde haar met een vreemde, bijna medelijdende uitdrukking op zijn gezicht. Hij had een gevoel of hij naar een verborgen vogelnest werd gebracht en heel zachtjes moest lopen. Toen Mary naar de muur toeging en de losse klimop opzij schoof, stond hij een ogenblik verbluft. Daar was warempel een deur, die Mary moeizaam openduwde en toen gingen ze samen naar binnen. Mary wees met een trots gebaar in het rond.

'Hier is hij', zei ze. ''t Is een geheime tuin en ik ben de enige op de hele wereld, die hem wil laten leven.'

Dickon keek rond en nog eens rond en toen nog eens rond.

'Wat een prachtig plekje!' fluisterde hij toen. 'Het lijkt wel iets uit een droom.'

11 Het lijsternest

De eerste paar minuten stond hij maar stil om zich heen te kijken, terwijl Mary's ogen hem geen seconde loslieten. Daarna liep hij de tuin in, nog zachter en voorzichtiger dan Mary gedaan had toen ze zich voor het eerst binnen de vier muren bevond. Zijn ogen schenen alles in zich op te nemen – de grijze bomen met de dorre klimrozen die van de takken neerhingen, de verwarde massa langs de muren en tussen het gras, de groene priëlen met de stenen banken en grote bloemvazen.

'Ik had nooit gedacht dat ik hier nog eens zou komen', zei hij eindelijk fluisterend.

'Wist je er dan iets van?' vroeg Mary.

Ze had gewoon gesproken, maar hij legde waarschuwend zijn vingers voor zijn mond.

'We moeten zachtjes praten', zei hij, 'anders horen ze ons en komen ze kijken wat er aan de hand is.'

'O ja, daar dacht ik niet aan!' zei Mary met een gebaar van schrik. 'Maar wist jij dat deze tuin bestond?' vroeg ze weer, toen ze bekomen was van de schrik.

Dickon knikte.

'Martha heeft me verteld dat hier een tuin was waar nooit iemand kwam. We hebben er thuis dikwijls over gepraat hoe die er wel uit zou zien.'

Hij zweeg en keek naar het dichte netwerk van twijgen boven zijn hoofd. Er lag en blijde uitdrukking op zijn ronde gezicht.

'Jee, wat zullen er hier in het voorjaar een nesten zitten', zei hij. 'Het is de rustigste broedplaats in heel Engeland. Nooit een mens te zien en bomen en rozestruiken in overvloed om nesten in te bouwen. Ik begrijp niet dat alle vogels van de hei hier niet komen nestelen.'

Weer legde Mary zonder erbij te denken haar hand op zijn arm.

'Komen er rozen aan?' fluisterde ze. 'Kun jij dat zien? Ik dacht dat ze misschien allemaal dood waren.'

'O, nee! Lang niet allemaal! Op geen stukken na!' antwoordde hij. 'Kijk maar eens hier.'

Hij stapte naar de dichtstbij staande boom toe, een eerbiedwaardige oude, met grijze kortsmos begroeid, maar die een sluier van verwarde ranken en takken droeg. Hij haalde een stevig mes uit zijn zak en knipte het open.

'Er zit een hoop dood hout tussen dat er nodig uit moet', zei hij. 'En er is veel oud hout, maar ze hebben vorig jaar toch ook wat nieuw gemaakt. Dit hier is een nieuwe scheut', en hij raakte een loot aan, die een bruin-groene kleur had inplaats van hard, droog grijs.

Mary raakte, met een gevoel van ontzag, zelf ook even het takje aan. 'Dit?' vroeg ze. 'Is dit nog helemaal levend?'

'Spring', verzekerde Dickon met zijn brede glimlach.

Mary begreep dat hij 'springlevend' bedoelde en fluisterde verrukt: 'Ik vind het zo fijn dat hij spring is! Ik wou dat ze allemaal spring waren. Zullen we de tuin eens doorgaan en tellen hoeveel er nog spring zijn?'

Haar ogen schitterden van opwinding en Dickon was al even opgewonden als zij. Ze liepen van boom tot boom en van struik tot struik. Dickon had zijn mes in zijn hand en liet haar allerlei dingen zien waar ze nog nooit van gehoord had.

'Ze zijn verwilderd', zei hij, 'maar daar hebben de sterksten van geprofiteerd. De zwakke zijn doodgegaan, maar de andere zijn maar raak gegroeid en hebben zich naar alle kanten uitgebreid. Kijk hier maar eens!' en hij trok een dikke, schijnbaar dode tak omlaag.

'Je zou denken dat dit dood hout is, maar ik geloof er niets van – niet tot aan de wortel. Ik zal hem daar beneden eens afsnijden.'

Hij knielde in het gras en sneed de tak dicht boven de grond af. 'Zie je wel!' riep hij triomfantelijk. 'Heb ik het niet gezegd? Er zit nog sap in het hout. Kijk maar!'

Mary lag al op haar knieën nog voor hij iets gezegd had en keek wat ze kijken kon.

'Als het zo'n beetje groenig en vochtig is dan leeft het nog', legde hij uit, 'maar als het van binnen droog is en makkelijk afbreekt, zoals de tak die ik heb afgesneden, dan is het niks meer waard. Er zit hier een dikke wortel, waar al dat levende hout uit is gekomen, en als dat dooie goed nou eens wordt opgeruimd en de grond om de stam wat losgewoeld, dan komt er' – hij hield even op om naar de wirwar van klimmende en hangende ranken te kijken – 'dan komt er hier van de zomer een hele fontein van rozen.'

Ze gingen van struik tot struik en van boom tot boom. Hij was erg sterk en handig met zijn mes en wist hoe hij het dode en verdorde hout weg moest snijden en zag dadelijk of er in een tak of twijg nog leven zat.

Na een half uur dacht Mary, dat ze het ook wel kon zien en als hij een dood-uitziende tak doorsneed waar nog een sprankje vochtig groen in bleek te zitten, gaf ze een gesmoorde kreet van blijdschap. Het schopje, de hark en de troffel bewezen goede diensten. Hij wees haar hoe ze de troffel moest gebruiken, terwijl hij de aarde en de wortels losspitte om er lucht bij te laten.

Terwijl ze druk bij een van de grootste stamrozen bezig waren viel zijn oog plotseling op iets, dat hem een kreet van verbazing ontlokte. 'Hee!' riep hij uit, 'wie heeft dat gedaan?' en wees op het gras bij zijn voeten.

Het was een van Mary's open plekjes om de lichtgroene puntjes. 'Ik', zei Mary.

'En ik dacht dat je niets van tuinieren afwist', riep hij uit.

'Dat weet ik ook niet', antwoordde ze, 'maar ze waren zo klein en het gras was zo sterk en dik, en ze zagen er net uit of ze geen adem konden halen. Toen heb ik een beetje ruimte voor ze gemaakt, maar ik weet niet eens wat het eigenlijk zijn.'

Dickon bukte zich over de fijne puntjes en zei met zijn brede glimlach: 'Je hebt het best gedaan, een tuinman had het je niet kunnen verbeteren. Je zal zien dat ze nou gaan groeien als kool. Het zijn krokussen en sneeuwklokjes en dit zijn narcissen', op een ander groepje wijzend, 'en deze hier tulpen. 't Zal een mooi gezicht worden, als ze allemaal bloeien.'

Hij liep van het ene plekje naar het andere.

'Je hebt heel wat werk verzet, voor zo'n klein meisje', zei hij, terwijl hij haar eens goed opnam.

'Ik begin dikker te worden', zei Mary, 'en sterker ook. Vroeger was ik altijd moe, maar nu word ik van het spitten niet eens moe. Ik vind de aarde zo lekker ruiken.'

''t Is heel goed voor je', zei hij met een wijs gezicht. 'Er is niks lekkerder dan de lucht van verse schone aarde, behalve de lucht van jong groen als de regen erop valt. Ik lig dikwijls als het regent onder een struik op de hei om naar het ruisen van de druppels te luisteren

80

en dan snuif ik aldoor die lekkere lucht op. Moeke zegt, dat het puntje van mijn neus soms net trilt als van een konijn.'

'Word je nooit verkouden?' vroeg Mary, hem nadenkend aankijkend. Ze had nog nooit zo'n gekke jongen gezien, maar ook nooit zo'n aardige.

'Ik niet, hoor', grinnikte hij. 'Ik ben nog nooit van mijn leven verkouden geweest. Daarvoor ben ik niet genoeg verpapt. Ik heb altijd in weer en wind over de hei gedwaald, net als de konijnen. Moeke zegt, dat ik in twaalf jaar zoveel frisse lucht heb opgesnoven dat ik nooit verkouden kan worden. Ik ben een taaierd, hoor.'

Onder het praten werkte hij maar door en Mary liep met hem mee en hielp met haar schep of haar troffel.

'Er is hier heel wat te doen!' zei hij, in zijn schik.

'Kom je me nog eens helpen?' vroeg Mary. 'Ik kan ook van alles doen. Ik kan spitten en onkruid uittrekken, en alles wat je zegt. Toe, Dickon, alsjeblieft!'

'Als je me nodig hebt kom ik elke dag, weer of geen weer', antwoordde hij beslist. 'Ik heb nog nooit van mijn leven zulk leuk werk gehad – hier die afgesloten tuin weer tot leven te brengen.'

'Als je komt', zei Mary, 'als je me wilt helpen hem weer levend te maken, dan... ja, ik weet niet wat ik dan doen zal', eindigde ze verlegen. Wat kon je voor zo'n jongen doen?

'Ik zal je zeggen wat je kunt doen', zei Dickon met zijn guitige lach. 'Je zorgt maar dat je dik wordt en honger als een wolf krijgt en dat je met het roodborstje leert praten net als ik. Je zult eens zien wat een plezier we zullen hebben.'

Opkijkend naar de bomen en naar de muren en de struiken, liep hij met een peinzend gezicht rond.

'We zullen er geen rijkelui's tuin van maken, waar alles piekfijn en netjes is, vind je wel?' vroeg hij. 'Het is veel leuker zo, met al die wild groeiende dingen, die zo neerhangen en in elkaar grijpen.'

'Nee, laten we het alsjeblieft niet te netjes maken,' zei Mary bezorgd. 'Dan zou het geen echte geheime tuin meer zijn.'

Dickon graaide in zijn rode haar met een gezicht of hij iets niet goed begreep.

''t Is een geheime tuin', zei hij, 'en toch moet er hier in die tien jaar nog wel eens iemand anders zijn geweest behalve het roodborstje.'

'Maar de deur was op slot en de sleutel begraven', wierp Mary tegen.
'Er komt niemand in.'

'Da's waar', antwoordde hij. ''t Is een rare geschiedenis. Het ziet eruit of er hier en daar wat gesnoeid is, veel korter dan tien jaar geleden.'

'Maar hoe kan dat dan?' zei Mary.

Hij bekeek de tak van een stamroos en schudde zijn hoofd.

'Ja! Hoe kan dat?' mompelde hij. 'Als de deur op slot was en de sleutel begraven...'

Mary dacht altijd dat ze nooit, nooit – hoe oud ze ook worden mocht – die eerste morgen zou vergeten toen haar tuin begon te ontwaken. Want dat het pas op die morgen goed begon, dat stond voor haar vast. Toen Dickon plekjes begon schoon te maken om het zaad in te strooien, schoot het versje haar te binnen dat Basil gezongen had om haar te plagen.

'Bestaan er ook bloemen die op klokjes lijken?' informeerde ze.

'Jawel, lelietjes van dalen', antwoordde hij, terwijl hij de aarde netjes gelijk maakte, 'en sneeuwklokjes natuurlijk, en campanula's.'

'Kunnen we die niet zaaien?' vroeg Mary.

'Sneeuwklokjes en lelietjes van dalen zijn er al, die heb ik gezien. Ze zijn te dicht op mekaar gegroeid, maar we zullen ze uitdunnen. Dan blijven er nog meer dan genoeg over. Blauwe klokjes bloeien pas twee jaar nadat je ze gezaaid hebt, maar ik zal wel wat plantjes uit ons tuintje thuis meebrengen. Waarom wilde je die juist zo graag hebben?'

Toen vertelde Mary van Basil en zijn broertjes en zusjes in India en hoe naar ze die gevonden had en hoe ze haar Mary 'wil-niet' hadden genoemd. 'Ze sprongen om me heen en dan zongen ze:

> Mary wil-niet, Mary wil-niet,
> Hoe staat je tuintje er bij?
> Met zilveren klokjes en geraniums,
> En schelpjes op een rij.

Ik moest er ineens aan denken en ik wilde weten of er werkelijk bloemen bestonden die op zilveren klokjes lijken.'

Ze trok haar voorhoofd in rimpels en stootte haar troffel driftig in de grond.

'Ik was lang niet zo onwillig en flauw als zij.'

Maar Dickon lachte.

'Waarom zou je flauw en onwillig zijn', zei hij, terwijl hij de geur opsnoof van de vette zwarte aarde die hij bezig was fijn te wrijven, 'als er zoveel bloemen en leuke dieren om je heen zijn, die holen graven en nesten bouwen en zingen en fluiten? Vind je ook niet?'

Mary, die op haar knieën naast hem lag om de zaadpakjes aan te geven, keek hem aan en zei, terwijl de rimpels uit haar voorhoofd verdwenen: 'Dickon, je bent net zo aardig als Martha gezegd heeft. Jij bent hier al de vijfde die ik aardig vind. Ik had nooit gedacht, dat ik nog eens van vijf mensen zou houden.'

Dickon ging op zijn hurken zitten, net als Martha deed wanneer ze de haard poetste. Hij zag er leuk uit, vond Mary, met die ronde blauwe ogen en rode wangen en met die vrolijke wipneus.

'Maar vijf mensen waar je van houdt?' zei hij. 'Wie zijn de andere vier?'

'Je moeder, Martha', zei Mary, op haar vingers aftellend, 'het roodborstje en Ben Weatherstaff.'

Dickon moest zó lachen, dat hij zijn hand voor zijn mond moest houden om het geluid te smoren.

'Ik weet wel dat je mij een rare jongen vindt', zei hij, 'maar jij bent, geloof ik, ook het raarste meisje dat ik ooit gezien heb.'

Toen deed Mary iets heel ongewoons. Ze boog zich naar hem toe en vroeg iets wat ze nooit gedroomd had iemand te zullen vragen. Ze probeerde het in plat-Yorkshire's te vragen omdat dat zijn taal was en de mensen in India het altijd prettig hadden gevonden als je hun taal sprak.

'Mag-oe mai wel geerne?' vroeg ze.

'En of', antwoordde hij uit de grond van zijn hart. 'Ik mag-oe wàt geerne en het roodborstje ook, geloof ik.'

'Dat zijn er dan twee', zei Mary met een zucht. 'Twee voor mij.'

En daarna gingen ze nog harder en plezieriger aan het werk dan eerst. Mary schrok en vond het jammer, toen ze de grote klok op de binnenplaats het uur van haar middageten hoorde slaan.

'Ik moet naar huis', zei ze spijtig, 'en jij zeker ook, is 't niet?'

Dickon lachte. 'Ik heb mijn eten bij me', zei hij. 'Moeke geeft me altijd iets in mijn zak mee.' Hij raapte zijn jas op, die in het gras lag en haalde er een bundeltje uit dat in een schone, blauw en witte doek was gepakt. Er zaten twee dikke hompen brood in met een plakje van iets er tussen in.

'Het is meestal alleen maar brood', zei hij, 'maar vandaag zit er een lekkere plak vet spek bij.'

Mary vond het een wonderlijk maal, maar hij scheen er erg veel trek in te hebben.

'Ga jij nou maar gauw eten', zei hij. 'Ik heb dit dadelijk op en dan werk ik nog een poosje voor ik weer op weg ga.'

Hij ging met zijn rug tegen een boom zitten.

'Ik zal het roodborstje roepen', zei hij, 'en hem het randje van het spek geven. Ze zijn gek op vet.'

Mary kon er haast niet toe komen van hem weg te gaan. Ze had plotseling het gevoel dat hij een soort boskabouter was, die verdwenen zou zijn als zij terugkwam. Het was allemaal te mooi om waar te zijn. Langzaam liep ze naar de deur in de muur en bleef toen plotseling staan en kwam weer terug. 'Beloof je me dat je het nooit aan iemand zult vertellen, wat er ook gebeurt?' vroeg ze ongerust.

Zijn vuurrode wangen puilden juist uit door zijn eerste grote hap brood met spek, maar hij zag toch nog kans haar geruststellend toe te lachen.

'Als je een lijster was en je liet me je nest zien, dacht je dat ik dat aan iemand zou verklappen? Dan ken je me niet', zei hij. 'Je bent zo veilig als een lijster.'

En daarvan was ze volkomen overtuigd.

12 Mag ik een stukje grond hebben?

Mary liep zo hard, dat ze buiten adem boven kwam. Haar haar zat in de war en haar wangen gloeiden. Het eten was al opgediend en Martha stond haar op te wachten.

'Je bent laat', zei ze. 'Waar heb je gezeten?'

'Ik heb Dickon gezien!' zei Mary. 'Ik heb Dickon gezien!'
'Ik wist wel dat hij komen zou', zei Martha verheugd. 'En hoe vond je hem wel?'
'Mooi!' zei Mary heel beslist.
Martha keek een beetje onthutst, maar toch ook gevleid.
'Hij is de beste jongen die er bestaat', zei ze, 'maar mooi, nee, dat hebben we 'm nooit gevonden. Met die wipneus!'
'Die vind ik juist zo leuk', zei Mary.
'En hij heeft zulke ronde ogen', zei Martha bedenkelijk, 'hoewel de kleur wel aardig is.'
'Ik hou van ronde ogen', zei Mary, 'en ze hebben precies de kleur van de lucht boven de hei.'
Martha straalde.
'Moeke zegt dat zijn ogen die kleur hebben gekregen, omdat hij altijd naar de vogels en de lucht kijkt. Maar hij heeft wel een erge grote mond, vind je niet?'
'Juist leuk', zei Mary, 'ik wilde dat ik net zo'n grote mond had.'
Nu moest Martha toch heus lachen.
'Dat zou me wat moois zijn in dat kleine snoetje van jou', zei ze. 'Maar ik wist wel, dat het zo zou gaan als je hem gezien had. Hoe vond je het zaad en het tuingereedschap?'
'Hoe wist je dat hij dat bij zich had?' vroeg Mary.
'O, daar heb ik nooit aan getwijfeld. Als ze maar ergens in Yorkshire te vinden waren zou hij ze je brengen. Op Dickon kun je altijd rekenen.'
Mary was bang dat Martha moeilijke vragen zou gaan stellen, maar dat deed ze niet. Ze wilde alles weten van het zaad en het tuingereedschap, en er was maar één ogenblik waarop Mary het benauwd kreeg. Dat was toen ze vroeg waar de bloemen gezaaid moesten worden.
'Aan wie heb je het gevraagd?' informeerde ze.
'Ik heb het nog aan niemand gevraagd', zei Mary aarzelend.
'Nou, dan zou ik het maar niet aan de eerste tuinbaas vragen. Dat is Roach, en die heeft te veel verbeelding!'
'Ik heb hem nog nooit gezien', zei Mary. 'Ik heb alleen tuinknechts gezien en Ben Weatherstaff.'
'Als ik jou was zou ik het Ben Weatherstaff vragen', was Martha's

raad. 'Die is lang zo kwaad niet als hij er uit ziet, al doet hij nog zo brommerig. Meneer Craven laat hem vrij zijn gang gaan, omdat hij hier al was toen de jonge mevrouw nog leefde en zij altijd om hem moest lachen. Ze mocht hem graag. Hij heeft misschien wel ergens een overgeschoten hoekje voor je.'

'Als het overgeschoten is en niemand heeft het nodig, dan zal het toch niemand kunnen schelen als ik het heb, hè?' vroeg Mary ongerust.

'Ik zou niet weten waarom', antwoordde Martha. 'Je hindert er niemand mee.'

Mary at zo gauw mogelijk haar eten op en wilde zodra ze klaar was weer haar mantel aantrekken om naar buiten te gaan, maar Martha hield haar tegen.

'Ik heb je wat te vertellen', zei ze, 'maar ik heb je maar eerst laten eten. Meneer Craven is vanmorgen thuisgekomen en het schijnt dat hij je wil zien.'

Mary werd bleek van schrik.

'O!' riep ze. 'Waarom? Waarom? Hij wilde me eerst toch ook niet zien? Dat heb ik Pitcher zelf horen zeggen.'

'Ja', legde Martha uit, 'maar juffrouw Medlock zegt, dat moeke het gezegd heeft. Ze was op weg naar het dorp en toen is ze hem tegengekomen. Ze had hem nog nooit gesproken, maar mevrouw is toen ze nog leefde een paar maal bij ons thuis geweest. Hij was het vergeten, maar moeke niet, en ze heeft hem gewoon aangesproken. Ik weet niet wat ze over je gezegd heeft, maar in ieder geval schijnt hij je nou toch te willen zien voor hij morgen weer weggaat.'

'O, gelukkig!' riep Mary opgelucht. 'Gaat hij morgen alweer weg?'

'Ja, voor een hele tijd. Hij zal wel niet voor de herfst of de winter terugkomen. Hij gaat naar vreemde landen toe. Dat doet hij altijd.'

'O! Gelukkig... gelukkig!' zei Mary nog eens.

Als hij niet voor de winter of op zijn vroegst de herfst terugkwam, zou er tijd in overvloed zijn om de geheime tuin weer levend te zien worden. Zelfs als hij er dan achter kwam en het haar verder verbood, zou ze dat tenminste gehad hebben.

'Wanneer denk je, dat hij me zal willen...'

Ze maakte haar zin niet af, want de deur ging open en juffrouw Medlock kwam binnen. Ze had haar beste zwarte japon aan en haar kraagje zat vastgespeld met een grote broche met een portret erop. Die droeg ze altijd als ze op haar zondags was. Ze zag er nerveus en gejaagd uit.

'Wat zit je haar slordig', zei ze wrevelig. 'Ga het eens gauw borstelen. Martha, help haar even haar beste jurk aantrekken. Ik moet haar van meneer Craven naar zijn studeerkamer brengen.'

Alle kleur trok uit Mary's wangen weg. Haar hart begon te bonzen en ze voelde, dat ze weer in een harkerig, lelijk, zwijgzaam kind veranderde. Ze gaf juffrouw Medlock zelfs geen antwoord, maar keerde zich om en ging, gevolgd door Martha, naar haar slaapkamer. Ze zei geen woord, terwijl ze een andere jurk aantrok en haar haar geborsteld werd, en toen ze netjes was opgeknapt liep ze zwijgend achter juffrouw Medlock de gangen door. Wat moest ze ook zeggen? Ze moest aan mijnheer Craven vertoond worden, en hij zou haar een vervelend kind vinden, en zij hem een vervelende man. Ze wist precies wat hij van haar zou denken.

Ze werd naar een gedeelte van het huis gebracht, waar ze nog nooit geweest was. Eindelijk klopte juffrouw Medlock op een deur en toen iemand 'binnen' riep gingen ze samen de kamer in.

In een leunstoel voor het vuur zat een man.

'Dit is jongejuffrouw Mary, mijnheer', zei juffrouw Medlock.

'Laat haar maar hier. Ik zal wel bellen als u haar moet halen', zei mijnheer Craven.

Toen ze wegging en de deur achter zich dichttrok, kon Mary niets anders doen dan maar afwachten – een onooglijk klein ding, dat haar magere handjes in elkaar kneep. Ze zag dat de man in de leunstoel geen echte bochel had, maar meer hoge, erg gebogen schouders en dat hij zwart haar had, waar witte strepen doorliepen. Hij draaide zijn hoofd om over zijn hoge schouders en sprak tegen haar.

'Kom eens hier', zei hij.

Mary ging naar hem toe.

Lelijk was hij niet. Zijn gezicht zou knap zijn geweest, als hij er niet zo ongelukkig had uitgezien. Hij keek haar aan alsof hij niet wist wat hij met haar moest beginnen.

'Maak je het goed?' vroeg hij.

'Ja', antwoordde Mary.

'Zorgen ze goed voor je?'
'Ja.'
Hij streek wrevelig over zijn voorhoofd, terwijl hij haar opnam.
'Je bent erg mager', zei hij.
'Ik word al dikker', antwoordde Mary op haar stroefste toon.
Wat had hij een ongelukkig gezicht! Het was net of zijn donkere
ogen haar nauwelijks zagen, of ze iets anders zagen en het hem
moeite kostte aan haar te denken.
'Ik was je vergeten', zei hij. 'Hoe had ik ook aan je moeten denken?
Ik was van plan geweest een gouvernante of een kinderjuffrouw of
zoiets voor je te nemen, maar het is mij door het hoofd gegaan.'
'Wilt u...' begon Mary. 'Wilt u alstublieft...' en toen kon ze niet
verder door het brok in haar keel.
'Wat wilde je zeggen?' vroeg hij.
'Ik... ik ben te groot voor een kinderjuffrouw', zei Mary. 'En toe...
laat u mij alstublieft nog een tijdje zonder gouvernante.'
Hij streek weer over zijn voorhoofd en keek haar afwezig aan.
'Dat zei dat mens van Sowerby ook', mompelde hij verstrooid.
Mary vatte een beetje moed.
'Is dat... is dat Martha's moeder?' vroeg ze met bevende stem.
'Ik geloof het wel', antwoordde hij.
'Ze heeft verstand van kinderen', zei Mary. 'Ze heeft er twaalf,
dus...'
Het was of hij iets van zich afschudde.
'Wat zou je het liefst willen?'
'Buiten spelen', antwoordde Mary, en ze hoopte dat haar stem niet
te veel trilde. 'In India vond ik het nooit prettig, maar hier wel. Ik
krijg er honger van en ik word ook al dikker.'
Hij keek haar met wat meer aandacht aan.
'Vrouw Sowerby zei ook, dat het goed voor je was. Misschien heeft
ze wel gelijk', zei hij. 'Ze vond dat je eerst wat sterker moest worden
voor je een gouvernante kreeg.'
'Ik voel dat ik sterk word als ik buiten speel en tegen de wind in
loop', verzekerde Mary.
'Waar speel je?' was zijn volgende vraag.
'Overal', zei Mary verschrikt. 'Ik heb een springtouw van Martha's
moeder gekregen. Ik spring touwtje en ik hol, en ik kijk of er al

plantjes uit de grond komen. Ik doe heus geen kwaad.'

'Je hoeft niet zo angstig te kijken', zei hij op geprikkelde toon. 'Hoe zou een kind als jij hier kwaad kunnen doen! Je kunt gerust je gang gaan.'

Mary bracht haar hand naar haar keel, omdat ze bang was dat hij zou zien hoe het daar klopte van opwinding. Ze deed een stapje naar hem toe.

'Mag dat heus?' vroeg ze onvast.

Haar angstige gezichtje scheen hem nog meer te irriteren.

'Kijk toch niet zo angstig!' riep hij uit. 'Natuurlijk mag je dat. Ik ben nu eenmaal je voogd, ook al deug ik daar niet voor. Tijd of aandacht kan ik je nu eenmaal niet geven, daarvoor ben ik te ziek en te ellendig, en mijn hoofd staat er niet naar, maar daarom wil ik toch dat je het hier goed en naar je zin hebt. Ik heb totaal geen verstand van kinderen, maar juffrouw Medlock moet zorgen dat het je aan niets ontbreekt. Ik heb je vandaag bij me laten komen, omdat vrouw Sowerby zei dat ik je eens moest zien. Haar dochter had over je gesproken en ze geloofde dat je frisse lucht nodig had en vrijheid en gelegenheid om te spelen.'

'Ze weet alles van kinderen af', kon Mary niet laten nog eens te zeggen.

'Dat is te hopen', zei mijnheer Craven. 'Ik vond het nogal vrijpostig van haar mij op de hei aan te spreken, maar ze zei dat... mijn vrouw altijd zo aardig voor haar was geweest.' Het scheen hem moeite te kosten over zijn vrouw te spreken. 'Ze is een fatsoenlijke vrouw. Nu ik je gezien heb, geloof ik, dat ze verstandige dingen heeft gezegd. Speel dus maar net zoveel buiten als je wilt. Er is ruimte genoeg en je doet maar net waar je zin in hebt. Is er soms iets dat je graag zou willen hebben?' vroeg hij plotseling, alsof hem iets inviel. 'Speelgoed, boeken, poppen?'

'Mag ik', haperde Mary, 'mag ik een stukje grond hebben?'

In haar opwinding besefte ze niet hoe vreemd die vraag moest klinken en dat ze eigenlijk iets anders bedoelde. Mijnheer Craven keek haar bijna ontsteld aan.

'Grond!' herhaalde hij. 'Wat bedoel je?'

'Om in te zaaien... om dingen te laten groeien... en levend te maken', stamelde Mary.

Hij keek haar een ogenblik aan en streek weer met zijn hand over zijn ogen.

'Hou je zoveel van... tuinieren?' zei hij toen langzaam.

'In India kon het niet', zei Mary. 'Daar was ik altijd ziek en moe, en het was er zo warm. Maar ik maakte wel eens perkjes in het zand en dan stak ik er bloemen in. Hier is het allemaal zo anders.'

Mijnheer Craven stond op en liep langzaam de kamer op en neer. 'Een stukje grond', zei hij in zichzelf, en Mary had het gevoel dat ze hem aan iets herinnerd had. Toen hij bleef staan en weer tegen haar sprak waren zijn donkere ogen bijna zacht en vriendelijk.

'Je kunt net zoveel grond krijgen als je wilt', zei hij. 'Je doet me aan iemand denken, die ook zoveel van de natuur hield en van dingen die groeiden. Als je een stukje grond ziet dat je aanstaat', eindigde hij met iets dat op een glimlach leek, 'neem het dan maar, kind, en wek het tot leven.'

'Mag ik het overal nemen... als niemand anders het nodig heeft?'

'Overal', antwoordde hij. 'Zo, nu moet je weggaan, ik ben moe.' Hij drukte op de bel om juffrouw Medlock te waarschuwen. 'Dag kind. Ik blijf de hele zomer weg.'

Juffrouw Medlock was er zo gauw, dat Mary geloofde dat ze in de gang had staan wachten.

'Juffrouw Medlock', zei mijnheer Craven. 'Nu ik het kind gezien heb begrijp ik wat vrouw Sowerby bedoelde. Ze moet wat steviger worden voor ze met lessen kan beginnen. Geef haar eenvoudig, gezond voedsel en laar haar vrij in de tuinen rondlopen. Bemoeit u zich niet te veel met haar. Ze heeft vrijheid en frisse lucht en beweging nodig. Vrouw Sowerby zal wel eens naar haar komen kijken en ze mag ook naar haar toe.'

Juffrouw Medlock herademde. Het viel haar mee, dat ze zich niet te veel met Mary behoefde te bemoeien. Ze had haar een hele last gevonden en zich eigenlijk zo weinig om haar bekommerd als ze durfde. Daarbij kwam nog, dat ze erg op Martha's moeder gesteld was.

'Dank u, mijnheer', zei ze. 'Suze Sowerby en ik hebben nog in dezelfde klas gezeten en ze is een verstandige, goedhartige vrouw. Ik heb nu eenmaal nooit kinderen gehad en zij twaalf, en ze zijn allemaal even aardig en gezond. Mary zal geen kwaad van ze leren.

Suze Sowerby heeft echt gezond verstand – als u begrijpt wat ik bedoel.'

'Ik begrijp het heel goed', antwoordde mijnheer Craven. 'Maar neemt u het kind nu mee en laat Pitcher komen.'

Toen juffrouw Medlock haar aan het eind van haar eigen gang liet gaan, vloog Mary naar haar kamer terug. Martha, die intussen de tafel had afgenomen en het serviesgoed had weggebracht, wachtte haar op.

'Ik krijg mijn tuin!' riep Mary opgewonden. 'Net waar ik wil! En er komt nog een hele tijd geen gouvernante en je moeder komt me opzoeken en ik mag ook naar jullie toe. Hij zegt dat zo'n kind als ik geen kwaad kan doen en ik mag alles doen waar ik zin in heb – overal!'

'Nou, dat is aardig van hem, hoor', zei Martha blij.

'En Martha', zei Mary plechtig, 'eigenlijk is hij een aardige man, maar hij heeft zo'n treurig gezicht en allemaal rimpels in zijn voorhoofd.'

Ze holde zo hard ze kon naar de tuin. Ze was veel langer weggebleven dan ze gedacht had en ze wist dat Dickon bijtijds weer naar huis moest, met die lange wandeling in het vooruitzicht. Toen ze door de deur onder de klimop naar binnen glipte, zag ze dat hij niet meer aan het werk was waar ze hem verlaten had. Het tuingereedschap lag netjes onder een boom. Ze vloog erheen, keek overal rond, maar zag geen Dickon. Hij was weg en de geheime tuin was leeg. Alleen het roodborstje, dat net over de muur was gevlogen, zat op een stamroos naar haar te kijken.

'Hij is weg', zei ze teleurgesteld. 'O, zou hij ... zou hij toch maar een boskabouter zijn geweest?'

Haar oog viel op iets wits dat aan de stamroos vast zat. Het was een stukje papier – zowaar een stukje van de brief, die zij voor Martha aan Dickon geschreven had. Het zat met een stevige doorn aan de stam vastgeprikt en ze begreep dat het iets van Dickon was. Er stonden een paar scheve drukletters op en een tekening waarvan ze eerst niet begreep wat het was. Maar toen zag ze dat het een nest voorstelde waar een vogel op zat.

Daaronder stond in grote drukletters: 'IK KOM TERUG.'

13 Ik ben Colin

Mary nam de tekening mee naar huis toen ze ging avondeten en liet hem aan Martha zien.

'Wel, wel', zei Martha trots, 'ik heb nooit geweten, dat onze Dickon zo knap was. Dat is een lijster die op zijn nest zit, levensgroot en net een echte.'

Toen begreep Mary dat de tekening als een boodschap bedoeld was. Dickon had haar nog eens laten weten, dat hij haar geheim zou bewaren. Haar tuin was het nest en zij de lijster. O, wat een aardige jongen was hij toch!

Ze hoopte dat hij meteen de volgende dag zou terugkomen en viel, verlangend naar de morgen, in slaap.

Maar je kunt in Yorkshire nooit van het weer op aan, vooral in de lente. 's Nachts werd ze wakker doordat de regen tegen haar ramen kletterde. Het goot, en de wind 'bolderde' om de hoeken en in de schoorstenen van het reusachtige oude huis. Teleurgesteld en boos ging Mary overeind in bed zitten.

'De regen is net zo'n dwarskop als ik vroeger was', zei ze. 'Hij is expres gekomen om mij te plagen.'

Ze ging weer liggen met haar gezicht in haar kussen. Ze huilde niet, maar ze kon het geluid van de kletterende regen niet uitstaan. Ze kon het bolderen van de wind niet uitstaan. Ze kon niet meer in slaap komen. De sombere geluiden hielden haar wakker, omdat ze zelf sombere gedachten had. Als ze zich blij had gevoeld zouden ze haar waarschijnlijk in slaap hebben gesust. Wat loeide die wind en wat sloegen de dikke regendruppels hard tegen de ramen!

'Het klinkt net of er iemand op de hei loopt te jammeren, omdat hij de weg kwijt is', zei ze.

Ze was wel een uur wakker geweest, woelend van de ene zij op de andere, toen iets haar plotseling overeind deed komen; met gespitste oren luisterde ze.

Ze wendde haar hoofd naar de deur en luisterde, luisterde.

'Dat is de wind niet', fluisterde ze hardop. 'Dat is vast en zeker de wind niet. Het klinkt anders. Het is hetzelfde gehuil, dat ik al eerder heb gehoord.'

De kamerdeur stond op een kier en het geluid kwam door de gang; een klaaglijk gehuil van heel ver weg. Ze luisterde een paar minuten en iedere minuut kreeg ze meer zekerheid. Ze had het gevoel dat ze moest gaan onderzoeken wat het was. Dit was haast nog vreemder dan de geheime tuin en de begraven sleutel. Misschien maakte het feit dat ze in een opstandige stemming was haar overmoedig. In ieder geval gooide ze de dekens opzij en stapte resoluut haar bed uit. 'Ik wil weten wat het is', zei ze. 'Iedereen slaapt en juffrouw Medlock kan me geen zier schelen, geen zier!'

Ze nam de kandelaar die naast haar bed stond en ging zachtjes de kamer uit. De gang leek erg lang en donker, maar ze was te opgewonden om zich daar iets van aan te trekken. Ze meende zich te herinneren welke hoeken ze om moest om in dat korte gangetje met het gordijn voor de deur te komen, waar ze toen verdwaald was en tegen juffrouw Medlock was aangelopen. Het geluid was uit die gang gekomen. Bij het zwakke schijnsel van haar kaars liep ze verder, bijna op de tast en met zo'n bonzend hart, dat ze zelf dacht dat ze het hoorde. Het verre, zachte huilen hield aan en wees haar de weg. Soms hield het even op en dan begon het weer. Moest ze deze hoek om? Ze bleef stilstaan om na te denken. Ja. Deze gang uit en dan links, en dan twee brede treden op en dan weer rechts. Zie je wel, daar was de deur met het gordijn.

Ze duwde hem zachtjes open en trok hem achter zich dicht en stond toen in de korte gang, waar ze het huilen, al was het niet luid, heel duidelijk kon horen. Het kwam van achter de muur aan haar linkerhand, en even verder zag ze een deur. Er kwam een lichtschijnsel door de kieren. In die kamer huilde dus iemand, en vast en zeker geen groot mens.

Ze ging op de deur af, duwde haar open en stond in een kamer. Het was een grote kamer met mooie oude meubelen. In de haard gloeide een zacht vuurtje en er brandde een nachtlichtje naast een groot, ouderwets ledikant met gebeeldhouwde houten stijlen en damasten gordijnen, en in dat ledikant lag een jongetje, dat erbarmelijk huilde. Mary twijfelde een ogenblik of dit allemaal echt was, of dat ze soms weer in slaap was gevallen en droomde.

De jongen had een teer, fijn, wasbleek gezichtje en onnatuurlijk grote ogen. Hij had ook heel lang haar, dat over zijn voorhoofd viel en zijn smalle gezichtje nog kleiner maakte. Om zo te zien was het een jongen die ziek was geweest, maar hij huilde eigenlijk meer alsof hij zich verveelde en boos was, dan alsof hij pijn had.

Mary stond bij de deur met haar kaars in haar hand en hield haar adem in. Ze deed zachtjes een paar stappen de kamer in, en toen ze dichterbij kwam trok het licht de aandacht van de jongen, die zijn hoofd omdraaide en haar aanstaarde met grijze ogen, die hoe langer hoe groter leken te worden.

'Wie ben je?' fluisterde hij verschrikt. 'Ben je een spook?'

'Nee', antwoordde Mary, die zelf ook een beetje bang was. 'Jij soms wel?'

Hij bleef haar sprakeloos aanstaren en Mary moest wel opmerken wat voor wonderlijke ogen hij had. Ze waren bruingrijs en ze leken zo groot, omdat hij zulke lange donkere wimpers had.

'Nee', antwoordde hij eindelijk. 'Ik ben Colin.'

'Wie is Colin?' stamelde ze.

'Colin Craven. Wie ben jij?'

'Mary Lennox. Meneer Craven is mijn oom.'

'Hij is mijn vader', zei de jongen.

'Je vader?' zei Mary onthutst. 'Niemand heeft me ooit verteld, dat hij een zoontje had. Waarom niet?'

'Kom eens hier', zei hij, terwijl hij zijn vreemde ogen nog steeds met een bange uitdrukking op haar gevestigd hield. Ze kwam naast het bed staan en hij stak zijn hand uit en raakte haar aan.

'Je bent toch echt, hè?' vroeg hij. 'Ik heb soms dromen die net echt lijken. Ben jij geen droom?'

Mary had, voor ze haar kamer uitging, haar wollen kamerjas aangetrokken. Ze legde zijn hand er tegenaan.

'Voel maar eens hoe dik en ruig die is', zei ze. 'Ik wil ook wel even in je arm knijpen om je te laten voelen, hoe echt ik ben. Toen ik jou zag, dacht ik ook eerst dat ik droomde.'

'Waar ben je vandaan gekomen?' vroeg hij.

'Uit mijn eigen kamer. De wind loeide zo en daardoor kon ik niet slapen en toen hoorde ik iemand huilen en ik wilde eens weten wie dat was. Waarom huilde je?'

'Omdat ik ook niet kon slapen en ik had zo'n pijn in mijn hoofd. Zeg nog eens hoe je heet.'

'Mary Lennox. Heeft niemand je verteld, dat ik hier was komen wonen?'

Hij hield nog steeds een slip van haar jas vast, maar leek er nu toch wel van overtuigd te zijn, dat ze werkelijk bestond.

'Nee', antwoordde hij, 'dat durven ze niet.'

'Waarom niet?'

'Omdat ik dan bang zou zijn geworden, dat je mij zien zou. Ik wil niet dat de mensen me zien en over me praten.'

'Maar waarom dan niet?' vroeg Mary.

'Omdat ik altijd ziek ben en altijd moet liggen. Mijn vader wil ook niet dat er over mij gepraat wordt. Het personeel mag nooit over me praten. Als ik blijf leven krijg ik misschien een bochel, maar ik blijf niet leven. Vader vindt het vreselijk dat ik misschien net zo zal worden als hij.'

'Allemensen, wat is het hier toch een raar huis', zei Mary. 'Wat een onmogelijk raar huis. Het zit vol geheimen. Afgesloten kamers, afgesloten tuinen... en nu jij! Zit jij ook achter slot en grendel?'

'Nee. Ik kom deze kamer niet uit, omdat ik nergens anders heen wil. Dat vermoeit me te veel.'

'Komt je vader wel eens bij je?' waagde Mary te vragen.

'Een enkele keer. Meestal als ik slaap. Hij wil me liever niet zien.'

'Waarom niet?' vroeg Mary weer.

Er streek een schaduw van verbittering over het magere kindergezicht.

'Mijn moeder is bij mijn geboorte gestorven en hij kan er niet tegen mij te zien. Hij denkt dat ik het niet weet, maar ik heb ze erover horen praten. Hij heeft een hekel aan me, daar komt het op neer.'

'En aan de tuin heeft hij ook een hekel, omdat zij is doodgegaan', zei Mary, half tot zichzelf.

'Wat voor tuin?' vroeg de jongen.

'O, niets... zomaar een tuin waar zij graag kwam', hakkelde Mary.

'Ben je altijd hier geweest?'

'Bijna altijd. Ze hebben me wel eens naar een badplaats gebracht, maar ik wil er nooit blijven, omdat de mensen me zo aangapen. Ik heb eerst een ijzeren ding gedragen om mijn rug recht te houden, maar toen is er hier een bekende dokter uit Londen geweest en die zei dat het onzin was. Hij zei, dat ik het nooit meer aan moest doen en dat ik naar buiten moest in de frisse lucht. Maar ik vind frisse lucht afschuwelijk en ik wil niet naar buiten.'

'Dat wilde ik ook niet toen ik hier pas kwam', zei Mary. 'Waarom kijk je me toch aldoor zo aan?'

'Om die dromen, die net echt zijn', antwoordde hij weifelend. 'Soms doe ik mijn ogen open en dan geloof ik nog niet dat ik wakker ben.'

'We zijn heus allebei wakker', zei Mary. Ze keek de kamer rond met het hoge plafond en de donkere hoeken en het flauwe schijnsel van het vuur.

'Het lijkt wel net een droom, en het is ook midden in de nacht en iedereen slaapt, behalve wij tweeën. Wij zijn klaar wakker.'

'Ik wil niet dat het een droom is', zei de jongen onrustig.

Er viel Mary plotseling iets in.

'Als je niet wilt dat de mensen je zien', begon ze, 'zal ik dan maar weggaan?'

Hij had de slip van haar kamerjas nog vast en gaf er een rukje aan.

'Nee', zei hij. 'Als je wegging, zou ik weer denken dat je een droom geweest was. Als je echt bent, neem dan een kussen en ga op dat bankje zitten en praat wat tegen me. Ik weet nog niets van je af.'

Mary zette haar kaars op het tafeltje naast het bed en ging op het bankje zitten. Ze had ook helemaal geen lust om weg te gaan en vond die geheimzinnige verborgen kamer en die geheimzinnige jongen veel te interessant.

'Wat wil je van me weten?' vroeg ze.

Hij wilde weten hoelang ze al op Misselthwaite was, in welke gang haar kamer lag en wat ze al die tijd gedaan had. Hij wilde weten, of ze de hei net zo naar vond als hij, en waar ze gewoond had voor ze in Yorkshire was gekomen. Ze beantwoordde al die vragen en nog vele andere, en hij lag achterover op zijn kussen en luisterde maar. Hij vroeg haar een heleboel over India en over haar zeereis. Ze ontdekte dat hij, omdat hij altijd ziek was geweest, allerlei gewone dingen niet geleerd had. Een van zijn verpleegsters had hem leren lezen toen hij nog heel klein was en hij las nu bijna altijd en keek plaatjes in prachtige boeken.

Hoewel zijn vader bijna nooit bij hem kwam als hij wakker was, had hij hem toch allerlei kostbaar speelgoed gegeven. Maar het leek wel of hij nog nooit ergens plezier in had gehad. Hij kon alles krijgen waar hij om vroeg en hoefde nooit iets te doen waar hij geen zin in had. 'Iedereen moet altijd doen wat ik wil', zei hij onverschillig. 'Ik word ziek als ik me boos maak. Niemand gelooft dat ik lang zal leven.' Hij zei dit alsof hij zo aan die gedachte gewend was, dat hij er niets meer om gaf. Het leek wel of hij het prettig vond naar Mary's stem te luisteren. Een paar maal dacht ze dat hij ingesluimerd was, maar toen kwam hij plotseling met een nieuwe vraag voor de dag.

'Hoe oud ben jij?' vroeg hij.

'Tien. Net als jij', antwoordde Mary, die zich even versprak.

'Hoe weet je dat?' vroeg hij verbaasd.

'Omdat toen jij geboren bent de tuindeur is afgesloten en de sleutel begraven. En hij is tien jaar op slot geweest.'

Colin kwam half overeind en keerde zich, op zijn ellebogen geleund, naar haar toe.

'Welke tuindeur is afgesloten? Wie heeft dat gedaan? Waar was de sleutel begraven?' riep hij uit, alsof dat hem plotseling hevig interesseerde.

'De tuin waar mijnheer Craven zo het land aan heeft', zei Mary onrustig. 'Niemand wist... niemand wist waar hij de sleutel had begraven.'

'Wat voor tuin is het dan?' drong Colin aan.

'Er is tien jaar lang niemand in geweest', was Mary's voorzichtige antwoord.

Maar het was te laat om voorzichtig te zijn. Hij was net als zijzelf. Hij had ook niets gehad dat zijn gedachten bezig hield, en de gedachte aan een verborgen tuin oefende evenveel aantrekkingskracht op hem uit, als voor haar het geval was geweest. Hij overstelpte haar met vragen. Waar was die tuin? Had ze nooit geprobeerd de deur te vinden? Had ze het nooit aan de tuinlui gevraagd?

'Ze willen er niet over praten', zei Mary. 'Ik denk dat het hun verboden is.'

'Ik kan ze wel dwingen', zei Colin.

'Kun je dat heus?' vroeg Mary verschrikt. Als hij de mensen kon dwingen op zijn vragen te antwoorden, wie weet wat er dan zou gebeuren.

'Iedereen moet hier doen wat ik wil. Dat heb ik je toch al gezegd', zei hij. 'Als ik zou blijven leven zou dit huis en het hele landgoed eenmaal van mij zijn. Dat weten ze allemaal. Ik zou het dus gauw van ze loskrijgen.'

Mary had nooit geweten dat zij zelf een verwend kind was geweest, maar van deze geheimzinnige jongen zag ze het heel duidelijk. Hij dacht dat de hele wereld van hem was. Wat een eigenaardige jongen was hij en hoe kon hij er zo kalm over praten, dat hij misschien niet zou blijven leven.

'Geloof je heus, dat je dood zult gaan?' vroeg Mary, deels uit nieuwsgierigheid, deels omdat ze hoopte hem van de tuin af te leiden.

'Ik denk het van wel', antwoordde hij onverschillig. 'Zolang ik 't mij herinner heb ik dat de mensen horen zeggen. Eerst dachten ze, dat ik te klein was om het te begrijpen en nu denken ze, dat ik het niet hoor. Maar natuurlijk hoor ik het best. Onze dokter is een neef van mijn vader. Hij is arm en als ik doodga krijgt hij later Misselthwaite. Nogal logisch dat hij mij liever niet ziet blijven leven.'

'Wil je zelf blijven leven?' vroeg Mary.

'Och, nee', antwoordde hij, wrevelig en lusteloos. 'Maar ik ben bang om dood te gaan. Als ik me ziek voel lig ik er altijd aan te denken en dan doe ik niets dan huilen.'

'Ik heb je drie keer horen huilen', zei Mary, 'maar ik wist niet wie het was. Huilde je dáár toen om?' Ze wilde zo graag dat hij niet meer aan de tuin dacht.

'Dat zal wel', antwoordde hij. 'Laten we maar liever over wat anders praten. Over die tuin bijvoorbeeld. Zou jij hem niet graag willen zien?'

'Ja', antwoordde Mary met een benauwd stemmetje.

'Ik ook', hield hij vol. 'Ik geloof niet, dat ik ooit iets graag heb willen zien, maar die tuin... Ze moeten de sleutel opgraven en de deur openmaken en mij er dan in mijn rolstoel heen brengen. Dan krijg ik meteen frisse lucht. Ja, ik zal zeggen dat ze de deur open moeten maken.'

Hij raakte zo in opwinding, dat zijn wonderlijke ogen als sterren begonnen te schitteren en groter leken dan ooit.

'Ze moeten alles doen wat ik wil', zei hij. 'Ik zal me erheen laten brengen en dan mag jij mee.'

Mary kneep haar handen in elkaar. Nu zou alles worden bedorven...
alles, alles. Dickon zou nooit meer terugkomen, en zij zou zich nooit
meer als een lijster in een veilig verstopt nest voelen.
'O, nee, dat mag niet... dat mag niet... dat mag je niet doen!'
Hij staarde haar aan of ze gek geworden was.
'Waarom niet?' zei hij verbaasd. 'Je zei toch zelf dat je hem graag
wilde zien?'
'Dat wil ik ook', antwoordde ze bijna snikkend, 'maar als je ze de
deur open laat maken en zo gewoon naar binnen gaat, is het
helemaal geen geheim meer.'
Hij boog zich nog verder voorover. 'Een geheim', zei hij. 'Wat
bedoel je eigenlijk? Vertel het nou eens.'
Mary struikelde bijna over haar woorden. 'Zie je... zie je', hijgde ze,
'als niemand anders het weet dan wij... als er een deur was, ergens
onder de klimop... àls die er was... en wij zouden die vinden; en als
we er dan stiekem samen in konden komen en de deur achter ons
dichttrekken, en geen mens wist dat er iemand in was, en als we het
dan *onze* tuin noemden en we speelden dat we lijsters waren en de
tuin ons nest, en als we daar dan elke dag heengingen en spitten en
zaaiden en alles weer levend maakten...'
'Is alles dan dood?' viel hij haar in de rede.
'Het scheelt niet veel, er moet nodig voor gezorgd worden', ging ze
verder. 'De bollen zullen het wel doen, maar de rozen...'
Hij viel haar weer in de rede en was even opgewonden als zijzelf.
'Wat zijn bollen?'
'Narcissen en tulpen en sneeuwklokjes. Ze zijn nu hard bezig onder
de grond, er steken al lichtgroene puntjes uit, omdat de lente komt.'
'Komt de lente?' vroeg hij. 'Waar zie je dat aan? Je weet daar niets
van als je altijd binnen bent en ziek.'
'Dan komt de zon door na de regen, en de regen valt als de zon
geschenen heeft, en alles komt uit de grond en loopt uit', zei Mary.
'Als de tuin nu eens een geheim bleef, dan konden we er iedere dag
heen om alles te zien groeien en te kijken hoeveel rozen er nog
leefden! Begrijp je wel? O, toe, begrijp toch dat het veel leuker zou
zijn als het een geheim bleef!'
Hij liet zich weer in de kussens zakken en lag daar met een
peinzende uitdrukking op zijn gezicht.

'Ik heb nog nooit een geheim gehad', zei hij, 'behalve dat ene van niet lang te blijven leven. Ze weten niet dat ik dat weet, dus een geheim is het wel. Maar ik vind dit geheim veel prettiger.'

'Als je je niet door hen naar de tuin laat brengen', pleitte Mary, 'dan zou ik misschien wel een maniertje kunnen bedenken om erin te komen. En... als de dokter dan wil dat je naar buiten gaat in je wagentje, en als je toch altijd precies mag doen waar je zin in hebt... dan zouden we misschien wel een jongen kunnen vinden die je zou duwen, en dan konden we samen gaan en zou het altijd een geheim blijven.'

'Dat... zou ik... wel willen', zei hij heel langzaam. 'Dat zou ik wel willen. Frisse lucht in een geheime tuin zou ik niet zo erg vinden.'

Mary haalde weer een beetje geruster adem, toen ze merkte dat het vooruitzicht van het geheim hem wel scheen aan te trekken. Ze was nu overtuigd, dat als ze maar een heleboel vertelde en hem in zijn verbeelding de tuin maar kon laten zien, zoals zij hem zelf gezien had, hij er steeds meer plezier in zou krijgen en net zo min als zij zou willen, dat iedereen er maar gewoon in rond zou lopen.

'Ik zal je eens vertellen hoe ik denk dat de tuin er uit zou zien als je erin kon', zei ze. 'Hij is zo lang afgesloten geweest, dat misschien alles wel kriskras door elkaar gegroeid is.'

Hij lag stil te luisteren terwijl ze maar door babbelde over de rozen, die misschien wel van boom tot boom waren gekropen en in slingers omlaag hingen; over de vele vogels die er misschien wel hun nesten hadden gebouwd omdat het er zo rustig was. En toen vertelde ze hem van het roodborstje en van Ben Weatherstaff, en er viel zoveel over het roodborstje te vertellen en dat was zo'n makkelijk en veilig onderwerp, dat ze helemaal vergat bang te zijn. Colin vond het roodborstje zo leuk, dat hij begon te lachen en een heel ander gezicht kreeg, terwijl Mary hem eerst met zijn grote ogen en zijn rare, lange haar nog lelijker had gevonden dan zichzelf.

'Ik wist niet dat vogels zulke dingen konden doen', zei hij. 'Maar als je altijd binnen blijft, zie je ook niets. Wat weet jij veel. Het is net of je al in die tuin bent geweest.'

Ze wist niet wat ze moest zeggen, dus zei ze maar niets. Blijkbaar verwachtte hij geen antwoord, want vlak daarop zei hij weer iets heel anders.

'Ik zal je eens wat laten zien', zei hij. 'Zie je daar dat roze zijden gordijn boven de schoorsteenmantel?'

Het was Mary nog niet opgevallen, maar nu zag ze het. Het was een gordijn van zachte zijde dat voor een schilderij scheen te hangen. 'Ja', zei ze.

'Er hangt een koord naast', zei Colin. 'Trek daar eens aan.'

Mary stond op. Wat had dit nu weer te betekenen? Ze vond het koord, en toen ze eraan trok schoof het gordijn opzij en kwam er een schilderij te voorschijn. Het was het portret van een lachend jong meisje. Ze had blond haar met een blauw lint erin en haar mooie ogen leken precies op die van Colin, alleen veel vrolijker; ze waren bruingrijs, in een krans van lange donkere wimpers.

'Dat is mijn moeder', zei Colin op min of meer verongelijkte toon. 'Ik begrijp niet waarom ze dood is gegaan. Soms ben ik woedend op haar.'

'Ze kan het toch niet helpen', zei Mary.

'Als ze was blijven leven, geloof ik nooit dat ik altijd ziek zou zijn geweest', mokte hij. 'Dan zou ik ook wel zijn blijven leven en dan zou mijn vader niet zo'n hekel aan me hebben gehad. Ik wed dat ik dan een gewone rug zou hebben gehad. Trek het gordijn nu maar weer dicht.'

Mary gehoorzaamde en kwam toen weer op het krukje zitten.

'Ze is veel mooier dan jij', zei ze, 'maar haar ogen zijn net als de jouwe; ze hebben tenminste dezelfde vorm en kleur. Waarom hangt dat gordijn ervoor?'

Hij schoof onrustig heen en weer.

'Omdat ik dat zo hebben wilde', zei hij. 'Soms kan ik niet hebben dat ze naar me kijkt. Het is net of ze me uitlacht als ik me ziek en ongelukkig voel. Ze is trouwens van mij en ik wil niet dat iedereen haar ziet.'

Het bleef een ogenblik stil en toen vroeg Mary: 'Wat zal juffrouw Medlock doen als ze merkt dat ik hier ben geweest?'

'Ze zal doen wat ik zeg', antwoordde hij. 'En ik zal zeggen dat ik wil, dat je iedere dag bij me komt en tegen me praat. Ik ben blij dat je gekomen bent.'

'Ik ook', zei Mary. 'Ik zal zo vaak komen als ik kan, maar ...', ze aarzelde '... ik moet natuurlijk elke dag naar de tuindeur gaan zoeken.'

101

'Ja, dat moet je doen', zei Colin, 'en dan kom je er mij later van vertellen.'

Hij lag weer een paar minuten na te denken, zoals hij al eerder gedaan had en zei toen: 'Ik denk dat jij ook maar een geheim moet blijven. Ik vertel hun niets, totdat ze er zelf achter komen. De zuster kan ik altijd wegsturen, en zeggen dat ik alleen wil zijn. Ken je Martha?'

'Ja, die ken ik heel goed', zei Mary. 'Die doet alles voor mij.'

Hij maakte een hoofdbeweging in de richting van de gang.

'Zij slaapt aan de overkant. De zuster is gisteren voor een nacht weggegaan en Martha zorgt altijd voor me als zij eens uit wil. Martha zal je wel vertellen, wanneer je hier kunt komen.'

Nu begreep Mary waarom Martha zo weinig op haar gemak was geweest, toen zij telkens weer over het huilen was begonnen.

'Dus Martha heeft altijd van je bestaan afgeweten?'

'Ja, ze past dikwijls op me. De zuster is altijd blij als ze eens van me af is en dan komt Martha.'

'Ik ben hier een hele tijd geweest', zei Mary. 'Zal ik nu maar weggaan? Je ziet eruit of je slaap krijgt.'

'Ik zou zo graag willen dat je pas weggaat als ik slaap', zei hij een beetje verlegen.

'Doe je ogen dan dicht', zei Mary, terwijl ze haar bankje tot vlak voor het bed schoof, 'dan zal ik net zo doen als mijn ayah in India altijd deed. Ik zal zachtjes je hand strelen en iets heel zachts zingen.'

'Dat is misschien wel prettig', zei hij slaperig.

Ze had medelijden met hem en wilde liever niet dat hij wakker bleef liggen, dus ze leunde tegen het bed en begon zachtjes over zijn hand te strijken en neuriede een eentonige Hindoese melodie.

'Zo is het prettig', zei hij steeds slaperiger, en ze bleef rustig strelen en zingen, tot ze, weer naar hem opkijkend, zag dat zijn donkere wimpers op zijn wangen lagen, want zijn ogen waren gesloten en hij was diep in slaap. Ze stond zachtjes op, nam haar kandelaar en sloop muisstil weg.

14 De jonge radja

Toen het ochtend werd was de hei in een dichte nevel gehuld en het regende nog steeds. Van uitgaan was geen sprake. Martha had het zo druk dat Mary geen gelegenheid had met haar te praten, maar 's middags vroeg ze of ze wat bij haar kwam zitten in de speelkamer. Dat gebeurde en Martha ging aan de kous zitten breien waar ze altijd mee bezig was als ze niets anders te doen had.

'Wat is er?' vroeg ze, zodra ze zaten. 'Je ziet er net uit of je iets op je hart hebt.'

'Dat heb ik ook. Ik heb ontdekt waar dat gehuil in de gang vandaan komt', zei Mary.

Martha liet haar breiwerk bijna uit haar handen vallen en staarde Mary verschrikt aan.

'Niet waar!' riep ze uit. 'Dat kan niet!'

'Ik hoorde het vannacht weer', vervolgde Mary, 'en toen ben ik opgestaan om te kijken, wat het was. 't Was Colin. Ik heb hem gevonden.'

Martha's gezicht werd vuurrood van ontsteltenis.

'Ach, Mary!' riep ze half huilend. 'Had dat nou niet gedaan... had dat nou toch niet gedaan. Daar komt niets dan narigheid van. Ik heb je toch nooit iets van hem verteld... maar dat gaat me mijn betrekking kosten en wat moet moeke dan beginnen!'

'Dat kost je je betrekking niet', zei Mary. 'Hij vond het wat fijn dat ik kwam. We hebben een hele tijd gepraat en hij zei, dat hij het leuk vond dat ik gekomen was.'

'Heus?' riep Martha. 'Weet je dat wel zeker? Je weet niet hoe hij te keer kan gaan als er iets niet naar zijn zin is. Hij is eigenlijk veel te groot om als een baby te huilen, maar als hij driftig wordt dan krijst hij het uit, alleen om ons bang te maken. Hij weet dat wij geen boe of ba durven zeggen.'

'Hij was helemaal niet driftig', zei Mary. 'Ik heb hem gevraagd of ik liever weg zou gaan, maar hij wilde dat ik bleef. Hij heeft me van alles gevraagd en ik heb op een bankje gezeten en hem van India verteld en van het roodborstje en de tuinen. Hij wilde niet eens dat ik wegging. Hij heeft me het portret van zijn moeder laten zien en ik heb hem in slaap gezongen.'

Martha viel bijna om van verbazing.

'Ik kan het haast niet geloven!' bracht ze uit. 'Je bent gewoon regelrecht het hol van de leeuw ingelopen! Als hij net als anders geweest was, zou hij het op zijn zenuwen hebben gekregen en dan had hij het hele huis op stelten gezet. Hij wil nooit dat vreemden naar hem kijken.'

'Nou, ik heb best naar hem mogen kijken, hoor. Ik heb aldoor naar hem gekeken en hij naar mij. We hebben elkaar aangegaapt!' zei Mary.

'Ach gut, wat moet ik nou toch beginnen!' riep Martha, die geheel van streek was, uit. 'Als juffrouw Medlock erachter komt, denkt ze dat ik mijn mond voorbijgepraat heb en dan lig ik eruit.'

'Voorlopig is hij niet van plan juffrouw Medlock er iets van te vertellen. Het blijft een soort geheim', stelde Mary haar gerust. 'Trouwens, hij zegt dat iedereen toch precies moet doen wat hij wil.'

'Ja, dat is maar al te waar – die aap!' zuchtte Martha, haar voorhoofd met haar schort afvegend.

'Hij zegt dat juffrouw Medlock dat ook moet en dat ik elke dag een poosje bij hem moet komen. Hij zal jou wel laten weten, wanneer hij me hebben wil.'

'Mij!' riep Martha verschrikt. 'Maar dat kost me mijn betrekking, zo zeker als wat!'

'Dat bestaat niet als je alleen maar doet wat hij wil en iedereen hem moet gehoorzamen', voerde Mary aan.

'Wilde je me werkelijk vertellen dat hij je niet heeft afgesnauwd?' vroeg Martha met wijd-open ogen.

'Ik geloof dat hij me bijna aardig vond', antwoordde Mary.

'Dan heb je hem behekst', besloot Martha met een diepe zucht.

'Bedoel je met tovenarij?' informeerde Mary. 'Ik heb in India wel veel over tovenarij gehoord, maar dat kan ik niet, hoor. Ik ben gewoon naar zijn kamer gegaan en toen was ik zo stomverbaasd dat ik hem maar stond aan te staren. En toen draaide hij zich om en staarde mij aan. Hij dacht eerst, dat ik een geest of een droom was en dat dacht ik van hem ook. Het was zoiets geks daar midden in de nacht met z'n tweeën in die kamer, zonder dat we iets van elkaar afwisten. Toen hebben we elkaar van alles verteld, en toen ik vroeg of ik weg zou gaan, zei hij nee.'

'Ik kan mijn oren niet geloven', zei Martha, die nog steeds niet van de schrik bekomen was.

'Wat mankeert hem eigenlijk?' vroeg Mary.

'Heel precies weet niemand het', zei Martha. 'Mijnheer Craven is helemaal van de wijs geweest, toen Colin geboren werd. De dokters dachten dat hij naar een inrichting zou moeten. Dat kwam doordat de jonge mevrouw gestorven was, dat heb ik je immers al verteld? Hij wilde het kind helemaal niet zien. Hij raasde en tierde maar, dat het ook een bochel zou krijgen net als hij en dat het maar beter dood kon gaan.'

'Maar heeft Colin een bochel?' vroeg Mary. 'Ik heb er niets van gezien.'

'Nog niet', zei Martha. 'Maar alles is van het begin af aan verkeerd met hem gelopen. Moeke zegt, dat er zoveel narigheid hier in huis geweest is, dat geen enkel kind daarbij zou kunnen gedijen. Ze waren doodsbang, dat-ie een zwak ruggetje zou hebben en daar hebben ze altijd aan gedokterd, hem plat laten liggen en hem verboden te lopen en zo. Ze hebben hem ook een soort ijzeren toestel laten dragen, maar dat hinderde hem zo dat hij er ziek van is geworden. Toen is er een beroemde dokter uit Londen naar hem wezen kijken en die heeft hun dat ding dadelijk laten weghalen. Hij is erg kwaad op de andere dokter geweest, dan kon je wel merken. Hij zei, dat de jongen veel te veel vertroeteld was en veel te veel medicijnen had geslikt.'

'Ik geloof dat hij erg verwend is', zei Mary.

'Je hebt nog nooit zo'n onmogelijk kind gezien', zei Martha. 'Ik zal niet zeggen dat hij niet vaak erg ziek is geweest. Hij heeft een paar maal zo erg de griep gehad, dat iedereen dacht dat het mis zou gaan. Hij heeft ook reumatische koortsen gehad en tyfus. Nou! Toen is juffrouw Medlock zich toch een keer doodgeschrokken. Hij was aan het ijlen en ze staat met de verpleegster te praten, niet denkende dat hij iets zal horen, en ze zegt: 'Dit keer zal hij het wel niet halen, en dat is maar het beste voor hemzelf en voor iedereen.' En ze kijkt es naar hem en daar ziet ze dat hij haar met wijd-open ogen aankijkt, net zo goed bij kennis als zijzelf. Ze schrok zich gewoon een ongeluk, maar hij keek haar strak aan en zei alleen maar: 'Geef me eens een slokje water en hou op met die praatjes.'

'Denk jij ook dat hij dood zal gaan?' vroeg Mary.

'Moeke zegt, dat geen enkel kind kan blijven leven dat nooit in de buitenlucht komt en altijd op zijn rug ligt en alleen maar plaatjes kijkt en pillen slikt. Hij is zwak en ziet er tegenop om naar buiten te worden gebracht en hij vat dadelijk kou en dat maakt hem dan weer ziek.'

Mary zat peinzend in het vuur te staren.

'Ik zou wel eens willen weten', zei ze eindelijk, 'of het hem geen goed zou doen in een tuin te komen en daar allerlei dingen te zien groeien. Het heeft mij ook goed gedaan.'

'Een van de ergste aanvallen, die hij ooit gehad heeft', zei Martha, 'was toen ze hem een keer in de tuin hebben gebracht, waar die rozen bij de fontein bloeien. Hij had ergens in een tijdschrift gelezen dat sommige mensen hooikoorts kregen als ze dicht bij bloeiende planten en struiken kwamen, en hij begon te niezen en zei dat hij het gekregen had, en toen kwam er een nieuwe tuinman langs die de voorschriften nog niet kende en die hem nieuwsgierig aankeek. Hij beweerde dat die jongen zo naar hem keek, omdat hij een bochel had en hij heeft zich zo overstuur gemaakt, dat hij 's avonds koorts had en 's nachts de dokter moest komen.'

'Als hij ooit zo tegen mij te keer gaat, ga ik nooit meer naar hem toe', zei Mary.

'Als hij je hebben wil dan ga je', verzekerde Martha. 'Reken daar maar op.'

Kort daarna ging er een bel en rolde Martha haar breiwerk op.

'Zeker de zuster die nog even weg wil', zei ze. 'Ik hoop dat hij in een goed humeur is.'

Ze bleef een minuut of tien weg en kwam toen terug met een gezicht of ze er niets van begreep.

'Nou, de wonderen zijn de wereld nog niet uit', zei ze. 'Hij ligt op de divan met zijn prentenboeken en hij heeft de zuster gezegd dat ze tot zes uur weg moest blijven. Ik moest in de kamer ernaast zitten. Ze was amper de deur uit, toen hij me riep en zei: 'Mary Lennox moet bij me komen om met me te praten, maar denk erom dat je het tegen niemand zegt.' 'Ga maar zo gauw mogelijk.'

Mary was bereid gauw te gaan. Ze verlangde wel niet zo naar Colin als naar Dickon, maar ze vond het toch leuk naar hem toe te gaan. Er brandde een helder vuur in de haard toen ze zijn kamer binnenkwam en bij daglicht zag ze, dat het een heel mooie kamer was. Er waren zachtgekleurde tapijten en gordijnen, er hingen mooie schilderijen aan de muren en er waren kasten vol boeken, zodat het geheel iets warms en gezelligs had, ondanks de grauwe lucht en de gestadig neerdruppelende regen. Colin zelf leek ook wel een schilderij, zoals hij in een fluwelen kamerjas tegen een groot geborduurd zijden kussen zat, met een hoogrood plekje op iedere wang.

'Kom gauw binnen', zei hij, 'ik heb de hele morgen aan je gedacht.'
'Ik ook aan jou', antwoordde Mary. 'Je hebt geen idee hoe Martha geschrokken is. Ze zegt dat juffrouw Medlock zal denken, dat zij me van jou verteld heeft en dat ze dan wordt weggestuurd.'
Colin fronste zijn wenkbrauwen.
'Laat haar eens hier komen', zei hij. 'Ze zit in de kamer hiernaast.'
Mary ging haar halen. De arme Martha stond te beven op haar benen en Colins wenkbrauwen waren nog altijd gefronst.
'Heb je te doen wat ik je beveel of niet?' vroeg hij uit de hoogte.
'Jawel, jongeheer', stamelde Martha, die hoe langer hoe roder werd.
'Heeft Medlock te doen wat ik beveel?'
'Iedereen, jongeheer', zei Martha.
'Nu dan, als ik jou beveel Mary voor mij te halen, hoe kan Medlock jou dan wegsturen als ze het merkt?'
'Ik wil toch liever niet dat ze het merkt, jongeheer', zei Martha ongelukkig.
'Ik stuur haar weg als ze het hart heeft ooit een woord hierover te zeggen', besliste de jeugdige Craven hooghartig. 'En dat zou haar niets bevallen, dat kan ik je wel vertellen.'
'Dank u wel, jongeheer', zei Martha met gebogen hoofd. 'Ik wil graag zo goed mogelijk mijn plicht doen.'
'Jouw plicht is mij te gehoorzamen', zei Colin nog veel hooghartiger. 'Ik zal wel zorgen dat er niets gebeurt. Ga nu maar weg.'
Toen de deur achter Martha gesloten was, merkte Colin dat Mary hem in stomme verwondering zat aan te staren.
'Waarom kijk je me zo aan?' vroeg hij. 'Waar zit je aan te denken?'
'Ik denk aan twee dingen.'

'Welke dingen? Ga zitten en vertel ze me eens.'

'Het eerste is dit', zei Mary, terwijl ze weer op het bankje ging zitten. 'Ik heb in India eens een jongen gezien, die een radja was. Hij zat onder de robijnen en smaragden en diamanten. Hij sprak net zo tegen zijn onderdanen als jij daarnet tegen Martha sprak. Iedereen moest alles doen wat hij zei – onmiddellijk. Ik geloof dat ze zouden zijn doodgestoken als ze het niet deden.'

'Je moet me straks nog meer van radja's vertellen', zei hij, 'maar eerst wil ik weten, wat het tweede ding was.'

'Ik dacht', zei Mary, 'hoe heel anders jij bent dan Dickon.'

'Wie is Dickon?' vroeg hij. 'Wat een gekke naam.'

Ze zou het hem maar vertellen, dacht ze. Ze kon over Dickon praten zonder de geheime tuin te verklappen. Ze had het zelf zo leuk gevonden als Martha van hem vertelde. Bovendien verlangde ze ernaar over hem te praten; het zou dan net lijken of hij wat dichterbij was.

'Hij is een broertje van Martha en hij is twaalf', vertelde ze. 'Hij is heel anders dan alle andere jongens. Hij lokt vossen en eekhoorntjes en vogels op dezelfde manier als ze in India slangen bezweren. Hij speelt een heel zacht melodietje op zijn fluit en dan komen ze luisteren.'

Op een tafeltje naast de sofa lagen een paar dikke boeken, en plotseling trok Colin er een van naar zich toe.

'Hierin staat een plaat van een slangenbezweerder', riep hij. 'Wacht eens.'

Het was een prachtig boek met schitterende illustraties, waarvan hij er een opzocht.

'Kán hij dat?' vroeg hij hevig geïnteresseerd.

'Hij speelt op zijn fluitje en ze komen luisteren', legde Mary uit. 'Maar hij noemt het geen toverij. Hij zegt, dat het komt doordat hij zoveel op de hei zwerft en hun gewoonten kent. Hij zegt, dat hij soms net het gevoel heeft of hij zelf een vogel of een konijn is, zoveel houdt hij van ze. Ik geloof, dat hij het roodborstje allerlei dingen vroeg. Het was net of ze met kleine tsjilpjes tegen elkaar praatten.'

Colin was op zijn kussen gaan liggen en zijn ogen werden steeds groter en de plekjes op zijn wangen gloeiden.

'Vertel nog eens wat meer van hem', zei hij.

'Hij weet alles van nesten en eieren', ging Mary verder, 'en hij weet waar de vossen en dassen en otters hun holen hebben. Dat vertelt hij aan niemand, want anders komen er andere jongens, die hen bang maken. Hij weet alles en alles van wat er op de hei groeit en leeft.'

'Vindt hij de hei mooi?' vroeg Colin. 'Het is toch maar een nare grote kale vlakte.'

'De hei is prachtig', protesteerde Mary. 'Er groeien wel duizend mooie planten en er leven wel duizend verschillende dieren, die allemaal nesten en holletjes maken en tegen elkaar tsjilpen en zingen en piepen. Ze hebben het geweldig druk en ze maken de grootste pret onder de grond of in de bomen of op de hei. Dat is hun wereld.'

'Hoe weet je dat allemaal?' vroeg Colin, die zich op zijn elleboog had opgericht om haar aan te kijken.

'Ik ben er eigenlijk nog nooit geweest', bekende Mary. 'Ik ben er maar een keer in het donker doorheen gereden en toen vond ik het afschuwelijk. Maar eerst heeft Martha me er allerlei van verteld en later Dickon. Als Dickon praat dan is het net of je de dingen hoort en ziet, of je midden op de hei staat met de zon boven je hoofd, en je de brem ruikt, en of de bijen en de vlinders om je heen vliegen.'

'Als je ziek bent zie je nooit iets', pruilde Colin. Hij was als iemand die in de verte een nieuw geluid hoort en zich afvraagt wat het is.

'Tenminste niet als je altijd binnen blijft', zei Mary.

'Hoe kan ik nou naar de hei?' vroeg hij op geprikkelde toon.

Mary zweeg een ogenblik en zei toen iets ongehoords.

'Misschien nu nog niet, maar over een poosje wel.'

Hij maakte een beweging van schrik.

'Ik naar de hei gaan? Hoe kan dat nou? Ik ga immers dood!'

'Hoe weet je dat?' zei Mary onverschillig. Ze vond die gewoonte van hem om over zijn dood te praten heel vervelend. Ze kon daar geen medelijden mee hebben. Het leek warempel wel of hij er trots op was, vond ze.

'Ik heb nooit iets anders gehoord', antwoordde hij korzelig. 'Ze smoezen er altijd over en dan denken ze, dat ik het niet hoor. Ze zouden niets liever willen, geloof ik.'

109

Toen kwam plotseling de oude Mary 'wil-niet' voor den dag. Ze kneep haar lippen uitdagend op elkaar.

'Als ze dat wilden', zei ze, 'dan zou ik het juist lekker niet doen. Maar wie willen het eigenlijk?'

'Het personeel, en dokter Craven natuurlijk, omdat hij dan Misselthwaite krijgt en rijk zal zijn in plaats van arm. Hij durft het niet te zeggen, maar hij kijkt altijd zo vrolijk als ik me zieker voel. Toen ik tyfus had, heeft hij helemaal dikke wangen gekregen. Ik denk, dat mijn vader het ook hoopt.'

'Daar geloof ik niets van', zei Mary beslist.

'Nee?' zei Colin en draaide zich weer om, zodat hij haar goed kon aankijken.

Hij ging weer liggen en zei niets, alsof hij diep nadacht. Het bleef een hele poos stil in de kamer. Misschien dachten ze beiden wel over vreemde dingen, waar kinderen gewoonlijk niet over denken.

'Die dokter uit Londen leek mij een aardige man, omdat hij je dat ijzeren ding liet afnemen', zei Mary eindelijk. 'Heeft die ook gezegd dat je dood zou gaan?'

'Nee.'

'Wat zei hij dan wel?'

'Hij fluisterde niet achter mijn rug', antwoordde Colin. 'Misschien omdat hij wist dat ik daar zo'n hekel aan heb. Hij zei: 'Die jongen kan best blijven leven als hij het zelf maar wil. Jullie moesten hem een beetje meer levenslust geven.' Het klonk net of hij boos was.'

'Ik zal je eens vertellen wie dat kan', zei Mary. Ze had het gevoel dat ze dit geval nu eens tot een oplossing moest brengen. 'Dickon! Hij praat altijd over levende dingen, nooit over iets wat ziek of dood is. Hij kijkt altijd in de lucht om de vogels te zien vliegen, of naar de grond om te zien wat er groeit. Hij heeft ronde blauwe ogen, die helemaal groot zijn van het kijken. En hij lacht zo gezellig met die grote mond, en zijn wangen zijn zo rood, zo rood als kersen.'

Ze trok haar bankje wat dichter naar de divan toe en haar hele gezicht veranderde toen ze weer aan die lachende mond en die wijd-open ogen dacht.

'Hoor nou eens', zei ze, 'we gaan nou niet meer over doodgaan praten, dat vind ik zo akelig. Ik zal je eerst nog een heleboel over Dickon vertellen en dan gaan we plaatjes kijken.'

110

Ze had niets beters kunnen bedenken. Praten over Dickon betekende praten over de hei en over het huisje waar veertien mensen in leefden van zestien shilling per week, en de kinderen net als de wilde pony's groeiden van gras. En over Dickons moeder, en het springtouw, en de hei in de zon, en over lichtgroene puntjes die uit de zwarte aarde piepen. En het was allemaal zo vol leven, dat Mary praatte zoals ze nog nooit gepraat had, en Colin praatte en luisterde zoals ook hij nog nooit gedaan had. En ze lachten om allerlei kleine dingen, net zoals gewone kinderen die samen pret hebben. En ze lachten zo, dat ze op het laatst evenveel lawaai maakten alsof ze een paar gewone, gezonde tienjarige kinderen waren, in plaats van een stug, onvriendelijk klein meisje en een ziekelijke jongen, die dacht dat hij dood zou gaan.

Ze hadden zo'n plezier, dat ze niet eens aan de plaatjes dachten en de tijd vergaten. Ze hadden samen geschaterd om Ben Weatherstaff en zijn roodborstje en Colin zat heel gewoon overeind alsof hij zijn rug vergeten was, toen hem plotseling iets te binnen schoot.

'Weet je waar we eigenlijk nooit aan gedacht hebben?' zei hij. 'Dat we neef en nicht zijn!'

Het was zo mal dat ze zoveel gepraat en daar helemaal niet aan gedacht hadden, dat ze nog veel harder begonnen te lachen, want ze waren nu allebei door het dolle heen. En midden in die pret ging opeens de deur open en stapte dokter Craven binnen, gevolgd door juffrouw Medlock.

Dokter Craven deinsde achteruit van schrik en juffrouw Medlock viel bijna om, doordat hij bij ongeluk tegen haar aan bonsde.

'Grote genade!' riep de arme juffrouw Medlock, terwijl haar ogen bijna uit haar hoofd rolden. 'Grote genade!'

'Wat is dat?' vroeg dokter Craven, die nu de kamer inkwam. 'Wat heeft dat te betekenen?'

Toen moest Mary opeens weer aan de jonge radja denken. Colin antwoordde alsof noch de verbazing van de dokter noch de ontzetting van juffrouw Medlock van enig belang waren. Als er een oude hond en een kat waren binnengekomen, had hij er zich niet minder van kunnen aantrekken.

'Dit is mijn nichtje, Mary Lennox', zei hij. 'Ik heb haar gevraagd een praatje met me te komen maken. Ze is wel aardig. Ze moet voortaan altijd komen als ik haar laat halen.'

Dokter Craven keek juffrouw Medlock met een verwijtend gezicht aan.

'Ach, herementijd', kermde ze. 'Hoe is dat nu gekomen? Er is hier heus niemand die een mond heeft durven open doen, het hele personeel weet, dat dat streng verboden is.'

'Niemand heeft het haar verteld', zei Colin kalm. 'Ze heeft me horen huilen en ze heeft me zelf gevonden. Ik ben blij toe. Stel je niet aan, Medlock.'

Mary zag dat dokter Craven allesbehalve in zijn schik was, maar hij durfde zich blijkbaar niet tegen zijn jeugdige patiënt te verzetten. Hij ging naast Colin zitten en voelde zijn pols.

'Ik ben bang dat het veel te opwindend voor je geweest is, mijn jongen, en opwinding deugt helemaal niet voor je.'

'Ik ga me nog veel meer opwinden als ze niet bij me mag komen', antwoordde Colin, terwijl zijn ogen vervaarlijk begonnen te flikkeren. 'Ik ben veel beter. Ze maakt me beter. De zuster moet haar thee hier ook brengen. We gaan samen theedrinken.'

Juffrouw Medlock en dokter Craven keken elkaar hoofdschuddend aan, maar blijkbaar viel er niets tegen in te brengen.

'Hij ziet er heus beter uit, dokter', waagde de huishoudster te zeggen. 'Maar dat was vanmorgen ook al voordat Mary kwam.'

'Dat komt doordat ze vannacht een hele tijd bij me is geweest. Ze heeft een Hindoes liedje voor me gezongen en daar ben ik van in slaap gevallen', zei Colin. 'Ik was al beter toen ik wakker werd. Ik had trek in mijn ontbijt en nu heb ik trek in mijn thee. Roep de zuster even, Medlock.'

Dokter Craven bleef niet lang. Hij wisselde enkele woorden met de zuster, toen die boven kwam, en zei een paar vermanende woorden tegen Colin. Hij mocht niet te véel praten, hij mocht niet vergeten dat hij ziek was, hij mocht niet vergeten dat hij gauw moe werd. Mary vond dat er een heleboel vervelende dingen waren die hij niet mocht vergeten.

Colin trok onwillig zijn schouders op en keek dokter Craven met zijn vreemde, zwartgewimperde ogen strak aan.

'Dat wil ik juist allemaal wèl vergeten', zei hij eindelijk. 'Zij maakt dat ik het vergeet. Daarom wil ik haar hier hebben.'

Dokter Craven leek niet erg op zijn gemak te zijn, toen hij de kamer uitging. Hij wierp een bevreemde blik op het kleine meisje dat op het bankje naast de divan zat. Zodra hij binnenkwam was ze weer een houterig kind geworden, dat haar mond niet open deed. Hij begreep niet wat haar zo aantrekkelijk voor Colin maakte. Maar de jongen zag er werkelijk wat beter uit, en de dokter zuchtte eens diep, toen hij de gang uitliep.

'Ze willen me altijd dingen laten eten waar ik geen trek in heb', zei Colin, toen de zuster het theeblad boven had gebracht, en op het tafeltje bij de divan had gezet. 'Maar als jij meeëet, eet ik ook. Die cake ziet er wel lekker uit. Vertel nog eens wat van radja's.'

15 Nestje-bouwen

Na nog een week met regenweer werd de hemel boven Misselthwaite weer blauw en begon het in de zon zelfs flink warm te worden. Hoewel ze geen gelegenheid had gehad naar de geheime tuin te gaan en Dickon te ontmoeten, had Mary zich best geamuseerd. De week was omgevlogen. Ze had iedere dag urenlang bij Colin in zijn kamer gezeten en gebabbeld over radja's en tuinen en Dickon en het huisje op de hei. Ze hadden samen prachtige boeken met platen bekeken en soms had Mary Colin, en een enkele keer Colin ook Mary, iets voorgelezen. Als hij ergens plezier in had en geboeid werd vond ze dat hij er helemaal niet zo ziek meer uitzag, behalve dat hij zo'n wit gezicht had en altijd op de divan lag.

'Je bent een stiekemerd om 's nachts je bed uit te lopen en net zolang te zoeken tot je ontdekte wat je weten wilde', zei juffrouw Medlock eens, 'maar ik kan niet anders zeggen dan dat het een zegen voor ons geweest is. Hij heeft sinds die dag nog geen enkele zenuwaanval of huilbui gehad. De zuster was juist van plan weg te gaan omdat ze schoon genoeg van hem had, maar ze zegt dat ze nog wel wat wil blijven, nu jij haar zo nu en dan aflost.'

In haar gesprekken met Colin had Mary haar best gedaan niets van de geheime tuin te verklappen. Er waren bepaalde dingen waar ze eerst achter wilde komen, maar dat moest gebeuren zonder dat ze hem regelrechte vragen stelde. In de eerste plaats wilde ze graag zeker weten of hij een jongen was die je een geheim kon toevertrouwen. Hij leek weliswaar in geen enkel opzicht op Dickon, maar de gedachte aan een tuin waar niemand iets van wist beviel hem blijkbaar zó goed, dat ze dacht: misschien is hij toch wel te vertrouwen. Maar ze kende hem nog niet lang genoeg om zekerheid te hebben. Het tweede waar ze over piekerde was dit: als hij te vertrouwen was – echt te vertrouwen – zou het dan niet mogelijk zijn hem naar de tuin te brengen zonder dat iemand het merkte? De grote Londense dokter had gezegd dat hij buitenlucht moest hebben, en Colin had gezegd, dat hij geen bezwaar tegen buitenlucht in een geheime tuin had. Wie weet, als hij eens heel veel buitenlucht kreeg en Dickon leerde kennen en het roodborstje en allerlei dingen zag groeien, of hij dan niet minder aan doodgaan zou denken! Mary had zichzelf de laatste tijd wel eens in de spiegel bekeken en het was een heel ander kind dan de Mary die pas uit India was gekomen. Dit kind zag er veel leuker uit, dat had Martha ook gezegd.

'De lucht van de hei heeft je al goed gedaan', zei ze. 'Je bent niet meer zo'n sprinkhaan en je ziet lang niet meer zo geel. Zelfs je haar hangt niet meer zo sluik om je hoofd. Er is wat leven in gekomen en het krult zelfs een beetje.'

'Net als ikzelf', zei Mary. 'Het wordt gezonder en dikker. Ik geloof ook vast dat het meer is geworden.'

'Je zou het wel zeggen', zei Martha, terwijl ze het aan weerskanten van haar gezicht opduwde. 'Je bent niet half zo lelijk als het zo zit en je hebt al wat kleur op je wangen.'

Als de tuinen en de frisse lucht haar zo hadden opgeknapt, zouden ze dan ook Colin geen goed doen? Maar ja, als hij het zo vreselijk vond dat de mensen hem zagen, dan zou hij misschien ook Dickon niet verdragen.

'Waarom word je toch zo boos als er naar je gekeken wordt?' vroeg ze hem op een dag.

'Ik heb er altijd een hekel aan gehad', antwoordde hij, 'zelfs toen ik nog heel klein was. En toen ze met me naar badplaatsen gingen en ik altijd in mijn wagentje moest zitten, gaapte iedereen me aan en waren er dames die tegen mijn verpleegster gingen praten, en als ze dan begonnen te fluisteren wist ik, dat ze zeiden dat ik wel gauw dood zou gaan. De dames aaiden me dan soms over mijn wangen en zeiden 'arm kind'! Ik heb op een keer, toen een dame dat weer zei, een harde gil gegeven en haar in haar hand gebeten. Ze schrok zo, dat ze hard weg liep.'

'Ze dacht natuurlijk dat je dol was geworden, net als een hond', zei Mary, allesbehalve bewonderend.

'Het kan me niet schelen wat ze dacht', zei Colin nijdig.

'Waarom heb je mij eigenlijk niet gebeten toen ik in je kamer kwam?' vroeg Mary. Ze kon het niet helpen, maar ze moest lachen bij de gedachte.

'Ik dacht dat je een geest of een droom was', zei hij. 'Een geest of een droom kun je nu eenmaal niet bijten en als je gilt kan het ze niet schelen.'

'Zou je het erg naar vinden als... als er eens een jongen naar je keek?' vroeg Mary aarzelend.

Hij liet zich op zijn kussen zakken en dacht na.

'Er is één jongen', begon hij toen langzaam alsof hij ieder woord afwoog, 'er is één jongen van wie ik geloof dat ik het niet erg zou vinden. Dat is die jongen die weet waar de vossen wonen – Dickon.'

'Je zou het van hem vast niet naar vinden', zei Mary.

'De vogels zijn niet bang voor hem, de andere dieren ook niet', zei hij nog steeds overleggend, 'misschien zou ik het daarom ook niet zijn. Hij is een soort dieren-betoveraar, hè? En ik ben eigenlijk ook een dier, een jongensdier.'

Daar moest hij toch om lachen en zij ook, en het eindigde ermee dat ze haast niet meer konden ophouden met lachen, zo grappig vonden ze het denkbeeld van een jongensdier, dat zich in zijn hol verstopt houdt.

Maar Mary dacht later dat ze zich over Dickon geen zorg hoefde te maken.

De eerste morgen dat de lucht weer blauw was, werd Mary heel vroeg wakker. De zon viel in schuine stralen tussen de kieren van de rolluiken door en dat was zo'n vrolijk gezicht, dat ze uit haar bed sprong en naar het raam vloog. Ze trok de rolluiken op en deed het raam open en er woei een stroom frisse, geurige lucht naar binnen. De hei was blauw en de hele wereld zag eruit alsof ze door een toverstaf was aangeraakt. Hier en daar en overal klonken prille fluitende geluidjes, alsof talloze vogels bezig waren hun keeltjes te stemmen voor een concert. Mary hield haar hand uit het raam om de zon te voelen.

'Het is warm, echt warm!' zei ze blij. 'Nu zullen de groene puntjes wel hard gaan groeien en de bollen en de wortels onder de grond geweldig hun best doen.'

Ze ging op haar knieën liggen en boog zich zo ver mogelijk uit het raam, diep ademhalend en de lucht opsnuivend tot ze begon te lachen, omdat ze dacht aan wat Dickons moeder had gezegd over het puntje van zijn neus, dat trilde als van een konijn.

'Het is geloof ik nog erg vroeg', zei ze. 'De kleine wolkjes zijn helemaal roze en ik heb de lucht nog nooit zo gezien. Niemand is nog op, ik hoor de staljongens nog niet eens.'

Een invallende gedachte deed haar opspringen.

'Ik kan niet wachten! Ik ga naar de tuin kijken!'

Ze had nu al lang geleerd zichzelf aan te kleden en was in vijf minuten klaar. Ze wist een klein zijdeurtje, waarvan ze zelf de grendel los kon maken, vloog op haar kousen de trap af en trok beneden in de hal haar schoenen aan. Ze maakte de ketting en de knip los en toen de deur open was sprong ze naar buiten. Daar stond ze, overgoten door het zonlicht, in het vochtige gras dat opeens veel groener was geworden, te midden van warme, zoete geuren en een kwetteren en tsjilpen en zingen uit alle struiken en bomen. Ze klapte in haar handen van louter vreugde en keek op naar de lucht, die zo blauw en roze en paarlemoer en wit en voorjaarsachtig was, dat ze een gevoel kreeg of ze zelf ook moest fluiten en kwinkeleren, en begreep dat leeuweriken, lijsters en roodborstjes het onmogelijk konden laten. Ze rende langs heesters en paden naar de geheime tuin.

'Alles is al veranderd', zei ze. 'Het gras is groener, en er steekt veel meer uit de grond, en er krullen blaadjes open, en ik zie overal groene knopjes. Dickon zal vast vanmiddag wel komen.'

De langdurige malse regen had van alles uitgehaald in de vaste-planten-bedden langs het pad bij de verste muur. Er sproten en drongen allerlei groene en bruine opgerolde en gedraaide blaadjes uit de oude pollen naar boven, en hier en daar openden werkelijk al een paar krokussen hun paarse en gele kelkjes. Zes maanden geleden zou Mary 'wil-niet' het ontwaken van de natuur niet eens hebben opgemerkt, maar nu ontging haar niets.

Toen ze bij de plek kwam, waar de deur achter het klimop verborgen zat, schrok ze op van een raar, hard geluid. 't Was het krassen van een kraai dat van bovenop de muur kwam, en toen ze opkeek zat daar een grote, blauw-zwarte vogel met glanzende veren met een heel wijs gezicht op haar neer te kijken. Ze had nog nooit een kraai van zo dichtbij gezien en vond hem een beetje eng, maar een ogenblik later had hij zijn vleugels al uitgespreid en was klapwiekend de tuin ingevlogen. Ze hoopte maar dat hij er niet zou blijven en duwde de deur open, rondkijkend of ze hem soms zag. Toen ze goed en wel binnen was, zag ze dat hij blijkbaar toch van plan was te blijven, want hij was op een klein appelboompje neergestreken, en onder dat appelboompje lag een klein roodbruin diertje met een pluimstaart, en beide zaten aandachtig naar het gebukte lichaam en het roestrode hoofd van Dickon te kijken, die in het gras hard aan het werk was.

Mary holde naar hem toe.

'Nee, maar Dickon! Dickon!' juichte ze. 'Hoe kon je al zo vroeg hier zijn? Hoe is het mogelijk! De zon is net op!'

Hij kwam overeind, lachend, met rode wangen en verwarde haren; zijn ogen waren als een stukje van de blauwe hemel.

'O', zei hij, 'ik was veel eerder op dan de zon. 't Was zonde om in bed te blijven. De wereld is vanmorgen gewoon opnieuw begonnen. Alles werkt en gonst en krabbelt en fluit en bouwt nesten en ruikt zo lekker, dat je wel naar buiten moet of je wilt of niet. Toen de zon te voorschijn kwam werd de hele hei dol van blijdschap en ik was midden op de hei en ik ben zelf als een dolle gaan hollen en schreeuwen en zingen. En toen ben ik regelrecht hierheen gekomen. Ik kon niet anders. De tuin lag gewoon op me te wachten!'

Mary legde haar handen tegen haar borst en hijgde alsof ze zelf hard gelopen had.

'O, Dickon! Dickon!' zei ze. 'Ik ben zo blij, dat ik er haast in stik!'

Toen het kleine diertje met de pluimstaart Dickon met een onbekende zag praten, stond het op en kwam naar hem toe, terwijl de kraai met een zacht kra-kra van zijn tak vloog en op zijn schouders kwam zitten.

'Dit is het jonge vosje', zei hij, het roodbruine diertje over zijn kopje strijkend. 'Hij heet Kaptein, en dit is Roet. Roet is over de hei met me meegevlogen en Kaptein heeft gelopen alsof de honden hem op de hielen zaten. Ze waren net zo blij als ik.'

Geen van beide dieren scheen ook maar in het minst bang voor Mary te zijn. Toen Dickon de tuin rondging bleef Roet op zijn schouder zitten en trippelde Kaptein achter hem aan.

'Kijk eens!' zei Dickon. 'Kijk eens hoe deze hier zijn uitgelopen, en die, en die! O, en kijk deze eens!'

Hij liet zich op zijn knieën vallen en Mary kwam naast hem zitten. Ze hadden een hele groep krokussen ontdekt vol paarse en oranje bloemen. Mary bukte zich en zoende de een na de ander.

'Een mens zou je nooit zo zoenen', zei ze. 'Bloemen zijn ook zo heel anders.'

Hij keek haar vriendelijk, maar een beetje verwonderd aan.

'Nou', zei hij, 'ik heb moeke vaak genoeg zo gezoend, als ik fijn een hele dag op de hei had rondgezworven, en als ze dan zo gezellig en tevreden thuis voor de deur in de zon zat.'

Ze liepen van de ene kant van de tuin naar de andere en ontdekten zoveel wonderen, dat ze elkaar er telkens aan moesten herinneren toch te fluisteren of zacht te praten. Hij liet haar zwellende bladknoppen zien aan rozestruiken die dood hadden geleken. Hij liet haar duizenden nieuwe groene puntjes zien die uit de grond waren gekomen. Met hun nieuwsgierige jonge neuzen vlak op de grond snoven ze de warme adem van de lente op; ze spitten en wiedden en lachten – gesmoord – van verrukking, tot Mary's haar net zo verward was als dat van Dickon en haar wangen bijna even rood.

Alle heerlijkheden die je maar bedenken kon waren die ochtend in de geheime tuin en daarbij kwam plotseling iets dat nòg heerlijker was, omdat het een soort wonder was. Er kwam iets over de muur gevlogen, dat snel tussen de bomen naar een dichtbegroeid hoekje schoot, de flikkering van een klein roodgebefd vogeltje, dat iets in zijn bek had. Dickon stond doodstil en legde een waarschuwende hand op Mary's arm, bijna alsof ze elkaar hadden betrapt op lachen in de kerk.

'Nie beweeg'n', fluisterde hij in plat Yorkshire's. 'Haas' niet ademhaal'n. Ik wist dat-ie een wiefke zocht toen ik 'm laatst zag. 't Is Ben Weatherstaffs roodborstje. Hij bouwt zijn nest. Als we 'm nie' aan 't schrikk'n maak'n blijf-ie wel hier.'

Ze gingen heel zachtjes in het gras zitten en hielden zich muisstil.

'We zouden net doen of we niet op 'm letten', zei Dickon. 'Hij zou nooit meer iets van ons willen weten als hij merkte dat we ons nu met 'm bemoeiden. Hij wordt nou heel anders tot dit allemaal achter de rug is. Hij is zich aan het inrichten. Hij wordt veel schuwer en vijandiger en heeft geen tijd voor bezoekjes of praatjes. We moeten ons heel stil houden en proberen net te doen of we gras of bomen of struiken zijn. Als hij dan gewend is ons te zien zal ik een beetje tsjilpen en dan begrijpt hij wel, dat we hem geen kwaad zullen doen.'

Mary was er allerminst overtuigd van, dat het haar net als Dickon zou lukken er als gras of bomen of struiken uit te zien. Maar hij had het gezegd of het de natuurlijkste zaak van de wereld was, en ze dacht dat het voor hem ook wel heel gemakkelijk zou zijn. Ze zat heel oplettend naar hem te kijken en zou niet eens verbaasd zijn geweest als hij stilletjes groen was geworden en takken en bladeren had gekregen. Maar hij zat alleen maar muis-muisstil, en toen hij sprak was het zó zachtjes, dat ze hem maar net kon verstaan.

"t Hoort bij de lente, dit nesten-bouwen', zei hij. 'Dat is ieder jaar zo gegaan van het begin van de wereld af. Ze hebben hun eigen manier van denken en doen, en daar moet een mens zich maar niet mee bemoeien. In de lente loop je veel eerder kans je vrienden te verliezen dan in andere seizoenen, als je te nieuwsgierig bent.'

'Als we over hem praten moet ik toch telkens naar hem kijken', zei Mary zo zacht mogelijk. 'Laten we maar over wat anders praten. Ik heb je iets te vertellen.'

'Hij heeft veel liever dat we over wat anders praten', zei Dickon. 'Wat heb je te vertellen?'

'Nou, heb jij wel eens van Colin gehoord?' fluisterde ze.

Hij draaide zijn hoofd om en keek haar aan.

'Wat weet jij van 'm af?' vroeg hij.

'Ik heb hem gezien. Ik ben deze week elke dag bij hem geweest. Dat wil hij. Hij zegt, dat ik hem help vergeten aan ziekzijn en doodgaan te denken', antwoordde Mary.

Dickon keek bepaald opgelucht, zodra de verrassing van zijn ronde gezicht verdwenen was.

'Daar ben ik blij om', riep hij uit. 'Echt blij. 't Is veel gemakkelijker voor me. Ik wist dat ik niet over 'm mocht spreken, maar ik hou er niet van iets te verbergen.'

'En de tuin dan?' vroeg Mary.

'Dat zal ik nooit verklappen', antwoordde hij. 'Maar ik heb tegen moeke gezegd: 'Moeke', zeg ik, 'ik moet een geheim bewaren. 't Is niks slechts, dat weet u wel. 't Is niet erger dan niet vertellen waar een vogelnest zit. Dat mag toch wel, hè?'

Mary kon nooit genoeg over 'moeke' horen.

'En wat zei ze?' vroeg ze, helemaal niet bang voor wat ze te horen zou krijgen.

Dickon lachte voor zich heen.

''t Was echt iets voor haar, wat ze zei', antwoordde hij. 'Ze streek me over mijn hoofd en ze begon te lachen en ze zei: 'Heb jij maar net zoveel geheimen als je wilt, jongen, ik ken je al twaalf jaar'.'

'Hoe wist jij van Colin?' vroeg Mary.

'Iedereen die van meneer Craven weet, weet ook dat er een klein jongetje is, dat misschien gebrekkig zal worden, en dat meneer niet wil dat er over 'm gepraat wordt. De mensen hier hebben met meneer Craven te doen omdat mevrouw zo'n lief mens was en ze zo gek met mekaar waren. Juffrouw Medlock komt wel eens bij ons aan, als ze naar het dorp gaat en ze praat met moeder waar wij bij zijn, omdat ze weet dat wij het niet verder vertellen. Maar hoe ben jij erachter gekomen? Martha zat zo in angst de laatste keer toen ze thuis was. Ze zei dat je 'm had horen jengelen en dat je er telkens naar vroeg en ze niet wist wat ze moest zeggen.'

Mary vertelde haar verhaal over het bolderen van de wind dat haar wakker had gemaakt, en het geluid van de klagende stem in de verte, waar ze met een kaars op af was gegaan, al die donkere gangen door, tot ze eindelijk in die schemerig-verlichte kamer terechtgekomen was met in de hoek het grote hemelbed. Toen ze het smalle, wasbleke gezichtje en de eigenaardige zwart-omwimperde ogen van Colin beschreef, schudde Dickon zijn hoofd.

'Precies de ogen van zijn moeder, alleen zeggen ze dat de hare altijd lachten', zei hij. 'Ze zeggen dat meneer Craven er niet tegen kan hem te zien als hij wakker is, omdat zijn ogen zo op die van zijn moeder lijken, maar toch zo anders zijn in dat zielige kleine gezichtje.'

'Zou hij hopen dat hij doodgaat?' fluisterde Mary.

'Dat niet, maar hij wilde dat hij maar nooit geboren was. Moeke zegt, dat is het ergste wat er voor een kind bestaat. Kinderen die niet welkom zijn, gedijen haast nooit, zegt ze. Meneer Craven zou wel alles voor die arme jongen willen kopen wat maar voor geld te krijgen is, maar hij zou het liefst vergeten dat hij bestaat. Hij is ook doodsbang dat de jongen later een bochel zal krijgen.'

'Daar is Colin zelf zo bang voor dat hij niet eens overeind durft te zitten', zei Mary. 'Hij zegt, dat als hij zou voelen dat hij een knobbel kreeg, hij gek zou worden en zich doodschreeuwen.'

'Och, hij moest niet over zulke dingen liggen denken', zei Dickon. 'Hoe kan iemand nou beter worden die zulke gedachten heeft?'

Het vosje lag in het gras, vlak bij hem en keek zo nu en dan vragend op om gestreeld te worden. Dickon boog zich over het diertje heen en krauwde zachtjes in zijn nek, terwijl hij zwijgend nadacht. Plotseling hief hij zijn hoofd weer op en keek om zich heen.

'Toen we hier de eerste keer kwamen', zei hij, 'leek alles dood en grijs. Maar kijk nu eens rond en zeg me of je geen verschil ziet.'

Mary keek en hield even haar adem in.

'Nee maar!' riep ze, 'de grijze muur verandert helemaal. Het lijkt wel of er een groen waas over komt. Net een groene gazen sluier.'

'Juist', zei Dickon, 'en dat wordt steeds groener, tot het grijs helemaal weg is. Kun je raden waar ik aan dacht?'

'Vast en zeker aan iets leuks', zei Mary gretig. 'Ik denk iets over Colin.'

'Ik dacht zo bij mezelf, als-ie hier buiten was, zou-d-ie niet aldoor naar knobbels op zijn rug kijken; hij zou naar knoppen aan de rozestruiken kijken en dat zou veel beter voor 'm zijn', legde Dickon uit. 'Wat denk je, zouden we hem ooit zover kunnen krijgen dat hij hier in zijn wagentje onder de bomen komt te liggen?'

'Daar heb ik ook al over gedacht. Eigenlijk heb ik er iedere keer als ik bij hem was aan gedacht', zei Mary. 'Maar zou hij een geheim kunnen bewaren en zouden wij hem hierheen kunnen brengen zonder dat iemand ons ziet? Jij zou misschien zijn wagentje kunnen duwen. De dokter heeft gezegd dat hij frisse lucht nodig had, en als hij met ons uit wil durft niemand zich tegen hem te verzetten. Met andere mensen wil hij niet uit en misschien zijn ze blij als wij het van hem gedaan krijgen. Hij zou kunnen zeggen dat de tuinlui uit de buurt moeten blijven, dan komen ze er niet achter.'

Dickon zat diep na te denken, terwijl hij Kaptein over zijn rug streek.

'Ik wed dat het hem goed zou doen', zei hij. 'Wij denken tenminste niet, dat het maar beter zou zijn als hij nooit geboren was. Wij zouden gewoon maar twee kinderen zijn, die naar een tuin kijken, en hij ook. Twee jongens en een meisje die plezier hebben omdat het lente is. Ik wed dat het veel beter voor hem is dan drankjes en poeiers.'

'Hij heeft zo lang in zijn kamer gelegen en hij is altijd zo bang voor zijn rug geweest, dat hij een beetje vreemd is geworden', zei Mary. 'Hij weet een heleboel dingen uit boeken, maar verder weet hij niets. Hij zegt, dat hij te ziek is geweest om ergens naar te kijken en hij heeft een hekel aan naar buiten gaan en een hekel aan tuinen en tuinlui. Maar hij vindt het leuk als ik van deze tuin vertel, omdat het een geheim is. Ik durf hem niet te veel te vertellen, maar hij heeft gezegd dat hij erheen wilde.'

'Dat spelen wij wel een keer klaar', zei Dickon. 'Natuurlijk kan ik zijn wagentje duwen. Maar heb je wel gezien hoe het roodborstje en zijn wijfje aan het werk zijn geweest, terwijl wij hier zaten te praten? Kijk hem nu eens op die tak zitten overleggen waar hij dat twijgje, dat hij in zijn bek heeft, tussen zal stoppen.'

Dickon maakte een van zijn zachte, tsjilpende geluidjes en het roodborstje draaide zijn kopje om en keek hem, de twijg nog in zijn snavel, vragend aan. Dickon sprak net zo tegen hem als Ben Weatherstaff, maar meer op een vriendelijk raadgevende toon.

'Toe maar', zei hij, 'waar je 't ook neerlegt, 't is altijd goed. Je wist al hoe je een nest moest maken, nog voor je uit het ei kwam. Schiet maar op, ventje, je hebt geen tijd te verliezen.'

122

'O, wat vind ik het toch enig als je zo tegen hem praat!' zei Mary lachend. 'Ben Weatherstaff bromt op hem of houdt hem voor de mal, en dan trippelt hij om hem heen en kijkt of hij ieder woord verstaat. Ben zegt dat hij zo verwaand is, dat hij nog liever zou willen, dat je hem met stenen gooide dan geen notitie van hem te nemen.'

Daar moest Dickon ook om lachen, maar onderwijl praatte hij zachtjes door.

'Je weet dat we je niet storen, hè?' zei hij tegen het roodborstje. 'Wij zijn zelf ook bijna vogels, zie je. Wij zijn ook een nest aan het bouwen. Pas op als je ons verklapt!'

En hoewel het roodborstje niet kon antwoorden, omdat hij wat in zijn bek had en juist weer wegvloog, wist Mary dat zijn donkere, heldere oogjes beloofden dat hij hun geheim voor niets ter wereld zou verraden.

16 Dat doe ik niet!

Er was die morgen een massa te doen en Mary kwam zo laat thuis en had zo'n haast om weer aan het werk te gaan, dat ze pas op het laatste ogenblik aan Colin dacht.

'Zeg maar tegen Colin dat ik nog niet bij hem kan komen, want dat ik het te druk heb in de tuin', zei ze tegen Martha.

Martha zette een bedenkelijk gezicht.

'Als ik hem dat vertel wordt-ie natuurlijk woedend', zei ze.

Maar Mary was lang niet zo bang voor hem als het personeel en bovendien geen opofferend persoontje.

'Ik kan heus niet blijven, hoor, Dickon wacht op me', antwoordde ze en weg was ze!

De middag werd haast nog prettiger en drukker dan de morgen geweest was. Bijna al het onkruid was nu gewied en het grootste deel van de rozen en heesters gesnoeid en om de wortels losgemaakt. Dickon had zijn eigen schop meegebracht en Mary geleerd hoe ze haar gereedschap moest gebruiken, en het was al goed te zien dat het heerlijke wilde plekje, al zou het geen keurige 'rijkelui's tuin' worden, vóór het einde van de lente een lustoord van groeiende en bloeiende planten zou zijn.

'Hier boven ons hoofd krijgen we appel- en kersebloesems', zei Dickon, die uit alle macht werkte, 'en tegen de muren bloeiende perzik- en pruimebomen, en het gras wordt één bloemtapijt.'

Het jonge vosje en de kraai waren even vrolijk en druk in de weer als zij, en het roodborstje en zijn vrouwtje vlogen als kleine bliksemschichtjes heen en weer. Soms klapte de kraai met zijn zwarte vleugels en zweefde weg over de boomtoppen het park in. Maar hij kwam telkens weer terug en streek dan met een zacht gekras bij Dickon neer, alsof hij hem kwam vertellen wat hij beleefd had, en Dickon praatte net zo tegen hem als tegen het roodborstje.

Eén keer, toen Dickon zo druk bezig was dat hij niet dadelijk antwoord gaf, vloog Roet op zijn schouder en plukte voorzichtig met zijn grote snavel aan zijn oor. Toen Mary even wilde rusten, kwam Dickon bij haar onder een boom zitten, en toen hij zijn fluitje uit zijn zak haalde en weer van die wonderlijk zachte tonen speelde, kwamen er al heel gauw twee eekhoorntjes op de muur zitten die bleven kijken en luisteren.

'Je bent al heel wat sterker dan eerst', zei Dickon, naar haar kijkend, terwijl ze aan het spitten was. 'Je gaat er heus heel anders uitzien.'

Mary had een kleur van inspanning en plezier.

'Ik word met de dag dikker', vertelde ze triomfantelijk. 'Juffrouw Medlock zal voor grotere jurken moeten zorgen en Martha zegt, dat mijn haar ook veel voller wordt. 't Is lang niet meer zo sluik en piekerig.'

Toen de kinderen afscheid van elkaar namen, stond de zon al laag aan de hemel en wierp schuine, gouden stralen tussen de bomen. ''t Wordt morgen mooi weer', zei Dickon. 'Ik ga heel vroeg opstaan.'

'Ik ook', zei Mary.

Ze draafde naar huis zo snel haar benen haar dragen konden. Ze ging Colin gauw alles over Dickons vossejong en zijn kraai vertellen en over wat de lente gedaan had. Dat zou hij natuurlijk leuk vinden om te horen. Het was dus niet erg prettig toen ze haar kamer binnenkwam en daar Martha vond, die haar met een bedrukt gezicht stond op te wachten.

'Wat is er?' vroeg ze. 'Wat heeft Colin gezegd toen je hem vertelde dat ik niet kon komen?'

'Herementijd', zei Martha, 'was maar liever wel gegaan. Het heeft een haar gescheeld of hij had weer zo'n aanval gehad. We zijn de hele middag met hem in de weer geweest en hij heeft geen oog van de klok af gehad.'

Mary kneep haar lippen op elkaar. Ze was evenmin gewoon met andere mensen rekening te houden als Colin zelf, en zag niet in, waarom een humeurige jongen haar zou beletten te doen wat ze nu juist zo prettig vond. Ze begreep niet, dat je medelijden moest hebben met mensen die ziek en nerveus waren, en die niet geleerd hadden dat ze zich moesten beheersen en anderen niet óók ziek en nerveus maken. Als zij in India hoofdpijn had gehad, had ze altijd gezorgd dat iedereen in haar omgeving óók hoofdpijn kreeg. Ze had dat niet meer dan vanzelfsprekend gevonden, maar nu vond ze natuurlijk dat Colin een onmogelijke jongen was.

Toen ze zijn kamer binnenkwam, lag hij niet op de divan, maar in bed met zijn rug naar de deur en hij keerde zich niet eens om toen ze binnenkwam. Dat was al een slecht begin. Mary stapte met haar stugste houding op hem af.

'Waarom ben je niet opgestaan?' vroeg ze.

'Ik ben vanmorgen opgestaan, toen ik dacht dat je zou komen', antwoordde hij zonder haar aan te kijken. 'Maar ze hebben me vanmiddag weer naar bed moeten brengen. Ik kreeg zo'n pijn in mijn rug en mijn hoofd, en ik was zo moe. Waarom ben je niet geweest?'

'Ik heb met Dickon in de tuin gewerkt', zei Mary.

Colin fronste zijn wenkbrauwen en verwaardigde zich haar aan te kijken.

'Ik zal zorgen dat die jongen hier niet meer komt, als je naar hem toegaat in plaats van bij mij te komen', zei hij.

Mary werd woedend. Ze kon woedend worden zonder een kik te geven. Ze werd alleen maar bokkig en opstandig, en het kon haar dan niets meer schelen wat er gebeurde. 'Als jij Dickon laat

wegsturen, zie je mij nooit meer in deze kamer', was haar antwoord.
'Je zal wel moeten als ik dat wil', zei Colin.
'Ik doe het tòch niet', zei Mary.
'Dan dwing ik je', zei Colin. 'Ik laat je hierheen slepen.'
'Zo, dacht je dat, mijnheer de radja!' zei Mary, buiten zichzelf van woede. 'Ze kunnen me desnoods hierheen slepen, maar ze kunnen me niet dwingen mijn mond open te doen. Dan houd ik mijn tanden op elkaar en vertel ik je niets meer. Nooit. Ik kijk je niet eens aan, ik kijk alleen naar de grond!'

Ze waren een mooi stel, zoals ze elkaar spinnijdig zaten aan te blazen. Waren ze een paar straatjongens geweest, dan zouden ze elkaar zijn aangevlogen en het hebben uitgevochten. Nu bleef het bij een flinke scheldpartij.

'Je bent een naar, zelfzuchtig wicht!' riep Colin.
'En jij dan?' zei Mary. 'Dat zeggen zelfzuchtige mensen altijd. Iedereen is zelfzuchtig die hun zin niet doet. Jij bent veel erger. Je bent de zelfzuchtigste jongen die ik ooit heb gezien.'
''s Nietes!' keef Colin. 'Ik ben lang zo zelfzuchtig niet als die mooie Dickon van je! Die laat jou buiten in de grond ploeteren, terwijl hij weet dat ik hier helemaal alleen ben. Als dat soms niet zelfzuchtig is!'

Mary's ogen schoten vuur. 'Hij is aardiger dan alle jongens van de wereld!' riep ze. 'Hij is een... een... engel!' Het klonk misschien idioot om dat te zeggen, maar wat kon het haar schelen?
'Een mooie engel!' smaalde Colin venijnig. 'Een doodgewone, arme jongen van de hei!'
'Beter dan een prul van een radja!' kaatste Mary terug. 'Duizendmaal beter!'

Omdat zij de sterkste van de twee was, werd ze hem algauw de baas. Eigenlijk was het voor 't eerst, dat hij eens met iemand van zijn eigen leeftijd kibbelde en het was wel eens heel goed voor hem, hoewel nóch hij nóch Mary daar iets van beseften. Hij wendde zijn hoofd af en sloot zijn ogen, terwijl er een paar dikke tranen over zijn wangen rolden. Hij begon hevig medelijden met zichzelf te krijgen – niet met iemand anders.

'Ik ben lang niet zo zelfzuchtig als jij, want ik ben altijd ziek en ik weet zeker dat ik een bobbel op mijn rug krijg', zei hij met trillende stem. 'En ik ga gauw dood ook.'

'Niks van waar!' zei Mary keihard.

Zijn ogen gingen wijd open van verontwaardiging. Zoiets had nog nooit iemand tegen hem gezegd. Hij was tegelijkertijd woedend en een tikkeltje verheugd, als dat tenminste samen kon gaan.

'Dacht je dat?' riep hij. "t Is wel waar! Dat weet je best! Iedereen zegt het.'

'Ik geloof er geen steek van', hield Mary koppig vol. 'Je zegt dat alleen om medelijden op te wekken. Het lijkt warempel wel of je er trots op bent. Ik geloof het gewoon niet. Als je een aardige jongen was zou 't nog wel waar kunnen zijn, maar jij bent veel te onuitstaanbaar.'

Ondanks zijn zwakke rug laaide er zo'n gezonde woede in Colin op, dat hij helemaal overeind kwam.

'De kamer uit!' brulde hij en pakte zijn kussen en gooide het naar haar toe.

Hij had geen kracht genoeg om het ver te gooien, zodat het voor haar voeten terecht kwam, maar Mary zette een diep beledigd gezicht en zei: 'Ik ga al. En je ziet me hier nooit terug.'

Ze stapte naar de deur en keerde zich nog eens om voor ze de kamer uitging om hem toe te voegen: 'Ik had allerlei leuke dingen willen vertellen. Dickon had zijn vos en zijn kraai meegebracht en daar had ik je alles van willen vertellen. Maar nu vertel ik je niets!'

Ze trok de deur met een boze klap achter zich dicht en stond toen tot haar grote verbazing pal tegenover de verpleegster, die blijkbaar had staan luisteren, en die, wat nog merkwaardiger was, lachte. Het was een forse, gezonde jonge vrouw, die nooit verpleegster had moeten worden omdat ze zieken niet kon uitstaan, en die altijd uitvluchten zocht om Colin aan Martha of anderen over te laten. Mary had haar nooit aardig gevonden en bleef haar koel aankijken, zoals ze daar in haar zakdoek stond te proesten.

'Waar lacht u om?' vroeg ze.

'Om jullie tweeën', zei de zuster. "t Is het beste wat dat ziekelijke verwende mormel kon overkomen, eens te doen te krijgen met een die net zo verwend is als hijzelf', en ze begon weer te lachen.

'Het zou zijn redding zijn geweest als hij een kattekop van een zusje had gehad om mee te kibbelen.'

'Gaat hij echt dood?'

'Ik weet het niet en het kan me niet schelen ook', zei de verpleegster. 'Hysterie en een onverdraaglijk humeur zijn z'n voornaamste kwalen.'

'Wat is hysterie?' vroeg Mary.

'Dat zal je wel zien als hij straks als een razende te keer gaat, maar je hebt hem in ieder geval een reden gegeven om te keer te gaan en daar ben ik blij om.'

Mary ging naar haar kamer terug met een heel ander gevoel dan toen ze uit de tuin was gekomen. Ze was boos en teleurgesteld, maar voelde geen medelijden met Colin. Ze had zich erop verheugd hem van alles te vertellen en er al ernstig over gedacht hem het grote geheim toe te vertrouwen. Ze had gemeend dat wel veilig te kunnen doen, maar daar was nu natuurlijk geen sprake meer van. Nooit en nooit zou ze het hem vertellen. Wat haar betrof, kon hij in zijn kamer blijven en geen snipper frisse lucht krijgen en doodgaan ook, als hij daar zin in had. Het zou zijn verdiende loon zijn!

In haar harde, verbitterde stemming kon ze voor het ogenblik niet eens aan Dickon denken en aan het teergroene waas dat over de tuinen lag gespreid en het zachte lentewindje dat van de heide kwam.

Martha wachtte haar op, maar de bezorgdheid op haar gezicht scheen plaats te hebben gemaakt voor belangstelling en nieuwsgierigheid. Er stond een houten kistje op de tafel; het deksel was al losgemaakt en er bleken een aantal keurige pakjes in te zitten.

'Dat heeft meneer Craven voor je gestuurd', zei Martha. 'Ik denk, dat er boeken in zitten.'

Mary herinnerde zich wat hij gevraagd had, die keer dat ze in zijn kamer was geweest. 'Is er soms iets wat je hebben wilt – poppen – speelgoed – boeken?'

Ze begon de kist uit te pakken, zich afvragend of hij haar een pop zou hebben gestuurd en ook wat zij daarmee zou moeten beginnen. Maar het was geen pop. Het waren verscheidene mooie boeken, zoals Colin ze ook had, en twee ervan, met prachtige platen, waren over tuinen. Er kwamen ook een paar spelletjes uit en tot slot een beeldige kleine schrijfcassette met een gouden monogram erop en een gouden penhouder en inktpot.

128

Het was zo'n onverwachte verrassing, dat ze haar hele boosheid vergat. Ze had niet gedacht dat hij nog ooit aan haar zou denken en haar koude hartje werd opeens helemaal warm.

'Ik kan mooier schrijf- dan drukletters schrijven', zei ze, 'en het eerste wat ik met die pen ga schrijven is een brief om hem voor al dat moois te bedanken.'

Als ze nu nog goede maatjes met Colin geweest was, zou ze naar hem toe zijn gevlogen om haar cadeautjes te laten zien, en dan zouden ze samen de plaatjes bekeken, en in de plantenboeken gelezen, en misschien de spelletjes geprobeerd hebben, en dan zou hij zoveel plezier hebben gehad, dat hij geen enkele keer aan doodgaan zou hebben gedacht of aan zijn rug hebben gevoeld of er geen bobbel kwam. Mary vond het altijd vreselijk als hij dat deed. Het maakte haar angstig omdat hij dan zelf altijd zo angstig keek. Hij zei dat als hij maar een héél klein bobbeltje voelde, hij zou weten dat zijn bochel was begonnen te groeien. Iets dat hij juffrouw Medlock eens tegen de zuster had horen fluisteren, had hem op het denkbeeld gebracht, en hij had er in zijn eenzaamheid zoveel over getobd dat hij het niet meer los kon laten. Juffrouw Medlock had gezegd dat zijn vaders rug ook op die manier begonnen was krom te worden. Hij had aan niemand behalve aan Mary ooit verteld, dat zijn 'buien' zoals ze het noemden, meestal alleen uit die dodelijke angst voortkwamen. Toen hij het Mary vertelde had ze erg met hem te doen gehad.

'Hij gaat er altijd aan liggen denken als hij boos of moe is', zei ze bij zichzelf. 'En vandaag is hij erg boos geweest. Misschien heeft hij er nu wel de hele middag aan moeten denken.'

Ze keek naar de grond en dacht diep na.

'Ik heb wel gezegd dat ik nooit meer bij hem zou komen...' ze aarzelde, fronste haar wenkbrauwen, 'maar misschien, heel misschien zal ik morgen... als hij me hebben wil... toch maar even naar hem toegaan. 't Kan wel dat hij weer met zijn kussen gaat smijten, maar... ik denk... dat ik toch maar ga.'

17 Een aanval

Ze was die morgen heel vroeg opgestaan en had hard in de tuin gewerkt, zodat ze 's avonds erge slaap had en vroeg naar bed ging. Toen ze haar hoofd op haar kussen legde, dacht ze nog: 'Ik ga morgenochtend voor het ontbijt eerst een poos met Dickon werken en dan denk ik, dat ik later toch maar even naar hem toe ga.'

Ze dacht, dat het midden in de nacht was toen ze wakker werd van zulke griezelige geluiden, dat ze meteen haar bed uitsprong. Wat was dat, wat was dat? Een ogenblik later dacht ze dat ze het begreep. Deuren gingen open en dicht, haastige voeten repten zich door de gang, en iemand huilde en gilde tegelijkertijd, gilde en huilde op een allerakeligste manier.

"t Is Colin', zei ze. 'Hij heeft zo'n aanval, die de zuster hysterie noemt. Wat klinkt dat verschrikkelijk.'

Terwijl ze naar die woest-snikkende gillen luisterde, begreep ze waarom de grote mensen hem maar liever in alles zijn zin gaven dan dit aan te horen. Ze hield haar handen voor haar oren en rilde van angst.

'Wat moet ik toch doen? Wat moet ik toch doen?' zei ze telkens. 'Ik hou het niet uit.'

Een ogenblik vroeg ze zich af of hij misschien op zou houden als ze het zou wagen naar hem toe te gaan, maar toen herinnerde ze zich hoe hij haar de kamer had uitgejaagd; ze vreesde dat ze het alleen maar erger zou maken. Zelfs als ze haar handen heel stijf tegen haar oren hield kon ze die snerpende kreten niet buitensluiten. Het joeg haar zo'n angst aan en ze vond het zo vreselijk, dat ze plotseling woedend werd en de neiging kreeg zelf een flinke scène te maken om hem eens net zo bang te maken als hij haar. Ze had nu eenmaal nooit anders dan met haar eigen driftbuien te maken gehad. Ze nam haar handen van haar oren, sprong op en trappelde met haar voeten op de grond. 'Laat hem toch ophouden! Laat hem toch ophouden! Geef hem een pak slaag tot hij ophoudt!'

Op dat zelfde ogenblik hoorde ze iemand hard door de gang lopen, haar deur ging open en de zuster kwam binnen. Die lachte nu allerminst. Ze zag er zelfs bleek en ontdaan uit.

'Hij maakt zich helemaal overstuur', zei ze gejaagd. 'Er is geen houden meer aan. Hij luistert naar niemand. Wil jij het niet eens proberen? Doe het alsjeblieft. Jou mag hij tenminste graag.'

'Hij heeft me anders gisteravond de kamer nog uitgezet', riep Mary, die van woede weer met haar voeten stampte.

Dat stampen was een hele opluchting voor de zuster, die bang was geweest Mary huilend met haar hoofd onder de dekens te vinden. 'Goed zo', zei ze. 'Wees maar flink kwaad en geef hem ervan langs. Dat is hij niet gewend. Kom kind, ga dadelijk mee.'

Pas veel later kwam Mary tot het besef hoe dwaas, maar ook hoe treurig het eigenlijk allemaal geweest was, dwaas omdat al die grote mensen in hun angst bij een klein meisje kwamen, alleen omdat ze dachten dat zij bijna net zo'n driftkop was als Colin zelf. Ze vloog de gang door en hoe dichter ze bij het gegil kwam, hoe razender ze werd. Hij leek wel gek! Ze rukte de deur open en stoof naar het hemelbed toe.

'Wil je wel eens ophouden!' schreeuwde ze. 'Wil je wel eens ophouden! Nare jongen! Iedereen vindt je even afschuwelijk! Ik wilde dat ze allemaal het huis uitliepen en jou je dood lieten schreeuwen! Straks schrééuw je je nog dood en dat doe je dan maar, hoor!'

Een lief zacht kind zou dergelijke dingen nooit hebben gedacht of gezegd, maar juist de schok van die onverhoedse woorden was de beste medicijn voor deze hysterisch gillende jongen, waar niemand ooit tegenop had gekund.

Hij had op zijn buik gelegen en met zijn vuisten op zijn kussen gebonsd, en hij sprong als het ware op, zo snel keerde hij zich om toen hij die driftige kinderstem hoorde. Hij zag er vreselijk uit, zijn gezicht was vlekkerig rood en opgezet, hij stikte half en snakte naar adem, maar Mary was buiten zichzelf van woede en had geen snipper medelijden.

'Als je nog één gil geeft', zei ze, 'dan begin ik ook en ik kan veel harder gillen dan jij en dan ga ik gillen tot jij er bang van wordt!'

Hij had werkelijk opgehouden te gillen, omdat zij hem zo aan het schrikken had gemaakt. Hij stikte bijna in de gil die juist onderweg was geweest. De tranen stroomden over zijn gezicht en hij beefde zo, dat zijn hele lichaam schokte.

'Ik kan niet ophouden', hijgde en snikte hij. 'Ik kan niet, ik kan niet!'

131

'Dat kun je wèl!' riep Mary. 'Driekwart van die ziekte van je is hysterie en dat rot humeur van je. Hysterie! Hysterie!' en ze stampvoette iedere keer, dat ze het vreemde woord, dat ze de vorige dag voor het eerst gehoord had, uitsprak.

'Ik heb de bobbel gevoeld... ik heb hem heus gevoeld', bracht Colin met moeite uit. 'Ik heb het altijd wel geweten, ik krijg een bochel en dan ga ik dood.' Hij begon zich weer in allerlei bochten te wringen en stopte zijn hoofd in het kussen en snikte en kermde, maar hij gilde toch niet meer.

'Onzin, je hebt geen bobbel gevoeld!' wierp Mary heftig tegen. 'Dat heb je je maar verbeeld. Van hysterie krijg je bobbels. Er mankeert niets aan die ellendige rug van je... niets dan hysterie! Keer je maar om en laat hem eens zien.'

Ze vond 'hysterie' een mooi woord en had het gevoel, dat het goed voor hem was als ze dat zei. Waarschijnlijk had hij het evenmin als zij ooit eerder gehoord.

'Zuster', commandeerde ze, 'laat me zijn rug eens zien!'

De zuster, juffrouw Medlock en Martha stonden met zijn drieën bij de deur, hun monden half open van verbazing. Ze hadden alle drie hun hart vastgehouden. De zuster kwam met een angstig gezicht naar het bed toe. Colins lichaam schokte door diepe, ademloze snikken.

'Hij... hij wil het misschien niet hebben', zei ze aarzelend.

Maar Colin hoorde haar en stootte er tussen twee snikken uit: 'L-laat h-haar maar k-kijken! Dan k-kan ze het z-zelf zien!'

Het was een armzalig, mager ruggetje dat werd ontbloot. De ribben en de rugwervels waren te tellen, hoewel Mary, toen ze zich over hem heenboog en hem met een strak, verbeten gezicht bekeek, er niet over dacht dat te doen. Ze zag er zo ouwelijk en eigenwijs uit, dat de zuster even moeite had niet te lachen. Het was enige ogenblikken volkomen stil, want zelfs Colin probeerde zijn snikken in te houden, terwijl Mary zijn ruggegraat bekeek en betastte, van onderen naar boven en van boven naar onderen, zo ernstig alsof ze de bekende Londense dokter in persoon was.

'Er is geen spoor van een bobbel!' zei ze eindelijk. 'Nog geen bobbel zo groot als een speldeknop, behalve je rugwervels en die voel je alleen, omdat je zo mager bent. De mijne staken net zo uit als de jouwe, tot ik dikker begon te worden en ik ben ze zelfs nu nog niet helemaal kwijt. Maar er is niets dat op een bobbel lijkt, en als je er nu nog één keer over zeurt, lach ik je gewoon uit!'

Niemand anders dan Colin zelf wist wat die ongeduldig uitgesproken, argeloze kinderwoorden voor hem betekenden. Als er ooit iemand geweest was aan wie hij zijn geheime angsten had durven toevertrouwen, als hij ooit vragen had durven stellen, als hij vriendjes gehad had en niet altijd op zijn rug had gelegen in het sombere grote huis, waar de atmosfeer vergiftigd was door het onbegrip en de praatjes van mensen die dom en onontwikkeld waren en genoeg van hem hadden, dan zou hij wel zijn gaan inzien dat zijn angsten en zijn ziekte voornamelijk uit hemzelf waren voortgekomen. Maar hij had uren, dagen, maanden en jaren alleen gelegen en altijd aan zichzelf en zijn kwalen en zijn narigheid gedacht. En nu daar plotseling een boos, onvriendelijk klein meisje hem pardoes in zijn gezicht zei, dat het helemaal niet waar was wat hij zich verbeeldde, kreeg hij heus het gevoel dat ze wel eens gelijk kon hebben.

'Ik wist niet dat hij dacht, dat hij een bobbel op zijn rug had', zei de zuster beduusd. 'Hij heeft een zwakke rug omdat hij nooit rechtop wil zitten. Ik had hem wel kunnen vertellen, dat er verder niets aan de hand was.'

'H-heus?' vroeg Colin met een onderdrukte snik, terwijl hij haar smekend aankeek.

'Natuurlijk', zei de verpleegster.

'Zie je wel!' zei Mary, en ook zij moest even slikken.

Colin stopte zijn gezicht weer in het kussen, en behalve dat hij nog telkens nasnikte, lag hij nu heel stil, hoewel er dikke tranen langs zijn gezicht liepen, die het kussen nat maakten. Maar deze tranen betekenden een enorme opluchting. Na een poosje keerde hij zich om en keek de zuster weer aan, en wonderlijk genoeg had hij nu niets meer van een radja.

'Denkt u... denkt u... dat ik kan blijven leven?' vroeg hij.

De zuster was nog ontwikkeld noch teerhartig, maar ze kon nazeggen wat ze van de Londense dokter gehoord had.

'Daar is alle kans op, als je maar doet wat je is voorgeschreven; niet aan die driftbuien toegeven en veel naar buiten gaan.'

Colins aanval was voorbij, hij voelde zich zwak en uitgeput van het huilen, en misschien stemde dat hem zacht. Hij stak zijn hand een klein eindje naar Mary uit, en Mary, die nu ook gekalmeerd was, kwam hem gelukkig halverwege met háár hand tegemoet, zodat het een soort verzoening werd.

'Ik... ik zal met je naar buiten gaan, Mary', zei hij. 'Ik zal het niet zo naar meer vinden als we de...' Hij bedacht net bijtijds dat hij niet mocht zeggen 'als we de geheime tuin kunnen vinden', en eindigde: 'Ik wil naar buiten als Dickon mijn stoel wil duwen. Ik wil Dickon en de vos en de kraai zo graag zien.'

De zuster maakte het overhoop gehaalde bed weer in orde en schudde de kussens eens lekker op. Toen maakte ze voor Colin een kop bouillon en ook een voor Mary, die daar na alle emoties best trek in had. Juffrouw Medlock en Martha waren ongemerkt verdwenen en toen alles opgeruimd en tot kalmte gekomen en in orde was, zag de zuster eruit of ze nu ook maar het liefst zou verdwijnen. Gezond en jong als ze was, vond ze zo'n gestoorde nachtrust erg vervelend, en ze gaapte ongegeneerd, terwijl ze naar Mary keek, die haar bankje vlak tegen Colins bed aan had geschoven en zijn hand vasthield.

'Je moet naar je bed terug en je slaap inhalen', zei ze. 'Hij zal straks wel indommelen, als hij niet te veel overstuur is. Dan ga ik nog wat in de kamer hiernaast liggen.'

'Zal ik misschien dat liedje nog eens voor je zingen, dat ik van mijn ayah geleerd heb?' fluisterde Mary Colin toe.

'O, ja, graag', antwoordde hij. 'Dat is zo'n prachtig zacht liedje, daar val ik vast bij in slaap.'

'Ik zing hem wel in slaap', zei Mary tegen de geeuwende verpleegster. 'Gaat u maar weg.'

'Goed dan', zei de zuster, met nauwelijks een schijn van protest. 'Kom me maar roepen, als hij over een half uur nog niet slaapt.'

'Afgesproken', antwoordde Mary.

In een ogenblik was de zuster de kamer uit, en zodra ze weg was greep Colin Mary's hand weer.

'Ik had het bijna verklapt', zei hij, 'maar ik hield het net bijtijds in. Ik zal gaan slapen en niet meer praten, hoor, maar je zei gisteren dat je me een heleboel leuke dingen te vertellen had. Heb je... geloof je,

dat je een middeltje bedacht hebt om in de geheime tuin te komen?'
Mary keek naar het magere, afgetobde gezichtje en de dikke,
gezwollen ogen en iets in haar smolt weg.
'Ja-a', antwoordde ze, 'ik geloof het wel, en als je nu gauw gaat slapen
zal ik het je morgen vertellen.'
Ze voelde zijn hand beven in de hare.
'O, Mary!' zei hij. 'O, Mary! Als ik daar toch maar heen kan, dan
geloof ik dat ik zal blijven leven. Zou je me niet, in plaats van het
ayahliedje te zingen, nog eens zachtjes kunnen vertellen hoe je
denkt dat het er in de tuin uit zal zien? Dan val ik vast gauw in slaap.'
'Goed', zei Mary, 'doe dan je ogen dicht.'
Hij sloot zijn ogen en lag doodstil, terwijl Mary zijn hand vasthield
en heel langzaam, heel zacht begon te vertellen.
'Ik denk dat er zó lang niemand geweest is, dat alles door elkaar is
gegroeid. Ik denk dat de rozen alle kanten uit geklommen zijn en nu
van de bomen en de muren omlaag hangen en over de grond
kruipen, als een soort fijn grijs netwerk. Sommige zijn doodgegaan,
maar er leven er nog een heleboel en als het zomer wordt zullen er
hele gordijnen, hele fonteinen van rozen zijn. Ik denk, dat de grond
vol narcissen en sneeuwklokjes en tulpen en irissen staat, die uit de
donkere aarde naar boven komen. Nu het lente geworden is komen
ze misschien... misschien...'
Haar zachte, rustig voortpratende stem maakte hem stiller en
stiller, en ze zag het en ging voort.
'Misschien staan ze wel overal tussen het gras... misschien staan er
wel dikke toeffen paarse en gele krokussen... nu al. Misschien
breken de bladknoppen al open en krullen de blaadjes zich los... en
misschien... zie je het grijs veranderen in een zachtgroen waas, dat
alles... en alles... bedekt. En de vogels komen ernaar kijken...
omdat het zo heerlijk rustig in de tuin is... zo veilig. En
misschien... heel, heel misschien', zei ze al zachter en langzamer,
'heeft het roodborstje een vrouwtje gevonden... en is hij... een
nestje aan het bouwen.'
Colin was ingeslapen.

18 Het moet gauw gebeuren

Natuurlijk werd Mary de volgende morgen niet vroeg wakker. Ze sliep lang door, omdat ze moe was, en toen Martha haar ontbijt boven bracht, vertelde die haar dat Colin wel heel kalm, maar een beetje ziek en koortsig was, zoals altijd wanneer hij zo'n aanval had gehad. Mary luisterde en at onderwijl langzaam haar ontbijt op.
'Hij heeft gevraagd of je alsjeblieft zo gauw mogelijk bij hem wilt komen', zei Martha. 'Ik sta ervan te kijken zoals hij op je gesteld is. Je hebt hem vannacht toch flink de waarheid gezegd. Niemand anders zou het gedurfd hebben. Ach, die stumper! Hij is ook zo hopeloos verwend. Moeke zegt, dat de twee slechtste dingen die een kind kunnen overkomen zijn, nooit zijn zin te krijgen – of juist altijd. Ze weet niet wat erger is, zegt ze. Je was anders zelf ook flink kwaad, hoor! Maar vanmorgen toen ik bij hem kwam, zei hij: "Wil je alsjeblieft aan Mary vragen of ze alsjeblieft bij me wil komen?" Ik had hem nog nooit "alsjeblieft" horen zeggen! Ga je?'
'Ik ga eerst gauw even naar Dickon toe', zei Mary. 'Nee, wacht eens, ik ga eerst naar Colin en dan zal ik hem vertellen... ja, ik weet wat ik hem vertellen zal!' riep ze alsof ze plotseling een ingeving kreeg.
Ze had haar mantel aan, toen ze in Colins kamer kwam en even keek hij teleurgesteld. Hij lag in bed en zag er deerniswekkend uit, spierwit met donkere kringen om zijn ogen.
'Fijn dat je gekomen bent', zei hij. 'Ik heb zo'n hoofdpijn en ik ben zo doodmoe. Ga je ergens heen?'
Mary kwam vlak bij hem staan. 'Ik blijf niet lang weg', zei ze. 'Ik ga even naar Dickon en dan kom ik weer terug. Colin, het gaat over iets... iets van de geheime tuin.'
Zijn hele gezicht klaarde op en er kwam een heel klein beetje kleur op zijn wangen.
'Heus?' riep hij uit. 'Ik heb er de hele nacht van gedroomd. Je hebt iets gezegd van grijs dat in groen veranderde en toen droomde ik, dat ik ergens stond waar allemaal trillende groene blaadjes waren, en overal vogels in nestjes, die heel stil zaten. Ik ga er weer aan liggen denken tot je terug komt.'
Vijf minuten later was Mary met Dickon in hun tuin. De vos en de

kraai waren er ook weer, en ditmaal had hij ook twee tamme eekhoorntjes meegebracht.

'Ik ben vanmorgen op de pony gekomen', vertelde hij. 'Het is toch zo'n braaf dier, die Jump! Deze twee heb ik in mijn zakken meegebracht. Dit is Noot, en dat Dop.'

Toen hij Noot zei sprong de ene eekhoorn op zijn rechterschouder en toen hij Dop zei, de andere op zijn linker.

Toen ze op het gras zaten, terwijl Kaptein opgerold aan hun voeten lag, en Roet ernstig luisterend op een boomtak zat en Noot en Dop om hem heen scharrelden, leek het Mary haast onmogelijk weer van al die heerlijkheden weg te gaan, maar toen ze haar hele verhaal verteld had, deed de uitdrukking op Dickons gezicht haar tot andere gedachten komen. Ze kon zien dat hij meer medelijden met Colin had dan zij. Eerst keek hij naar de lucht en toen naar alles om zich heen.

'Luister toch 's naar die vogels – wat zijn er een massa, en wat zijn ze aan het fluiten en zingen', zei hij. 'Kijk ze eens heen en weer vliegen en hoor eens hoe ze mekaar roepen. Overal springen de knoppen open, en jemig, wat ruikt het allemaal lekker!' Hij haalde zijn jolige wipneus op. 'En dan te weten, dat die arme jongen daar maar opgesloten ligt en zo weinig ziet dat hij allemaal nare dingen gaat denken die hem aan het gillen maken. We mott'n hem hierheen zien te krieg'n, zeg, we mott'n hem laten kiek'n en luisteren en ruik'n en hem in de zon laten bakk'n. En het moet gauw gebeur'n ook.'

Als Dickon in vuur raakte, sprak hij dikwijls erg plat Yorkshire's, hoewel hij anders zijn dialect probeerde te verzachten, zodat Mary hem beter kon verstaan. Maar ze vond dat boerentaaltje juist erg leuk en deed haar best het zelf ook te leren.

'Joa, dà mott'n we doen', zei ze. 'Ik zal oe zegg'n wà we eerst mott'n doen', ging ze voort.

Dickon schoot in een lach, want het klonk altijd zo grappig als die kleine heks haar tong verdraaide om Yorkshire's te praten. 'Hij is erg nieuwsgierig naar je en hij zou jou en Roet en Kaptein dolgraag willen zien. Als ik straks naar hem toe ga, zal ik vragen of je morgenochtend eens bij hem mag komen, en je dieren meebrengen, en dan, over een poosje, als er nog wat meer bladeren aan de bomen en knoppen zijn, dan proberen we hem mee naar buiten te krijgen en dan kun jij zijn stoel duwen en dan zullen we hem alles laten zien.' Ze was er trots op, dat ze dat allemaal in het Yorkshire's had kunnen zeggen.

'Je moet ook eens zo in het Yorkshire's tegen jongeheer Colin spreken', grinnikte Dickon. 'Daar moet hij vast om lachen en niets is zo goed voor zieke mensen als lachen. Moeke zegt, dat iedere ochtend een half uur lachen iemand van de ergste ziekte kan genezen.'

'Ik ga het meteen doen', zei Mary, die zich verkneukelde bij de gedachte.

De tuin had nu het punt bereikt, waarop het leek alsof er iedere dag en iedere nacht tovenaars langs kwamen, die met hun staf liefelijkheid uit de aarde en aan de bomen toverden. Het kostte haar moeite weg te gaan en het alles in de steek te laten, vooral nu Noot op haar schoot was komen zitten en Dop uit de appelboom, waaronder ze zaten, omlaag was geklauterd en haar met vragende oogjes zat aan te kijken. Maar ze ging toch naar huis terug en toen ze even later naast Colins bed zat, begon hij net zo te snuffelen als Dickon soms deed, al was het niet met zo'n kennersneus.

'Je ruikt naar bloemen en lekkere frisse dingen', riep hij echt vrolijk uit. 'Wat is dat, waar je naar ruikt?' 't Is koel en warm en zoet en alles tegelijk.'

'Da's de wind van d'hai', zei Mary. 'Da kom' van in 't graas zitt'n me' Dickon en me' Kaptein en Roet en Noot en Dop. 't Bin de lente en de buut'nlucht en de zonschain die zo lekker riek'n.

Ze zei het zo plat als ze maar kon, en je weet niet hoe grappig Yorkshire's klinkt als je het nooit hebt horen spreken.

'Wat doe je nou?' zei hij. 'Zo heb ik je nog nooit horen praten. Wat klinkt dat leuk!'

'Ik laat je eens een beetje Yorkshire's horen', antwoordde Mary triomfantelijk. 'Ik kan het nog niet zo goed als Dickon en Martha, maar je ziet dat ik er toch al wat van terecht breng. Versta jij niet eens Yorkshire's? En ben jij in Yorkshire geboren en getogen? Foei, je moest je schamen!'

En toen begon Mary te lachen, en ze lachten allebei zo, dat ze niet meer konden ophouden; ze lachten tot het in de kamer weergalmde en juffrouw Medlock, die juist binnen wilde komen, verbaasd in de gang bleef staan luisteren.

'Wel heb ik van m'n leven!' riep ze zelf in plat Yorkshire's uit, omdat toch niemand haar kon horen. 'Heb je ooit zoiets gehoord! Wie had dat ooit kunnen denken!'

Ze hadden ook zóveel om over te praten. Het leek wel of Colin nooit genoeg te horen kon krijgen over Dickon en Kaptein en Roet en Noot en Dop en de pony, die Jump heette. Mary was even met Dickon het bos in geweest om Jump te zien. Het was een kleine ruige heipony met dikke haarlokken voor zijn ogen en een zachte, fluwelen snuffelneus. Hij was mager, omdat hij alleen van gras leefde, maar zo taai en sterk alsof hij stalen veren in plaats van spieren in zijn dunne pootjes had. Zodra hij Dickon zag had hij zijn kop opgestoken en zachtjes gehinnikt, en was naar hem toegedraafd, en had zijn kop op zijn schouder gelegd, en toen had Dickon in zijn oor gepraat en Jump had duidelijk geantwoord met gekke kleine hinnikjes en snuifjes en briesjes. Dickon had hem Mary zijn voorpoot laten geven en een soort zoen op haar wang met zijn zachte snoet.

'Verstaat hij heus alles wat Dickon zegt?' vroeg Colin.

'Het lijkt wel zo', antwoordde Mary. 'Dickon zegt dat elk dier je verstaat als je goeie vrienden met hem bent, maar *echte* vrienden, zie je.'

Colin lag een poosje heel stil, en zijn wonderlijke grijze ogen leken naar de muur te staren, maar Mary zag dat hij over iets dacht.

'Ik wilde dat ik ook ergens goeie vrienden mee was', zei hij eindelijk, 'maar dat ben ik niet. Ik heb nooit een dier of zo gehad, en mensen vind ik naar.'

'Vind je mij ook naar?' vroeg Mary.

'Nee', antwoordde hij. 'Gek, hè, maar jou vind ik zelfs erg aardig.'

'Ben Weatherstaff zei dat ik net zo was als hij', vertelde Mary. 'Hij zei: "Ik wed dat we allebei net zo'n beroerd humeur hebben." Nou, ik denk dat jij ook zo bent. We zijn alle drie hetzelfde, jij en ik en Ben Weatherstaff. Hij zei dat we geen van beiden mooi waren en dat we net zo onvriendelijk waren als we er uitzagen. Maar ik ben lang zo onvriendelijk niet meer als voordat ik het roodborstje en Dickon kende.'

'Had jij ook een gevoel of je alle mensen naar vond?'

'Ja', bekende Mary eerlijk. 'Ik zou jou zeker afschuwelijk hebben gevonden, als ik het roodborstje en Dickon niet eerst had ontmoet.'

Colin stak zijn magere hand uit en raakte de hare aan.

'Mary', zei hij, 'ik wilde dat ik dat niet gezegd had van Dickon wegjagen, je weet wel. Ik was kwaad omdat je zei, dat hij net een engel was – dat vond ik zo gek van je, maar misschien is het wel waar.'

'Nou, het was wel een beetje raar om hem met een engel te vergelijken', gaf ze toe, 'want hij heeft een wipneus en een grote mond en gelapte kleren en hij praat plat Yorkshire's, maar àls er nu eens een engel in Yorkshire was, dan geloof ik toch zeker, dat die ook alles van de planten en de dieren zou begrijpen en zou weten hoe je de bloemen moest laten groeien en met de dieren praten.'

'Ik zou het niet erg vinden als Dickon me zag', zei Colin. 'Ik wil hem graag leren kennen.'

'O, daar ben ik blij om', riep Mary, 'want... want...'

Plotseling besloot ze het hem te vertellen. Colin voelde dat er iets bijzonders kwam.

'Want wat?' riep hij gretig.

'Het was zo'n belangrijk ogenblik, dat Mary van haar bankje sprong en zijn beide handen pakte.

'Kan ik je vertrouwen? Ik heb Dickon vertrouwd omdat de vogels hem vertrouwen, maar kan ik jou ook – echt – *eerlijk* vertrouwen?' drong ze aan.

Haar gezicht stond zo ernstig, dat hij zijn antwoord fluisterend gaf. 'Ja, heus.'

'Nu dan, Dickon komt morgenochtend bij je en hij brengt zijn dieren mee.'

'O! O!' riep Colin opgetogen uit.

'Maar dat is nog niet alles', vervolgde Mary, bijna bleek van opwinding. 'Ik weet nog iets veel mooiers. Er is een deur in de tuin. Ik heb hem gevonden. Hij zit in de muur onder de klimop.'

Als hij een sterke gezonde jongen was geweest, zou Colin waarschijnlijk 'hiep, hiep, hoera!' of zoiets hebben gebruld, maar hij was zwak en onevenwichtig; zijn ogen werden hoe langer hoe groter en hij snakte een ogenblik naar adem.

'O, Mary!' riep hij uit met iets dat een snik leek. 'Krijg ik hem dan toch te zien? Mag ik erin? Leef ik lang genoeg om erin te gaan?' en hij greep haar handen en trok haar naar zich toe.

'Natuurlijk krijg je hem te zien!' viel Mary verontwaardigd uit. 'Natuurlijk leef je lang genoeg. Praat toch niet zulke onzin!'

Zij was zo gezond en natuurlijk en kinderlijk, dat ze hem meesleepte en hij tenslotte om zichzelf moest lachen, en een ogenblik later zat ze weer op haar bankje en vertelde hem ditmaal niet hoe ze zich voorstelde dat de geheime tuin zou zijn, maar hoe hij werkelijk was, en Colin vergat zijn hoofdpijn en zijn vermoeidheid, en luisterde geboeid.

'Hij is eigenlijk precies zoals je je had voorgesteld', zei hij eindelijk. 'Het klonk toen al net of je er echt in was geweest. Weet je nog, dat ik dat dadelijk tegen je zei?'

Mary aarzelde even en vertelde toen eerlijk de waarheid.

'Ik hàd hem ook gezien, en ik wàs erin geweest', zei ze. 'Ik had de sleutel al een paar weken geleden gevonden, maar ik durfde het je niet te vertellen, ik durfde niet omdat ik nog niet vast en zeker wist, dat ik je kon vertrouwen!'

19 Het is lente!

Natuurlijk werd de morgen na Colins aanval onmiddellijk dokter Craven gehaald. Hij werd altijd dadelijk gehaald als er zoiets gebeurde en hij vond dan bij zijn komst altijd een bleke, diepgeschokte jongen, die somber in zijn bed lag en nog zo uit zijn evenwicht was, dat hij bij het minste of geringste weer in snikken uitbarstte. Om de waarheid te zeggen zag dokter Craven altijd tegen die moeilijke en onaangename bezoeken op. Deze keer had hij pas 's middags tijd om op Huize Misselthwaite te komen.

'Hoe is het met hem?' vroeg hij enigszins ongeduldig aan juffrouw Medlock. 'Vandaag of morgen springt er nog eens een bloedvat als hij zo'n bui heeft. De jongen is half gek van hysterie en heeft niet de minste zelfbeheersing.'

'Nu, dokter, u zult uw ogen niet geloven als u hem zo meteen ziet', antwoordde de huishoudster. 'Dat onooglijke kind met haar zure gezicht, dat bijna even erg is als hijzelf, heeft hem gewoon behekst. Hoe ze het heeft klaargespeeld mag joost weten. Mooi is ze toch werkelijk niet en ze doet haar mond haast niet open, maar u had haar vannacht eens moeten zien. Ze is als een wilde kat op hem aangevlogen, gewoon stampvoetend van woede, en heeft gezegd dat hij dadelijk zijn mond moest houden, en daar is hij zo van geschrokken dat hij werkelijk ophield, en vanmiddag... maar gaat u maar liever mee naar boven. 't Is een wonder!'

Het tafereel dat dokter Craven aanschouwde toen hij de kamer van zijn patiëntje binnentrad, was inderdaad heel anders dan hij gewend was. Toen juffrouw Medlock de deur opende, hoorde hij praten en lachen. Colin lag niet in bed, maar zat rechtop in zijn kamerjas op de divan en bekeek de platen in een van de bloemenboeken, druk pratend tegen het 'onooglijke kind', dat op dit ogenblik moeilijk onooglijk genoemd kon worden, omdat haar gezichtje straalde van plezier.

'Die lange puntige blauwe, daar nemen we er een heleboel van', verkondigde Colin. 'Ze heten del-phi-ni-ums, zie je wel?'

'Dickon zegt dat het riddersporen zijn, die ze heel mooi en groot gekweekt hebben', antwoordde Mary. 'Er zijn er al een massa van.'

Toen zagen ze plotseling dokter Craven en zwegen. Mary klemde haar lippen op elkaar en Colin keek verveeld.

'Ik hoor tot mijn spijt dat het vannacht weer mis is geweest, beste jongen', begon dokter Craven lichtelijk nerveus. Hij was nogal een nerveuze man.

'O, maar ik ben nu alweer veel beter', antwoordde Colin op zijn radja-toon. 'Als het mooi weer is, ga ik morgen of overmorgen in mijn stoel naar buiten. Ik wil eens de frisse lucht in.'

Dokter Craven ging naast hem zitten, voelde zijn pols en keek hem onderzoekend aan.

'Dan mag het wel héél mooi weer zijn', zei hij, 'en je moet erg oppassen je niet te vermoeien.'

'Frisse lucht zal me niet vermoeien', zei de radja.

142

Omdat hetzelfde jonge mens bij vorige gelegenheden als een razende te keer was gegaan en beweerd had, dat frisse lucht hem verkouden maakte en zijn dood zou zijn, viel het niet te verwonderen dat zijn dokter lichtelijk onthutst was.

'Ik dacht dat je niet van frisse lucht hield', merkte hij op.

'Niet als ik alleen ben', gaf de radja ten antwoord, 'maar mijn nichtje gaat met me mee.'

'En de zuster natuurlijk', stelde de dokter vast.

'De zuster blijft thuis', besliste Zijne Hoogheid, zo hooghartig, dat Mary weer aan de jonge Indische vorst herinnerd werd, in zijn met paarlen en diamanten bezaaide staatsiegewaad, en aan de kleine donkere hand met de fonkelende robijnen, waarmee hij zijn dienaren gewenkt had nader te treden om zijn bevelen in ontvangst te nemen.

'Mijn nichtje weet wel hoe ze voor me zorgen moet. Ik ben altijd veel beter als zij bij me is. Ze heeft me vannacht ook beter gemaakt. En ik ken een sterke flinke jongen, die mijn rolstoel wel zal duwen.'

Dokter Craven voelde zich verre van plezierig. Als die vervelende slappeling van een jongen nog eens beter mocht worden, waren zijn eigen kansen om Misselthwaite te erven verkeken. Een gewetenloos man was hij echter niet, al had hij een zwak karakter, en het was werkelijk niet zijn bedoeling Colin gevaar te laten lopen.

'Dat moet dan wel een flinke en bedaarde jongen zijn', zei hij, 'en ik moet eerst wat meer van hem weten. Wie is het? Hoe heet hij?'

''t Is Dickon', zei Mary opeens. Ze was overtuigd dat iedereen die bij de heide woonde, ook Dickon moest kennen. En dat was ook zo, want dokter Cravens bedenkelijke gezicht verhelderde ogenblikkelijk.

'O, Dickon', zei hij. 'Bij Dickon ben je in goede handen. Die is zo sterk als een heipony.'

'En hij is te vertrouwen', zei Mary. ''t Beste jong in gááns Yorkshire.' Ze had tegen Colin Yorkshire's gepraat en deed het nu zonder erbij te denken ook tegen de dokter.

'Heeft Dickon je dat geleerd?' vroeg dokter Craven, die nu echt in een lach schoot.

'Ik leer het gewoon, net als Frans', antwoordde Mary uit de hoogte. ''t Is zoiets als de taal van de inheemsen in India. Er zijn hele knappe mensen die probeerden die te leren. Ik vind het wel leuk en Colin ook.'

'Tjonge, tjonge', zei hij. 'Nu, als jullie er plezier in hebben gaan jullie je gang maar. Heb je gisteravond je broomdrank ingenomen, Colin?'

'Nee', gaf Colin ten antwoord. 'Eerst wilde ik hem niet innemen en later heeft Mary me in slaap gepraat. Ze heeft heel zacht verteld – over de lente die een tuin binnensloop.'

'Dat klinkt bepaald kalmerend', zei dokter Craven, die er steeds minder van begreep en een zijdelingse blik op Mary wierp, die zwijgend en met neergeslagen ogen op haar bankje zat. 'Je lijkt nu heus wat beter, maar vergeet vooral niet...'

'Ik zal vergeten wat ik wil', zei de jonge radja uit de hoogte. 'Als ik alleen lig en niets vergeet, dan begin ik overal pijn te krijgen en aan dingen te denken waar ik van ga gillen, omdat ik ze zo vreselijk vind. Als er ergens een dokter was, die kon maken dat ik vergat ziek te zijn in plaats van me er steeds aan te herinneren, dan zou ik die bij me laten komen.'

En hij wuifde met een smal handje, dat werkelijk met kostbare ringen bedekt had kunnen zijn. 'Mijn nichtje doet me juist goed, omdat ze me alles laat vergeten.'

Dokter Craven had na een aanval nog nooit zo'n korte visite gemaakt; meestal moest hij een hele tijd blijven en allerlei middeltjes bedenken. Maar dit keer schreef hij geen enkel geneesmiddel voor en bleven de gebruikelijke onaangename scènes achterwege. Hoofdschuddend liep hij de trap af, en toen hij in de bibliotheek nog even met juffrouw Medlock praatte, merkte zij dat hij volkomen de kluts kwijt was.

'Nu dokter', waagde zij, 'wat heb ik u gezegd?'

'Het is ongetwijfeld een nieuwe stand van zaken', zei de dokter, 'die in elk geval beter is dan de oude.'

'Ik geloof dat Suze Sowerby 't bij het rechte eind heeft, zowaar als ik leef', zei juffrouw Medlock. 'Gisteren ben ik even bij haar aangelopen toen ik naar het dorp ging, en heb ik een praatje met haar gemaakt. "Sara", zegt ze, "het mag dan geen aardig en geen knap kind zijn, maar het is een kind, en kinderen hebben kinderen nodig." We zijn nog samen school gegaan, Suze Sowerby en ik.'

'Er is niemand die zoveel slag heeft met zieken om te gaan als zij',
zei dokter Craven. 'Als ik haar aan een ziekbed tref, weet ik dat de
patiënt er waarschijnlijk bovenop zal komen.'
Juffrouw Medlock glimlachte. Ze was erg op Suze Sowerby gesteld.
'Ze heeft zoiets bijzonders, hè, die Suze', zei ze spraakzaam. 'Ik heb
de hele morgen aan iets moeten denken, wat ze gisteren zei. Ze zei:
"Toen ik de kinderen eens de les moest lezen na een vechtpartij,
toen zei ik tegen hen: Toen ik op school was leerde de meester ons,
dat de wereld zo rond was als een sinaasappel, en eer ik tien jaar was
had ik al ontdekt dat de hele sinaasappel van niemand hoort.
Niemand heeft meer dan zijn eigen partje en soms lijkt het wel of er
geen partjes genoeg voor iedereen zijn. Maar verbeelden jullie je
geen van allen ooit, dat de hele sinaasappel van jezelf is, want dan
zal je door schade en schande anders leren. En kinderen leren van
elkaar", zegt ze, "dat je niet de hele sinaasappel met schil en al naar
je toe kunt halen. Als je dat toch doet, dan krijg je dikwijls alleen
maar de pitten en die kun je niet eten".'
'Ze is een verstandige vrouw', zei dokter Craven, zijn jas aan-
trekkend.
'Ze kan de spijker op de kop slaan', besloot juffrouw Medlock
voldaan. 'Ik heb wel eens tegen haar gezegd: "Suze, als je een ander
was en niet zulk plat Yorkshire's praatte, nou, dan zouden de
mensen nog heel wat van je kunnen leren".'

Colin sliep die nacht aan één stuk door en toen hij 's morgens zijn
ogen opsloeg, lag hij zonder dat hij het wist, stilletjes te glimlachen,
zo lekker uitgerust voelde hij zich. Het was echt prettig om zo
wakker te worden, en hij draaide zich om en rekte zich nog eens
behaaglijk uit. Het was net of stijve, drukkende banden die hem
gekneld hadden, los waren gemaakt en hem vrij lieten. Hij wist niet
dat dokter Craven zou zeggen dat zijn zenuwen tot ontspanning
waren gekomen, maar in plaats van naar de muur te liggen staren
en te wensen dat hij niet wakker was geworden, was hij vol van de
plannetjes die hij gisteren met Mary gemaakt had, van gedachten
aan de tuin, en aan Dickon en zijn dieren. Het was ook zo prettig om
nu eens iets te hebben waaraan je kon denken. Hij had nog geen tien
minuten wakker gelegen of hij hoorde al vlugge voetstappen in de

gang en daar had je Mary. Geen seconde later stond ze naast zijn bed en bracht een stroom frisse geurige morgenlucht met zich mee.
'Je bent buiten geweest! Je bent buiten geweest! Je ruikt weer zo lekker naar bladeren!' riep hij.
Ze had zo hard gelopen, dat haar haar los en in de war was geraakt, ze had rode wangen en haar ogen straalden.
''t Is zo mooi buiten!' zei ze, nog ademloos van het harde lopen. 'Je hebt nog nooit zoiets moois gezien! Nu is het *echt* lente! Ik dacht dat het laatst al lente was, maar dat was nog maar het begin. Nu is het echt zo, 't is helemaal lente! Dickon zegt het zelf!'
'Heus?' riep Colin en hoewel hij er eigenlijk geen voorstelling van had, voelde hij toch zijn hart kloppen. Hij ging zelfs rechtop in bed zitten.
'Doe het raam maar open, misschien horen we dan wel gouden bazuinen!' zei hij lachend van opwinding, en ook een beetje om zijn eigen bedenksel.
En hoewel het als een grapje bedoeld was, ging Mary naar het raam en een ogenblik later stond het wijd open en stroomde de zoele lentelucht met frisse geuren en vogelgezang naar binnen.
'Dat is frisse lucht', zei ze. 'Ga maar op je rug liggen en haal heel diep adem. Dat doet Dickon ook als hij in de hei ligt. Hij zegt dat hij het tot in zijn aderen voelt en dat hij er sterk van wordt en het gevoel krijgt of hij wel altijd en altijd zou kunnen voortleven. Snuif maar op, snuif maar op.'
Ze herhaalde alleen wat Dickon haar verteld had, maar het sprak tot Colins verbeelding.
'Altijd en altijd! Krijgt hij zo'n gevoel?' vroeg hij, en hij deed wat ze hem gezegd had, telkens heel diep ademhalen, tot hij werkelijk ook het gevoel kreeg, dat hem iets heel nieuws en heerlijks overkwam.
Mary was weer naast zijn bed komen zitten.
'Alles vliegt de grond uit', vertelde ze verder. 'Overal gaan bloemen en knoppen open en het groene waas heeft nu bijna alle grijs bedekt, en de vogels hebben zo'n haast met hun nesten, uit angst dat ze te laat zullen zijn, dat sommige zelfs om een plaatsje in de geheime tuin vechten. En de rozestruiken zijn spring-springlevend, en er staan sleutelbloemen in de laantjes en in het park, en het zaad dat we gezaaid hebben komt al op, en Dickon heeft de vos en de kraai en de

eekhoorns en een pasgeboren lammetje meegebracht.'

Ze moest even ophouden om adem te halen. Het pasgeboren lammetje had Dickon drie dagen geleden naast een dood moederschaap in een brembosje op de hei gevonden. 't Was niet het eerste moederloze lammetje dat hij opkweekte en hij wist wat hij ermee moest doen. Hij had het in zijn jasje mee naar huis genomen en het bij de kachel gelegd en warme melk laten drinken. Het was net een zacht speelgoeddiertje met zo'n enig onnozel snoetje en poten, die te lang voor zijn lichaam schenen. Dickon had het in zijn armen voor Mary meegebracht, met het zuigflesje bij een van de eekhoorns in zijn zak, en toen ze onder een boom had gezeten met dat slappe, warme wezentje op schoot, was ze zo gelukkig geweest, dat ze geen woord kon uitbrengen. Een lammetje, een lammetje! een levend lammetje, dat op je schoot lag als een klein kindje!

Ze gaf er een levendige beschrijving van en Colin lag met grote ogen te luisteren en steeds maar diep adem te halen, tot de zuster binnenkwam. Het open raam deed haar verstomd staan. Ze had het menige warme dag benauwd gehad in die dichte kamer, omdat haar patiënt beweerde dat je van een open raam verkouden werd.

'Weet je zeker dat het niet te koud voor je is, Colin?' vroeg ze.

'Nee', was het antwoord. 'Ik adem de frisse lucht heel diep in. Daar word je sterk van. Ik wil op de divan ontbijten en Mary ontbijt met me mee.'

De zuster ging weer weg, met moeite een glimlach bedwingend, om twee ontbijten te halen. Ze vond het in de personeelskamer heel wat gezelliger dan bij de zieke, en ze waren op het ogenblik allemaal nieuwsgierig naar wat er boven gebeurde. Er werd heel wat afgebabbeld over de lastige jonge kluizenaar die nu, zoals de keukenmeid zei 'iemand gevonden had die hem de baas was, net goed voor hem'. De personeelskamer had meer dan genoeg gehad van de aanvallen, en de butler, zelf vader van een gezin, had herhaaldelijk als zijn mening te kennen gegeven, dat 'een flink pak slaag de kwajongen goed zou doen'.

Toen Colin op zijn divan lag en het ontbijt voor het tweetal op tafel stond deed hij, zeer uit de hoogte, de zuster een mededeling.

'Er komen hier straks een jongen, een vos, een kraai, twee eekhoorns en een pasgeboren lam op bezoek. Ze moeten dadelijk boven komen, en er hoeft niet eerst beneden met de dieren gespeeld te worden. Ik wil ze dadelijk hier hebben.'

De zuster slaakte een kreet van verbazing, die ze achter een kuchje trachtte te verbergen. 'Heel goed', zei ze.

'Weet u wat u doen moet', liet Colin erop volgen, 'u moet Martha maar zeggen, dat ze ze hier brengt. De jongen is Martha's broertje, hij heet Dickon en hij is een dierenbezweerder.'

'Als die dieren maar niet bijten', zei de zuster.

'Ik heb u gezegd dat hij een bezweerder is', zei Colin streng. 'De dieren van zo iemand bijten nooit.'

'In India zijn slangenbezweerders', lichtte Mary toe, 'en die steken de koppen van hun slangen gewoon in hun mond.'

'Hu!' griezelde de zuster.

Bij het wijd open raam zaten ze te ontbijten, en Mary merkte op dat Colin met smaak at.

'Je zult wel gauw dikker worden, net al ik', zei ze. 'In India had ik ook nooit trek in mijn ontbijt en nu verlang ik er gewoon naar.'

'Ik verlangde er vanmorgen ook naar', zei Colin. 'Dat komt misschien van de frisse lucht. Wanneer denk je dat Dickon komen zal?'

Hij liet niet lang op zich wachten. Ongeveer tien minuten later stak Mary haar vinger op en zei:

'Hoor eens! De kraai!'

Colin luisterde en hoorde een wonderlijk geluid, een schor kra-kra, dat binnenshuis heel ongewoon was.

'Warempel', zei Colin.

'Het is Roet', zei Mary. 'En luister nog eens! Hoor je daar een héél zacht geblaat?'

'O, ja', riep Colin opgewonden.

'Dat is het kleine lammetje', zei Mary. 'Ze komen.'

Dickon had zware grove laarzen aan en hoewel hij zijn best deed zacht te lopen, hoorden Mary en Colin hem door de gangen klossen. Ze hoorden hem hoe langer hoe dichterbij komen tot hij de beklede deur door was en op de zachte dikke loper in Colins eigen gang kwam.

'Alstublieft, jongeheer, hier is Dickon met zijn beesten', kondigde Martha aan, de deur wijd openend.

Dickon kwam met zijn gezelligste, vrolijkste glimlach binnen. Hij hield het kleine lammetje in zijn armen en het rode vosje trippelde naast hem. Noot zat op zijn linkerschouder, Roet op zijn rechter, en Doppies kopje gluurde uit zijn jaszak.

Colin kwam langzaam overeind en keek maar, hij keek met grote ogen, zoals hij gekeken had toen hij Mary voor het eerst gezien had, alleen was dit een kijken van verwondering en verrukking. Hij had namelijk, ondanks alle verhalen, geen idee gehad hoe die jongen er uit zou zien, met zijn vos en zijn kraai en zijn eekhoorns en zijn lammetje die zo nauw met hem verbonden waren, dat zij wel een deel van hem leken. Colin had nog nooit in zijn leven met een andere jongen gepraat, en hij was zo overstelpt door blijdschap en nieuwsgierigheid, dat hij geen woord kon uitbrengen.

Maar Dickon was helemaal niet verlegen. Hij had het ook niet erg gevonden, dat de kraai in het begin zijn taal niet verstond en hem de eerste keer alleen maar had aangestaard. Dieren en mensen deden dat altijd totdat ze wisten wat ze aan je hadden. Hij kwam naar Colins divan toe en legde het lammetje voorzichtig op zijn schoot. Het diertje nestelde zich dadelijk in de warme fluwelen kamerjas, wroette en snuffelde tussen de plooien en duwde zijn stijfgekrulde kopje ongeduldig in Colins zij. Welke jongen had toen nog kunnen zwijgen?

'Wat doet hij?' riep Colin, 'wat wil hij?'

'Hij zoekt zijn moeder', zei Dickon. 'Ik heb 'm expres een beetje hongerig meegebracht, omdat ik dacht dat je het wel leuk zou vinden hem te zien drinken.'

Hij knielde naast de divan en haalde een zuigflesje uit zijn zak.

'Kom maar, ukkie', zei hij, terwijl hij het witte wollige kopje met een zachte bruine hand naar zich toedraaide. 'Dit is wat je zoekt. Hier zit wat beters in dan in fluwelen jassen. Zo', en hij duwde de gummie speen van de fles in het zoekende bekje van het lammetje, dat gretig begon te zuigen.

Daarna ging het praten vanzelf. Toen het lammetje eindelijk in slaap viel regende het vragen, en Dickon kon overal op antwoorden. Hij vertelde hoe hij drie dagen geleden, juist toen 's morgens de zon opging, het diertje had gevonden. Hij had op de hei naar een leeuwerik staan luisteren en hem al hoger en hoger zien opstijgen, tot hij niet meer dan een stipje in de blauwe lucht was.

'Ik kon hem bijna niet meer zien, maar ik hoorde hem nog zingen en ik dacht er juist over hoe je hem tòch nog kon horen, terwijl het net was of hij de wereld al uit was – en toen hoorde ik opeens iets anders, tussen de bremstruiken. Het was een heel zacht geblaat en ik wist dat het een jong lammetje moest zijn dat honger had, en ik wist ook dat het geen honger zou hebben als het zijn moeder niet kwijt was. Nou, en toen ben ik gaan zoeken. Het heeft moeite genoeg gekost, ik ben overal tussen de bremstruiken doorgekropen en kon het nergens vinden. Maar eindelijk zag ik iets wits bij een grote steen en daar lag hij, half dood van kou en honger.'

Onder zijn verhaal vloog Roet telkens het open raam in en uit en kraste opmerkingen over de omgeving, terwijl Noot en Dop uitstapjes in de hoge bomen maakten, tegen stammen op en neer klauterden en takken verkenden. Kaptein ging lekker opgerold naast Dickon liggen, die het haardkleedje als zitplaats had gekozen. Ze bekeken ook de platen in de bloemenboeken en Dickon kende alle bloemen bij hun gewone namen en wist precies, welke al in de geheime tuin stonden.

'Die naam daar kan ik niet uitspreken', zei hij, op een plaat wijzend waar 'aquilegia' bij stond, maar wij noemen dat een akelei en dat daar is een leeuwebek; ze groeien allebei in het wild, maar dit zijn gekweekte, die zijn veel groter en mooier. Er staan een massa akeleien in de tuin. Het zijn net blauwe en witte vlinders als ze bloeien.'

'Ik wil ze zien', riep Colin, 'ik wil ze zien!'

'Joa-joa, dà motte ge ook', zei Mary ernstig. 'En 't mot gauw beur'n ook.'

20 Ik wil altijd, altijd, altijd blijven leven!

Ze moesten echter nog ruim een week wachten, want er kwamen eerst een paar erg winderige dagen, en daarna werd Colin verkouden; twee dingen die hem bepaald razend van woede zouden hebben gemaakt, als ze niet met zoveel prettige geheimzinnige plannetjes bezig waren geweest. Al was het maar een paar minuten, Dickon kwam bijna iedere dag even binnen om te vertellen hoe het er op de hei en in de lanen en langs de heggen en waterkanten begon uit te zien. Wat hij wist te vertellen over de woonplaatsen van otters en dassen en waterratten, om niet te spreken over vogelnesten en holen van veldmuizen, was genoeg om je te doen popelen van nieuwsgierigheid. En dan al die boeiende bijzonderheden te horen van een echte dierenbezweerder, die je deed beseffen met welk een zorg en bedrijvigheid die hele ondergrondse wereld aan het werk was.

'Ze zijn net als wij', zei Dickon, 'alleen moeten zij hun huizen ieder jaar opnieuw bouwen. Daarom hebben ze het zo druk en lopen ze elkaar gewoon omver.'

Wat hem echter het meest bezighield, waren de voorbereidselen die nodig waren om Colin, zonder dat iemand het zag, naar de tuin te vervoeren. Niemand mocht de rolstoel en Dickon en Mary zien, als ze eenmaal een bepaalde hoek van de heesteraanplant om waren en op het pad langs de klimpopmuren liepen. Colin kreeg met de dag meer het gevoel, dat de geheimzinnigheid die om de tuin hing een van de grootste bekoringen ervan was. Dat mocht vooral niet bedorven worden. Niemand mocht vermoeden dat ze een geheim hadden. De mensen moesten denken dat hij gewoon met Mary en Dickon naar buiten ging, omdat hij goed met hen kon opschieten en het niet erg vond dat ze naar hem keken. Ze hielden uitvoerige, machtig interessante besprekingen over de te volgen route. Ze zouden eerst dit, dan dat pad nemen en daar de hoek omgaan en dan wat tussen de bloembedden om de fontein blijven rondkijken, die Roach, de eerste tuinman, juist had laten aanleggen. Dat zou zo vanzelfsprekend zijn dat niemand er iets ongewoons in zou zien. Daarna zouden ze de slingerpaden van het heesterbosje inrijden en schijnbaar toevallig bij de tuinmuren uitkomen. Het werd bijna even zorgvuldig en tot in de puntjes uitgewerkt als de plannen van een groot generaal voor een veldtocht in oorlogstijd.

Natuurlijk waren er geruchten over die ongehoorde dingen, die zich in de ziekenkamer afspeelden via de personeelskamer tot in de stallen en bij de tuinlui doorgedrongen, maar toch keek Roach er vreemd van op toen hij uit jongeheer Colins kamer het bevel ontving zich te melden in het vertrek dat een buitenstaander nooit gezien had. De patiënt wilde hem persoonlijk spreken.

'Wel, wel!' zei hij, terwijl hij haastig een andere jas aanschoot, 'wat zou er nou aan de hand zijn? Zijne Koninklijke Hoogheid, waar niemand ooit naar mocht kijken en die nu iemand ontbiedt, die hij nog nooit gezien heeft!'

Roach was bepaald nieuwsgierig. Hij had nog nooit een glimp van de jongen gezien en talloze overdreven verhalen gehoord over zijn vreemde uiterlijk en krankzinnige driftbuien. Meestal werd erbij verteld dat de jongen ieder ogenblik sterven kon, waarop fantastische beschrijvingen volgden van een gebochelde rug en machteloze ledematen door mensen die hem nooit gezien hadden.

'Er is hier allerlei aan het veranderen, meneer Roach', zei juffrouw Medlock, terwijl ze hem de achtertrap wees naar de gang, waarop de tot dusver verboden kamer uitkwam.

'Laten we hopen dat er betere tijden aanbreken, juffrouw Medlock', antwoordde hij.

'Slechtere kunnen moeilijk', meende ze, 'en hoe vreemd het ook klinkt, een paar van ons hebben het een stuk makkelijker gekregen. Schrikt u maar niet, meneer Roach, als u straks midden in een menagerie terecht komt en als Martha's broertje Dickon hier meer thuis is dan u of ik ooit zullen worden.'

Dickon moest toch werkelijk een soort tovenaar zijn, zoals Mary in haar hart nog altijd geloofde. Zodra Roach zijn naam hoorde, kwam er tenminste een toegevend lachje op het gezicht van de tuinman.

'Die zou zich evengoed in Buckingham Palace thuis voelen als onder in een kolenmijn', zei hij. 'En toch kun je hem niet vrijpostig noemen. 't Is een braaf kereltje.'

't Was misschien toch maar goed dat hij was voorbereid, anders zou hij niet geweten hebben wat hij zag. Toen de slaapkamerdeur openging, kondigde een grote kraai, die zich op de hoge leuning van een antieke stoel best op zijn gemak scheen te voelen, de komst van de bezoeker met een luid 'kra-kra' aan. Niettegenstaande juffrouw Medlocks waarschuwing had het niet veel gescheeld of Roach was op weinig indrukwekkende wijze achteruit gesprongen.

De jeugdige radja lag noch in bed, noch op de divan. Hij zat in een fauteuil en naast hem stond een jong lammetje dat met zijn staartje zwiepte, terwijl Dickon het melk uit een flesje liet drinken. Op Dickons gebogen rug zetelde een eekhoorn, die druk bezig was een noot op te peuzelen. Het kleine meisje uit India zat op een bankje toe te kijken.

'Daar is meneer Roach, jongeheer', zei juffrouw Medlock.

De jonge radja keerde zich om en nam zijn dienaar van het hoofd tot de voeten op; dat gevoel gaf hij de eerste tuinman tenminste.

'O, jij bent dus Roach', zei hij. 'Ik heb je laten komen om je een paar belangrijke bevelen te geven.'

'Tot uw orders, jongeheer', antwoordde Roach, die zich afvroeg of hij bevel zou krijgen alle eiken in het park om te hakken, of de boomgaarden in een waterpartij te herscheppen.

'Ik ga vanmiddag in mijn rolstoel uit', zei Colin. 'Als de buitenlucht me goed bekomt, ga ik misschien wel elke dag. Maar als dat gebeurt mag geen enkele tuinman zich in de buurt van het lange pad bij de tuinmuren vertonen. Niemand mag daar werken of rondlopen. Ik ga om een uur of twee uit en dan moet iedereen tot nader order onzichtbaar zijn. Heb je dat goed begrepen?'

'Ik zal er voor zorgen, jongeheer', antwoordde Roach, die al blij was, dat de eiken mochten blijven staan en zijn boomgaarden niet bedreigd werden.

'Mary', vroeg Colin aan zijn nichtje, 'wat zeg je ook weer in India als je uitgesproken bent en je wilt dat de mensen weggaan?'

'Dan zeg je 'je kunt verdwijnen' , antwoordde Mary.

De radja wenkte met zijn hand.

'Je kunt verdwijnen, Roach', zei hij, 'maar denk erom, het is heel belangrijk.'

'Kra-kra', merkte de kraai schor doch niet onvriendelijk op.

'Zeker, jongeheer. Komt in orde, jongeheer', zei Roach, en ging met juffrouw Medlock de kamer uit.

Buiten, op de gang, kon de tuinman, die een goedhartig man was, zijn lachen niet meer houden.

'Nee, maar!' zei hij, 'wat een vorstelijke manieren! Je zou zeggen dat hij de hele koninklijke familie, met kroonprins en al, in zich verenigde.'

'Ach ja', zei de huishoudster met een zucht, 'we hebben ons allemaal door hem op onze kop laten zitten, van zijn geboorte af. Hij denkt, dat het zo hoort.'

'Misschien wordt hij nog wel wat wijzer, als hij in leven blijft', veronderstelde Roach.

'Nu, één ding is zeker', zei juffrouw Medlock. 'Als hij in leven blijft en dat kind uit India blijft hier, dan zal die hem wel duidelijk maken dat de hele sinaasappel niet voor hem is, zoals Suze Sowerby zegt. Dan zal hij er wel achter komen welk partje voor hem is.'

In de kamer leunde Colin met een voldaan gezicht in zijn kussens. 'Nu is alles in orde', zei hij, 'en vanmiddag zie ik de tuin, vanmiddag ga ik erheen.'

Dickon ging weer met zijn dieren naar buiten, en Mary bleef bij Colin. Ze vond niet dat hij er moe uitzag, maar hij was tot hun lunch boven kwam ongewoon stil, en bleef stil terwijl ze aten. Ze begreep niet waarom en vroeg hem ernaar.

'Wat heb je toch een grote ogen, Colin', zei ze. 'Als je denkt worden ze zo groot als theeschoteltjes. Waar denk je nu aan?'

'Ik moet aldoor denken hoe het er uit zal zien', antwoordde hij.

'Wat? Bedoel je de tuin?'

'Nee, de lente', zei hij. 'Ik dacht eraan, dat ik die eigenlijk nog nooit goed gezien heb. Ik ben haast nooit buiten geweest en ik heb er ook nog nooit op gelet. Ik dacht er zelfs niet aan.'

'Ik heb in India de lente ook nooit gezien, omdat die niet bestond', zei Mary.

Afgesloten en somber als zijn leven was geweest, had Colin toch meer fantasie dan zij, en hij had in ieder geval massa's mooie boeken en plaatjes bekeken.

'Die ochtend, toen je binnen kwam vliegen en toen je riep 'nu is het lente!' toen kreeg ik toch zo'n vreemd gevoel. Het was net of er een grote processie aankwam met muziek en gezang. Daar heb ik een plaat van in een van mijn boeken, massa's juichende mensen en kinderen met slingers en bloesemtakken, allemaal lachend en dansend muziek makend. Daaraan dacht ik, toen ik zei: 'misschien horen we wel gouden bazuinen', en toen ik je vroeg het raam open te doen.'

'Dat is grappig!' zei Mary, 'want zo'n gevoel krijg je echt. Het zou me een optocht worden, als alle bloemen en bladeren en groene sprietjes en vogels en konijnen in een rij kwamen aandansen! Dan zouden ze vast ook zingen en fluiten en op bazuinen blazen.'

Ze lachten allebei, niet omdat ze het gek vonden, maar omdat het zo'n leuk idee was.

Een poosje later kwam de zuster Colin aankleden. Het viel haar op dat hij, in plaats van als een blok te blijven liggen terwijl ze zijn kleren aantrok, rechtop ging zitten en pogingen deed zichzelf te helpen, en intussen voortdurend met Mary lachte en praatte.

'Hij heeft een goede dag, dokter', zei ze tegen dokter Craven, die voorzichtigheidshalve even was komen kijken, 'hij is opgewekter dan ik hem ooit heb gezien.'

'Ik kom op het eind van de middag nog even langs', beloofde de dokter. 'Ik moet zien hoe het uitgaan hem bekomen is. Ik had liever gezien dat u maar mee ging', zei hij zachtjes.

'Ik ging liever op staande voet weg, dokter', verklaarde de zuster met onverwachte beslistheid, 'dan er zelfs maar bij te zijn als u zoiets voorstelde.'

'Ik was ook niet van plan het voor te stellen', zei de dokter, die wel wat zenuwachtig was. 'We zullen het er maar op wagen. Tenslotte zou ik Dickon met een pasgeboren kind vertrouwen.'

De sterkste van de huisknechts droeg Colin naar beneden en zette hem in zijn rolstoel, waar Dickon al bij stond te wachten. Nadat de knecht zijn plaids en kussens had geschikt, wenkte de radja hem en de zuster met een handgebaar.

'Jullie kunnen verdwijnen', zei hij minzaam, waarna ze zich beiden snel terugtrokken om het, eenmaal binnenshuis, uit te proesten van het lachen.

Dickon duwde de rolstoel langzaam en bedaard voort. Mary liep ernaast en Colin lag achterover geleund en keek op naar de hoge kristalblauwe hemelkoepel waarin kleine donzige wolkjes zweefden als witte vogels op gespreide wieken. Van de hei kwam een zacht briesje, dat onbekende en heerlijke geuren meevoerde. Colin zette zijn smalle borst telkens uit en ademde diep, terwijl zijn grote ogen keken alsof zij luisterden, luisterden in plaats van zijn oren. 'Wat zijn er veel geluiden in de lucht van zingen en zoemen en fluiten', zei hij. 'En wat ruik ik toch telkens als er zo'n vlaagje wind komt?'

'Dat is de brem op de hei die opengaat', antwoordde Dickon. 'De bijen zullen hun hart wel ophalen vandaag.'

Op de paden waar ze liepen was geen menselijk wezen te bekennen. Alle tuinlui en tuinjongens waren weggetoverd. Maar ze liepen alle kronkelpaadjes tussen de heesters, en bekeken de bloemperken, de fonteinen; en ze volgden hun zorgvuldig uitgewerkte route, enkel en alleen omdat het zo leuk en avontuurlijk was. Toen ze eindelijk op het lange pad bij de klimopmuren waren aangeland, begonnen ze van louter emotie en opwinding zelfs fluisterend te praten.

'Hier is het', zei Mary op gedempte toon. 'Hier heb ik nu eindeloos heen en weer gelopen en naar de tuin gezocht.'

'Ja?' riep Colin, terwijl zijn ogen de klimop nieuwsgierig onderzochten. 'Maar ik zie niets', fluisterde hij. 'Er is nergens een deur.'

'Dat dacht ik ook', zei Mary.

Toen volgde er een ademloze stilte, waarin je alleen de wielen van de rolstoel kon horen.

'Daar is de tuin waar Ben Weatherstaff werkt', zei Mary.

'Ja?' zei Colin weer.

Nog een paar meter verder fluisterde Mary weer iets.

'Hier is het roodborstje over de muur gevlogen', zei ze.

'Heus?' riep Colin. 'O, ik wou dat hij nog eens kwam!'

'En daar', zei Mary plechtig, maar o zo trots bij een grote seringestruik, 'is hij op het bergje aarde gaan zitten om me de sleutel te wijzen.'

Toen kwam Colin overeind.

'Waar? Waar? Daar?' riep hij, en zijn ogen werden zo groot als die van de wolf in het sprookje van Roodkapje. Dickon liet de rolstoel stilhouden.

'En hier', vertelde Mary, naar het bloembed vlak langs de muur toestappend, 'ben ik tegen hem gaan praten toen hij bovenop de muur zat te tsjilpen. En dit is de klimop, die door de wind opzij waaide', en ze pakte het neerhangende groene gordijn beet.

'O! Ja... ja!' popelde Colin.

'En hier is de kruk, en hier de deur. Dickon - rij hem naar binnen - rij hem gauw naar binnen!'

En dat deed Dickon, met één handige, ferme, rake duw.

Maar Colin was, hoewel hij zijn verrukking niet op kon, in de kussens teruggezonken; hij had zijn handen voor zijn ogen gelegd en wilde niets zien voor ze binnen waren en de stoel als bij toverslag stilstond en hij de deur achter zich in het slot hoorde vallen. Pas toen nam hij zijn handen weg en keek om zich heen en keek maar en keek, net zoals Mary en Dickon gekeken hadden. En over muren en aarde en boven, over ranken en twijgen had zich een groene sluier van prille jonge blaadjes gespreid, en in het gras, onder de bomen en in de grijze urnen in de priëlen en hier en daar en overal, waren plekjes en spikkeltjes van geel en paars en wit, en de bomen boven zijn hoofd zaten vol roze en witte bloesems, én er wiekten vleugels, er was een zacht fluiten en zoemen, en o, het geurde... het geurde! De zon scheen warm op zijn gezicht, als een hand die hem liefkozend aanraakte en Mary en Dickon stonden hem verwonderd aan te kijken. Hij zag er zo vreemd en anders uit, want zijn wasbleke gezicht, zijn hals en handen waren door een zachtroze waas overtogen.

'Ik word beter! Ik word beter!' riep hij uit. 'O, Mary! Dickon! Ik word beter! En ik wil altijd, altijd, altijd blijven leven!'

21 Ben Weatherstaff

Een mens is nu eenmaal zo'n wonderlijk wezen, dat hij maar een enkele keer dat heerlijke gevoel krijgt van wel altijd, altijd te willen blijven leven. Hij krijgt het soms, als hij heel vroeg, nog voor zonsopgang, is opgestaan en zijn hoofd achteroverbuigt en naar de bleke hemel kijkt, die langzaam verandert en roze wordt; wanneer er in het oosten wonderbaarlijke en onverklaarbare dingen gebeuren, zodat zijn hart bijna ophoudt te kloppen en hij zijn adem inhoudt bij het machtige, onveranderlijke schouwspel van de rijzende zon, dat duizenden en nog eens duizenden jaren iedere morgen weer net zo heeft plaatsgevonden. Dan voelt hij het voor een ogenblik. En hij krijgt het soms, als hij bij zonsondergang alleen in een bos loopt en de geheimzinnige diepe gouden stilte, die schuin door de takken valt, telkens en telkens weer iets schijnt te zeggen, dat hij niet verstaat, hoe graag hij ook zou willen. En soms is het de ontzagwekkende rust van de donkerblauwe nachtelijke hemel, waar miljoenen sterren wachten en waken, en soms de klank van verre muziek, en soms de blik in iemands ogen.

En zo was het ook voor Colin, toen hij voor het eerst tussen de vier hoge muren van een verborgen tuin de lente zag en hoorde en voelde. Die middag was het of de hele wereld het erop gezet had volmaakt en stralend-schoon en heerlijk voor één kleine jongen te zijn. Misschien bracht uit pure hemelse goedheid de lente wel alles wat maar mogelijk was op dat ene plekje te zamen. Het gebeurde een paar maal dat Dickon met zijn werk ophield en met iets van verwondering om zich heen keek, en zijn hoofd schudde. 'Wat een dag, wat een dag', zei hij. 'Ik ben nu bijna dertien jaar en er gaan heel wat middagen in dertien jaar, maar ik geloof dat ik nog nooit zo'n prachtige middag als deze heb meegemaakt.'

'Ja', zei Mary, 'ik wed dat het de mooiste is die ooit heeft bestaan.'

'Zou je niet denken', zei Colin dromerig, 'dat het allemaal speciaal voor mij is?'

'Ken best wèz'n', zei Mary op zijn Yorkshire's, om Colin aan het lachen te maken.

Ze genoten.

Ze schoven de rolstoel onder de pruimeboom, die sneeuwwit van bloesems was, en gonsde van de bijen. Het was als het baldakijn van een koning, een sprookjeskoning. In het rond stonden bloeiende kersebomen en appelbomen met roze en witte knoppen, waarvan enkele al wijd open waren. Tussen de bloeiende takken van het baldakijn keken stukjes blauwe hemel als stralende ogen op hen neer.

Mary en Dickon werkten hier en daar wat, en Colin zat naar hen te kijken. Ze droegen allerlei kleine wonderen voor hem aan: knoppen die net opengingen, knoppen die nog stijf dicht waren, takjes waarvan de blaadjes net groen begonnen te worden, de veer van een specht die ze in het gras hadden gevonden, de lege eierschaal van een vroeg uitgebroed vogeltje. Later duwde Dickon de rolstoel langzaam de hele tuin door, en bleef telkens stilstaan om hem de wonderen te tonen, die uit de aarde kwamen of aan de takken hingen. 't Was alsof hij plechtig door het rijk van een feeënkoning en koningin werd rondgeleid om de pracht en praal die het bevatte te aanschouwen.

'Zouden we het roodborstje ook zien?' vroeg Colin.

'Die zul je over een poosje vaak genoeg te zien krijgen', antwoordde Dickon. 'Als de eieren uitgebroed zijn weet-ie zich geen raad van de drukte. Dan vliegt-ie heen en weer met wormen die haast groter zijn dan hijzelf en is er zo'n spektakel in het nest, dat-ie in de war raakt en niet meer weet in welke wijde snavel hij de eerste brok moet stoppen. En gapende bekken en gepiep aan alle kanten. Moeke zegt, dat als ze ziet hoe druk zo'n vogel het heeft om die bekken te vullen, zij het gevoel krijgt een dame met-niets-omhanden te zijn. Ze zegt, dat het zweet die stakkers wel langs hun veren moet lopen, al kunnen wij dat niet zien.'

Daar moesten ze zo om lachen dat ze hun hand voor hun mond moesten houden, want stel je voor dat iemand hen zou horen. Ze hadden Colin al dagen tevoren op het hart gedrukt, dat hij moest fluisteren en zachtjes praten en hij vond die geheimzinnigheid verrukkelijk en deed ook erg zijn best, maar als je zo'n pret hebt is het vreselijk moeilijk onhoorbaar te lachen.

Ieder ogenblik van die heerlijke middag waren er nieuwe dingen en ieder uur werd de zon warmer en feestelijker. De rolstoel stond nu weer onder het baldakijn en Dickon was in het gras gaan zitten en had juist zijn fluit te voorschijn gehaald toen Colin iets zag, waar hij nog niet eerder op had gelet.

'Dat is een heel oude boom die daarginds staat, hè?' vroeg hij.

Dickon keek naar de boom en Mary ook, en het bleef een ogenblik stil.

'Ja', antwoordde Dickon toen, en zijn zachte stem had een medelijdende klank.

Mary keek naar de boom en dacht na.

'De takken zijn helemaal grijs en er is geen blaadje aan te zien', ging Colin verder. 'Hij is helemaal dood, denk je niet?'

'Ja', gaf Dickon toe, 'maar al die rozen die er overheen gegroeid zijn, zullen als ze in bloei staan, het dode hout helemaal bedekken. Dan ziet hij er niet dood meer uit, dan is het de mooiste uit de hele tuin.'

Mary zat nog steeds peinzend naar de boom te kijken.

'Het lijkt wel of er een grote tak is afgebroken', zei Colin. 'Hoe zou dat zijn gekomen?'

'Dat is jaren geleden gebeurd', antwoordde Dickon. 'Ha!' riep hij plotseling, blij met de afleiding. 'Daar heb je het roodborstje. Kijk eens! Hij heeft voedsel voor zijn wijfje gehaald.'

Colin keek bijna te laat, maar zag toch nog net het roodgebefte vogeltje, dat met iets in z'n snavel voorbijflitste. Het schoot het groen in en verdween tussen het dichte kreupelhout uit het gezicht. Colin steunde weer in zijn kussens. Hij moest een beetje lachen.

'Hij brengt haar een kopje thee. Is het al vijf uur? Ik begin zelf ook trek te krijgen.'

Het gevaar was geweken. ''t Was tovenarij dat het roodborstje net kwam', fluisterde Mary later tegen Dickon. 'Ik weet zeker, dat het tovenarij was.' Want zij en Dickon waren bang geweest dat Colin verder zou vragen over de boom waarvan tien jaar geleden een tak was afgebroken, en ze hadden samen overlegd en Dickon had zorgelijk over zijn rode haar gestreken.

'We moeten net doen of het een doodgewone boom is', had hij gezegd. 'We kunnen die arme jongen toch nooit vertellen hoe die tak er afgebroken is. Als hij er weer over begint dan moeten we – nou, dan moeten we maar vrolijke gezichten trekken.'

'Ja, goed', had Mary geantwoord.

Maar ze had zich niet vrolijk gevoeld, toen ze naar de boom keek. Half in twijfel, half ongelovig had ze zich afgevraagd of dat andere wat Dickon toen gezegd had, heus waar kon zijn. Hij was verlegen doorgegaan in zijn roestrode haarbos te graaien, maar er was toch iets van troost en uitkomst in zijn blauwe ogen gekomen.

'Mevrouw Craven was een hele lieve mevrouw', was hij enigszins aarzelend voortgegaan, 'en moeke denkt dat ze misschien nog dikwijls op Misselthwaite is en daar over Colin waakt, zoals alle moeders die niet meer op aarde zijn. Ze kunnen niet anders, zie je. Misschien is zij wel in de tuin geweest en heeft ons aan het werk gezet en gemaakt dat we hem hierheen brachten.'

Mary had gedacht dat hij iets van tovenarij bedoelde, waar ze onwrikbaar in geloofde. In haar hart was ze ervan overtuigd, dat Dickon tovenarij uitoefende – van het goede soort natuurlijk – op alles en iedereen waar hij mee in aanraking kwam, en dat daarom de mensen zoveel van hem hielden en de dieren wisten, dat hij hun

160

vriend was. 't Leek haar zelfs best mogelijk, dat het zijn gave was geweest, die precies op het goede ogenblik, toen Colin die moeilijke vraag deed, het roodborstje had doen verschijnen. Ze geloofde ook dat zijn toverkracht de hele middag werkzaam was geweest en dat daardoor Colin zo heel anders was dan anders. Het leek haast onmogelijk, dat dit die razende jongen was, die geschreeuwd en om zich heen geslagen en in zijn kussen gebeten had. Zelfs dat wasbleke van hem leek al te veranderen. Het lichte blosje dat, zodra hij in de tuin was, zijn gezicht gekleurd had, was niet meer verdwenen, en hij zag er nu heus uit of hij van vlees en bloed in plaats van ivoor of was gemaakt was.

Ze zagen het roodborstje tot twee of drie keer toe voedsel aan zijn wijfje brengen, en dat deed hun zo'n trek krijgen, dat Colin tegen Mary zei: 'Ga jij nu even naar huis en zeg, dat een van de knechts onze hele theeboel in een mand bij het rododendronbosje zet, dan kunnen jij en Dickon hem hier halen.'

Het was een goed idee, dat vlot ten uitvoer werd gebracht, en toen Mary het witte servet op het gras had uitgespreid en thee en toost en gevulde koeken had rondgedeeld, was het drietal werkelijk volmaakt gelukkig. Een paar vogels, die net aan het boodschappen doen waren, streken neer om eens te kijken wat er aan de hand was en kregen ruim hun aandeel in de kruimels. Noot en Dop schoten met stukken cake een boom in en Roet zocht een rustig hoekje op met een hele gevulde koek, die hij herhaaldelijk ondersteboven gooide en met zijn snavel bewerkte, waarna hij er enige schorre opmerkingen over ten beste gaf, en toen maar besloot hem in een paar grote happen op te slokken.

De middag was bijna om. De gouden stralen van de dalende zon vielen schuiner door de boomtakken, de bijen gingen naar huis en de vogels begonnen minder heen en weer te vliegen. Dickon en Mary zaten in het gras, de picknickmand was weer ingepakt en stond klaar om te worden meegenomen en Colin lag in zijn kussens, zijn warrige lokken achterover gestreken en met een gezicht, dat bijna een natuurlijke kleur had.

'Kwam er maar nooit een eind aan deze middag', zei hij. 'Maar morgen kom ik weer, hoor, en overmorgen, en over-overmorgen en alle dagen.'

'Wat zul je dan een frisse lucht krijgen', zei Mary.

'En of', antwoordde hij. 'Nu ik de lente heb gezien, wil ik de zomer ook niet missen. Ik wil alles hier zien groeien en zelf wil ik ook groeien.'

'Bravo', zei Dickon. 'Over een poosje loop je hier rond en werk je in de tuin net als wij.'

Colin werd vuurrood. 'Lopen!' zei hij. 'In de tuin werken! Ik?'

Dickon keek hem eens aan. Noch hij noch Mary hadden ooit durven vragen of er eigenlijk iets aan zijn benen mankeerde.

'Natuurlijk! Waarom niet?' zei hij resoluut. 'Je hebt toch net zo goed benen als een ander!'

Mary vond het een angstig ogenblik en was blij, toen ze Colins antwoord hoorde.

'Dat is wel zo, maar ze zijn zo mager en zwak. Ze trillen zo, dat ik er niet op durf te gaan staan.'

Mary en Dickon haalden verlicht adem.

'Zodra je niet bang meer bent, zul je erop kunnen staan', verzekerde Dickon optimistisch. 'En je zult eens zien, hoe gauw je niet bang meer bent.'

'Denk je?' zei Colin, en lag peinzend voor zich uit te kijken.

Een tijdlang zaten ze zwijgend en rustig bij elkaar. De zon zonk dieper weg, het was het uur waarop de hele natuur tot rust komt. Ze hadden een drukke, veelbewogen middag achter de rug; Colin lag heerlijk in zijn stoel te rusten. Zelfs de dieren liepen niet meer heen en weer, maar hadden dicht bij de kinderen een lekker plaatsje uitgezocht. Roet zat op een lage tak met één opgetrokken poot en zijn ogen slaperig halfdicht. Mary verwachtte ieder ogenblik dat hij zou beginnen te snurken.

Te midden van die stilte was het een hele schrik toen Colin plotseling zijn hoofd ophief en angstig fluisterde: 'Wat is dat voor een man?'

Dickon en Mary krabbelden haastig overeind.

'Man?' riepen ze allebei zacht.

Colin wees naar de hoge muur.

'Daar!' fluisterde hij opgewonden. 'Kijk, daar!' Mary en Dickon draaiden zich om en keken. Ze zagen het verontwaardigde gezicht van Ben Weatherstaff, dat hen van een ladder over de muur

162

woedend aankeek. Hij hief zelfs dreigend zijn vuist tegen Mary op. 'Als ik geen ongetrouwd man was en jij d'r een van mij', riep hij, 'dan zou ik je een pak slaag geven!'

Hij kwam nog een sport hoger, alsof hij van plan was pardoes naar beneden te springen om haar onderhanden te nemen, maar toen ze naar hem toeliep scheen hij zich te bedenken en bleef van bovenaf zijn vuist tegen haar schudden.

'Ik heb nooit veel met je op gehad!' riep hij haar toe. 'Ik kon je direct al niet zetten. Zo'n mager scharminkel, dat maar met een zuur gezicht overal d'r neus in steekt en me het hemd van 't lijf vraagt. Ik heb zelf nooit begrepen, hoe ik me zo door je kon laten inpalmen. Als het roodborstje, dat verwenste dier, er niet geweest was…!'

'Ben Weatherstaff', riep Mary, zodra ze weer een woord kon uitbrengen. Ze stond vlak onder hem en kon haast niet uit haar woorden komen. 'Ben Weatherstaff, het roodborstje heeft me de weg gewezen!'

Toen leek het heus of Ben over de muur wilde klauteren, zó razend werd hij.

'Kwaje meid!' riep hij driftig. 'De schuld op dat stomme dier te gooien, ook al is hij er brutaal genoeg voor! Hij jou de weg gewezen! Hij! Brutale kleine heks', en ze zag dat hij ondanks zijn kwaadheid eigenlijk brandde van nieuwsgierigheid, 'hoe ter wereld ben je in die tuin gekomen?'

''t Is tòch waar, dat het roodborstje me de weg heeft gewezen', hield ze koppig vol. 'Hij wist het zelf natuurlijk niet, maar hij heeft het toch gedaan. En ik vertel het je lekker niet, als je zo kwaad bent.'

Juist op dat ogenblik liet hij zijn arm zakken en staarde met open mond over haar heen naar iets dat hij over het gras zag aankomen. Bij het begin van de scheldpartij was Colin zo verbaasd geweest dat hij als met stomheid geslagen was blijven zitten. Maar toen was hij tot zichzelf gekomen en had met een gebiedende wenk tegen Dickon gezegd:

'Rij me daarheen. Rij me tot aan de muur, vlak voor hem.'

En dit was het, dat Ben Weatherstaff zag gebeuren en waar zijn mond van openviel. Een rolstoel met weelderige kussens en dekens, die als een soort staatsiekoets op hem afkwam en waarin een jonge radja gezeten was, die hem met grote, zwartgewimperde ogen hooghartig aankeek en een magere witte hand bevelend naar hem uitstrekte. Het gezelschap hield vlak voor zijn neus stil. Het was werkelijk geen wonder dat zijn mond openviel van verbazing.

'Weet je wie ik ben?' vroeg de radja.

Wat stond Ben Weatherstaff te kijken! Zijn rood-omrande ogen knipperden alsof hij een geest zag. Hij keek en keek en slikte een brok in zijn keel weg en kon geen woord uitbrengen.

'Weet je wie ik ben?' vroeg Colin nog gebiedender. 'Vooruit, geef antwoord!'

De oude man streek zich met zijn knokige hand over zijn ogen en over zijn voorhoofd en antwoordde toen met een vreemde, beverige stem.

'Wie jij bent?' zei hij. 'Zou ik dat niet weten, terwijl je moeders ogen me uit je gezicht aankijken? De hemel mag weten hoe je hier gekomen bent, maar je bent die arme gebrekkige stumper.'

Colin vergat dat hij ooit een rug gehad had. Hij werd vuurrood en schokte overeind.

'Ik ben niet gebrekkig!' riep hij woedend. 'Niets van aan!'

'Niets van aan!' riep ook Mary in heilige verontwaardiging tegen de muur op. 'Hij heeft een kaarsrechte rug, ik heb hem helemaal bekeken!'

Ben Weatherstaff streek nog eens met zijn hand over zijn voorhoofd en keek en keek alsof hij nooit genoeg kon kijken. Zijn hand beefde en zijn lippen beefden en zijn stem beefde. Hij was maar een domme oude man en een tactloze oude man en hij wist niets anders dan wat hij altijd had horen vertellen.

'Heb je... heb je dan geen kromme rug?' vroeg hij hees.

'Néé!' schreeuwde Colin.

'En... en... ook geen kromme benen?' stotterde Ben nog heser.

Nu werd het Colin te machtig. De kracht, die hij gewoonlijk voor zijn driftbuien gebruikte, vond nu een andere uitweg. Niemand had hem ooit, zelfs fluisterend, van kromme benen durven praten, en het feit dat zoiets gewoon maar verondersteld werd, was meer dan een radja kon dulden. Zijn woede en gekwetste trots deden hem voor een ogenblik alles vergeten en gaven hem ongekende, bijna bovennatuurlijke kracht.

'Kom hier!' riep hij Dickon toe, terwijl hij zelf al begon het dek van

zijn benen los te rukken. 'Kom hier! Vooruit! Ogenblikkelijk!'
Dickon stond in dezelfde seconde naast hem. Mary hield haar adem
in en voelde dat ze bleek werd.
'Hij kan het! Hij kan het! Hij kan het!' prevelde ze in zichzelf. Er
was een ogenblik van heftig, ingespannen bewegen. De dekens
werden op de grond gesmeten. Met behulp van Dickon krabbelde
Colin overeind, de dunne benen hingen uit de stoel, de smalle voeten
raakten het gras. En Colin stond kaarsrecht – kaarsrecht en
verrassend lang, met opgeheven hoofd en fonkelende ogen.
'Kijk maar!' riep hij Ben Weatherstaff toe. 'Kijk maar! Zie je het
nu?'
'Hij is net zo recht als ik!' riep Dickon. 'Net zo recht als alle andere
Yorkshirese jongens!'
Wat Ben Weatherstaff toen deed vond Mary onbeschrijflijk gek. Hij
slikte en hapte naar lucht en plotseling rolden er dikke tranen langs
zijn verweerde, rimpelige wangen en sloeg hij zijn oude handen in
elkaar.
'Dan hebben ze allegaar leugens verteld!' barstte hij uit. 'Je bent zo
mager als een lat en zo wit als een geest, maar zo recht als een jonge
boom. D'r zal nog eens een man uit je groeien. God zegen je!'
Dickon hield Colins arm stevig vast, maar de jongen wankelde niet.
Hij stond fier rechtop en keek Ben Weatherstaff pal in zijn gezicht.
'Als mijn vader er niet is, heb ik het hier voor het zeggen', zei hij. 'Je
hebt mij te gehoorzamen. Deze tuin is van mij. Heb het hart niet er
een woord over te zeggen! Ga van die ladder af en naar het pad
terug, dan zal Mary je wijzen hoe je hier kunt komen. Ik moet je
spreken. Het spijt me dat je ons gezien hebt, maar nu moeten we je
wel in vertrouwen nemen. Vooruit, vlug een beetje!'
Ben Weatherstaffs grimmige oude gezicht was nog nat van die
onverklaarbare tranenvloed. Het leek wel of hij zijn ogen niet van
de magere, rechte Colin kon afhouden, die met opgeheven hoofd
onder de muur stond.
'Kereltje, kereltje', fluisterde hij. Me kereltje dan toch!' En toen,
plotseling tot zichzelf komend, tikte hij op tuinmansmanier aan zijn
pet en zei: 'Jawel, jongeheer, zeker jongeheer!' en verdween
gehoorzaam van de ladder.

22 Toen de zon onderging

Zodra zijn hoofd achter de muur verdwenen was, keerde Colin zich naar Mary.

'Ga hem gauw tegemoet', zei hij, en Mary vloog over het gras naar de deur onder de klimop.

Dickon hield Colin scherp in de gaten. Er waren vuurrode plekken op zijn wangen, maar er was geen sprake van vallen.

'Ik kan staan', zei hij, nog steeds met opgeheven hoofd en op trotse toon.

'Dat heb ik je wel gezegd! Ik wist wel dat je zou kunnen staan, als je maar niet bang meer was. En dat ben je nu niet meer.'

'Nee, dat ben ik niet meer', zei Colin.

Toen schoot hem plotseling iets te binnen wat Mary had gezegd.

'Doe jij soms aan toveren?' vroeg hij argwanend.

Dickon begon te lachen.

'Je hebt zelf getoverd', zei hij. ''t Is dezelfde toverkracht die al deze dingen uit de grond laat komen', en hij raakte met zijn grove laars een pol krokussen in het gras aan.

Colin keek naar de gele bloemen. 'Ja', zei hij peinzend, 'grotere toverkracht bestaat er eigenlijk niet.'

Hij richtte zich nog rechter op dan tevoren.

'Ik ga naar die bomen toe lopen', zei hij, op een stam wijzend die een eindje van hem af stond. 'Ik wil staan als die Weatherstaff komt, en als ik moe ben kan ik tegen de boom leunen. Straks zal ik wel weer gaan zitten, maar niet voor hij er is. Haal eens een plaid uit de stoel.'

Hij liep stap voor stap naar de stoel, en hoewel Dickon zijn arm vasthield, ging het prachtig. Toen hij bij de boom stond was het niet al te zichtbaar dat hij ertegen leunde, en hij stond zo kaarsrecht dat hij bepaald lang leek.

Toen Ben Weatherstaff door de deur in de muur binnenkwam zag hij hem staan en hoorde hij Mary binnensmonds iets prevelen.

'Wat vertel je daar?' vroeg hij korzelig, want hij wilde niet dat zijn aandacht van de lange, magere, rechte jongensgestalte en het trotse gezicht werd afgeleid.

Maar dat ging hem niet aan, vond ze. Wat ze zei was: 'Je kunt het wel, je kunt het wel! Ik heb het je gezegd, je kunt het wel, je kunt het wel, je kunt het!'

Ze zei het tegen Colin als een soort toverformule, omdat ze hem staande wilde houden. Ze wilde niet, dat hij het voor Bens ogen zou afleggen. Maar dat gebeurde niet. Plotseling drong het tot haar door dat hij eigenlijk mooi was, ondanks zijn magerheid. Hij richtte zijn ogen op Ben Weatherstaff met die typische, gebiedende uitdrukking, die Mary nu al van hem kende.

'Bekijk me nu maar', beval hij. 'Bekijk me maar van alle kanten. Heb ik een bochel? Heb ik kromme benen?'

Ben Weatherstaff was zijn aandoening nog niet helemaal meester, maar toch kon hij weer nagenoeg gewoon antwoorden.

'Nee, jongeheer', zei hij. "t Lijkt er niet naar! Maar waar heb je al die tijd gezeten, waarom heb je je schuil gehouden en de mensen laten geloven, dat je mismaakt en niet goed wijs was?'

'Niet goed wijs!' zei Colin beledigd. 'Wie hebben dat durven beweren?'

'Een hoop gekken', zei Ben. 'De wereld is vol ezels, jongeheer, die de hele dag leugens balken. Maar waarom zat je toch altijd zo opgesloten?'

'Iedereen dacht dat ik dood zou gaan', zei Colin kortaf. 'Maar dat ben ik niet van plan!'

En hij zei het zo beslist, dat Ben Weatherstaff hem weer van onder tot boven en van boven tot onder moest bekijken.

'Jij doodgaan!' zei hij met ingehouden vreugde. "t Lijkt er niet naar! Daar heb je te veel pit voor. Toen ik je daarnet zo gauw je benen op de grond zag zetten, toen dacht ik 'die komt er wel!' Ga nou maar eens op die deken zitten, jongeheer, en geef me je orders.'

Er lag een eigenaardige mengeling van knorrige tederheid en schrander begrip in zijn houding. Mary had hem, toen ze het pad afliepen, zo goed mogelijk op de hoogte gebracht, en hem vooral duidelijk gemaakt dat Colin beter moest worden, helemaal beter. De tuin zou daarbij helpen. Over bochels en doodgaan mocht niet meer worden gesproken.

De radja verwaardigde zich op de plaid onder de boom plaats te nemen.

'Wat voor werk doe je in de tuinen, Weatherstaff?' informeerde hij.

'Alles wat me wordt opgedragen', antwoordde de oude Ben. 'Ze houden me hier als een gunst, omdat zij nogal met me op had.'
'Wie – zij?' vroeg Colin.
'Je moeder', antwoordde Ben Weatherstaff.
'Mijn moeder?' zei Colin, om zich heen ziend. 'Dit was haar tuin, is het niet?'
'Dat was het!' en ook Ben keek om zich heen. 'Ze was d'r gek op.'
'Nu is het mijn tuin. Ik ben er ook gek op. Ik ben van plan hier iedere dag te komen', kondigde Colin aan. 'Maar het moet een geheim blijven. Mijn orders zijn, dat niemand mag weten dat we hier komen. Dickon en mijn nichtje hebben hier gewerkt en alles weer levend gemaakt. Jij moet ook zo nu en dan een handje helpen, maar je mag alleen komen als niemand het ziet.'
Een olijk lachje glunderde over Ben Weatherstaffs oude rimpel-gezicht. 'Ik ben hier wel geweest zonder dat iemand het zag', zei hij.
'Wat!' riep Colin uit. 'Wanneer dan?'
'De laatste keer zal zowat twee jaar geleden zijn', vertelde hij, zijn stoppelkin wrijvend.
'Maar er is hier toch tien jaar lang niemand geweest!' riep Colin. 'Er was niet eens een deur!'
'Ik ben niemand', zei de oude Ben droogjes, 'en ik ben ook niet door de deur gekomen, maar over de muur. De afgelopen twee jaar kon ik het door de rimmetiek niet meer klaarspelen.'
'Dan ben jíj aan het snoeien geweest!' riep Dickon uit. 'Ik begreep al niet hoe dat gebeurd kon zijn!'
'Ach, ze was d'r toch zo gek op, zo stapelgek', zei Ben Weatherstaff hoofdschuddend, 'en ze was zo'n lief jong ding. 'Ben', zei ze eens tegen me, 'als ik ooit ziek word of wegga, dan moet jij voor m'n rozen zorgen, hoor.' Toen ze was heengegaan, kwam het bevel dat niemand ooit weer in de tuin mocht komen. Maar ik ging toch', vertelde Ben met brommerige eigenzinnigheid. 'Ik klom over de muur – tot 't niet meer gíng van de rimmetiek, en ik knapte eens per jaar de boel een beetje op. Zij had haar order 't eerst gegeven.'
''t Zou er hier niet zo hebben uitgezien, als je dat niet had gedaan', zei Dickon. 'Ik begreep het al niet.'
'Ik ben blij dat je het gedaan hebt, Weatherstaff', zei Colin. 'Jij zult ons geheim wel bewaren.'

'Daar kun je op rekenen, jongeheer', antwoordde Ben, 'en het zal voor een ouwe man met rimmetiek wèl zo makkelijk zijn door de deur te komen.'

In het gras onder de boom lag Mary's troffel. Colin strekte zijn hand uit en nam hem op. Met een eigenaardige uitdrukking op zijn gezicht begon hij in de grond te krabben. Hij had niet veel kracht in zijn magere hand, maar terwijl ze allemaal naar hem keken – Mary met ingehouden adem – duwde hij de troffel een eind de grond in en wierp wat aarde op.

'Je kunt het wel! Je kunt het wel!' zei Mary weer in zichzelf.

Dickons ronde ogen waren vol gretige aandacht, maar hij zei geen woord. Ben Weatherstaff keek nieuwsgierig toe.

Colin hield vol. Toen hij een paar scheppen aarde had omgespit, zei hij opgetogen tegen Dickon in zijn beste Yorkshire's:

'Jij zei da'k hier zou leer'n loop'n net als andere jongs en da'k ook zou leer'n spitt'n. Ik dacht, da'je me maar wat wiesmaakte om me plezier te doen. Maar dit's de eerste dag en ik heb al loop'n, en nou ben'k an't spitt'n.'

Ben Weatherstaffs mond ging weer open toen hij hem zo hoorde praten, maar hij moest er erg om lachen.

'Nou jongeheer', zei hij, 'je bent me 'n mooie, hoor. Een echt jongske uit Yorkshire. Zoals jij daar an't spitt'n ben! Zou je nie' ook wat will'n plant'n? Wat zou je zegg'n van een roos?'

'Ga er een halen!' riep Colin opgewonden. 'Gauw! Gauw!'

Oude Ben liep wat hij lopen kon en vergat zijn hele 'rimmetiek'. Dickon pakte zijn schop en maakte het gat dieper en wijder dan voor een onbedreven tuinman met zwakke handen mogelijk was. Mary glipte naar buiten om een gieter te halen. Toen Dickon het gat had uitgediept, ging Colin voort met de rulle aarde om te spitten. Rood en warm van de voor hem ongewone inspanning keek hij op naar de hemel.

'Ik wil hem erin hebben voor de zon helemaal onder is', zei hij.

Mary dacht dat de zon misschien wel expres een paar minuten zou wachten. Ben Weatherstaff kwam terug met een roos in een pot die hij uit de kas gehaald had. Hij strompelde over het gras zo vlug hij maar kon. De opwinding had ook hem aangestoken. Hij knielde bij het gat en klopte de roos uit de pot.

'Hier, kereltje', zei hij, Colin de plant aanreikend. 'Zet hem maar zelf in de grond, net als de koning die een eerste steen legt.'

De magere witte handen beefden een beetje en Colins blos werd dieper, toen hij de roos in het kuiltje zette en rechthield, en Ben de aarde stevig aandrukte. Mary lag op haar handen en knieën toe te kijken. Roet was van zijn tak gekomen en kwam erbij staan om te zien wat er gebeurde. Noot en Dop bekakelden het geval in een kerseboom.

'Hij zit erin', zei Colin eindelijk, 'en de zon verdwijnt net over de rand. Help me eens op, Dickon. Ik wil staan als hij helemaal weggaat. Dat hoort bij de tovenarij.'

En Dickon hielp hem, en de tovenarij – of wat het ook wezen mocht – gaf hem zoveel kracht, dat toen de zon wegzonk en een eind aan die heerlijke, onvergetelijke middag maakte, Colin op zijn beide benen stond, en lachte.

23 Toverkracht

Dokter Craven had al enige tijd zitten wachten toen de kinderen eindelijk thuiskwamen. Hij had er al ernstig over gedacht of hij toch maar niet iemand uit zou sturen om naar hen te zoeken. Toen Colin weer naar zijn kamer gedragen was, keek de arme man hem bezorgd aan.

'Je had beter niet zo lang kunnen uitblijven', zei hij. 'Je moet niet te hard van stapel lopen.'

'Ik ben helemaal niet moe', zei Colin. "t Heeft me juist goed gedaan. Morgen ga ik twee keer naar buiten, 's morgens en 's middags.'

'Ik weet niet of ik dat wel kan toestaan', zei dokter Craven bedenkelijk. 'Het lijkt me bepaald niet verstandig.'

'Het lijkt mij niet verstandig het te willen beletten', zei Colin effen. 'Want ik ga toch.'

Zelfs Mary had als een van Colins grootste eigenaardigheden

opgemerkt, dat hij totaal niet besefte hoe onbeschoft en onaangenaam hij kon zijn met zijn commanderen. Hij had zijn hele leven op een soort eiland geleefd en daar een onbeperkt gezag uitgeoefend zonder ooit in de gelegenheid te zijn geweest zich met anderen te vergelijken. Mary zelf was eigenlijk net zo geweest, maar sinds ze op Misselthwaite woonde was ze langzamerhand gaan inzien dat haar eigen optreden niet normaal was en door anderen niet gewaardeerd werd. Deze ontdekking vond ze belangrijk genoeg om haar aan Colin mede te delen. Nadat de dokter vertrokken was zat ze hem een paar minuten onderzoekend aan te kijken in de hoop, dat hij haar zou vragen waarom ze dat deed. Dat gebeurde prompt.

'Waarom zit je me zo aan te kijken?' zei hij.

'Ik zat te denken, dat ik eigenlijk met dokter Craven te doen heb.'

'Ik ook', zei Colin kalm, niet zonder een zeker leedvermaak. 'Nu ik niet dood ga is zijn kans op Misselthwaite verkeken.'

'Dat vind ik natuurlijk ook wel zielig voor hem', zei Mary, 'maar ik bedoelde eigenlijk dat het onverdraaglijk voor hem moet zijn geweest tien jaar lang beleefd te zijn tegen een jongen die altijd even onhebbelijk was. Ik zou het nooit gedaan hebben.'

'Ben ik dan onhebbelijk?' informeerde Colin, niet in het minst van zijn stuk gebracht.

'Als je zijn eigen zoontje was geweest en hij een ander soort man', zei Mary, 'zou hij je zo nu en dan een flinke draai om je oren hebben gegeven.'

'Dat durft hij niet', zei Colin.

'Nee, juist, dat durft hij niet', antwoordde Mary 'wil-niet', de zaak onpartijdig bekijkend. 'Niemand heeft ooit iets durven doen wat jou niet aanstond, omdat je dood zou gaan en al dat moois meer. Je was immers zo'n stumperdje.'

'Maar ik ben geen stumperd meer', protesteerde Colin. 'Ik wil niet meer, dat de mensen dat denken. Ik heb vanmiddag op mijn benen gestaan.'

'Je hebt altijd je zin gekregen en daar ben je zo eigenaardig van geworden', vervolgde Mary, hardop denkend.

Colin keek beledigd. 'Ben ik dan eigenaardig?' vroeg hij.

'Ja', antwoordde Mary, 'erg eigenaardig. Maar daar hoef je niet boos om te worden', ging ze eerlijk voort, 'want ik ben het zelf ook, en

Ben Weatherstaff ook. Maar ik ben niet zo eigenaardig meer als voordat ik een paar mensen lief ging vinden en voordat ik de tuin gevonden had.'

'Ik wil niet eigenaardig zijn', zei Colin, 'dat moet veranderen,' en hij fronste vastberaden zijn wenkbrauwen.

Hij was een zeer trotse jongen. Hij lag een poosje na te denken en toen zag Mary de prettige glimlach weer verschijnen, die zijn hele gezicht veranderde.

'Als ik maar iedere dag naar de tuin ga, word ik hoe langer hoe minder eigenaardig', zei hij. 'In die tuin zit toverkracht, Mary, goede toverkracht. Dat geloof ik vast.'

'Ja', zei Mary, 'dat geloof ik ook.'

'En zelfs als het geen echte toverkracht is', zei Colin, 'kunnen we toch doen alsof! Want iets is er... iets!'

'Toverkracht', zei Mary, 'maar geen zwarte. Sneeuwwitte.'

Ze bleven het altijd toverkracht noemen, en daar leek het ook op in de maanden, die nu volgden – die heerlijke, stralende, wonderbaarlijke maanden. O! Wat er niet alles in de tuin gebeurde! Als je zelf geen tuin hebt, kun je het eigenlijk niet begrijpen en als je er wel een hebt, weet je dat er een heel boek nodig zou zijn om alles te beschrijven. Eerst leek het wel of er nooit een eind zou komen aan alle groene dingetjes die uit de aarde, uit het gras, uit de bloemperken en zelfs uit de spleten van de muur te voorschijn kwamen. Toen begonnen de groene dingetjes knoppen te krijgen en de knoppen begonnen open te gaan en kleurtjes te vertonen, alle kleuren blauw, alle tinten paars, alle schakeringen van rood, geel en oranje. In gelukkiger tijden hadden tot in de verste en kleinste hoekjes bloemen gestaan. Ben Weatherstaff was erbij geweest en had zelfs kalk tussen de stenen van de muur weggekrabd en de gaatjes met aarde aangevuld om er klimplanten te laten groeien. Irissen en witte leliën schoten bij bossen in het gras omhoog, en de groene priëlen vulden zich met ongelooflijke hoeveelheden riddersporen, campanula's en vingerhoedskruid die hun spitse bloemtrossen als lansen opstaken.

'Ach, wat was ze daar gek op', zei Ben Weatherstaff. 'Ze mocht ze zo graag omdat ze altijd naar de blauwe hemel wezen, zei ze altijd. Niet dat ze d'r zo een was die op de aarde neerkeek – o, jee, nee. Ze hield er veel van, maar ze zei dat de blauwe lucht haar blij maakte.'

Het zaad dat Dickon en Mary gezaaid hadden, groeide alsof er feeën voor zorgden. Satijnige papavers in alle kleuren wiegelden bij tientallen op de wind en daagden in vrolijke overmoed andere bloemen uit, die al jaren in de tuin gestaan hadden en niet begrepen waar die nieuwelingen ineens vandaan waren gekomen. En de rozen – de rozen! Oprijzend uit het gras, de oude zonnewijzer omstrengelend, zich windend om de stammen van de bomen en van de takken neerhangend, tegen de muren opklimmend en ze met lange, feestelijke guirlandes bedekkend, wonnen ze iedere dag, ieder uur aan groei- en bloeikracht. Fijne, tere blaadjes eerst, en later knoppen, zwellende, betoverende knoppen, eindelijk barstend en openbloeiend tot bloemen, die hun zoete geur in de tuin verspreidden. Colin zag het allemaal gebeuren en merkte iedere verandering op. Hij werd elke morgen naar buiten gebracht en bracht ieder uur van iedere dag, als het niet regende, in de tuin door. Zelfs zonloze dagen vond hij prettig. Dan lag hij in het gras, om zoals hij zei, 'de dingen te zien groeien'. Als je maar lang genoeg keek, beweerde hij, kon je de knopjes zien opengaan. Je maakte ook met allerlei wonderlijke, bedrijvige insekten kennis, die voor onbekende, maar blijkbaar dringende boodschappen op stap waren, soms kleine snippertjes stro, veertjes of voedsel aansleepten, en soms in grashalmen klommen, alsof het bomen waren van waaruit men het land ver in de omtrek kon verkennen. Hij was een hele ochtend verdiept in het volgen van een mol, die aan het eind van zijn gang een hoop aarde had opgeworpen en zich eindelijk met zijn langnagelige pootjes, die wel elfenhandjes leken, naar buiten had gewerkt. Mieregewoonten, torregewoonten, bijegewoonten, kikvorsgewoonten, vogelgewoonten en plantegewoonten deden nieuwe werelden voor hem opengaan, en toen Dickon hem alles uitlegde en ook nog van vossegewoonten, ottergewoonten, frettegewoonten, eekhoorngewoonten en waterrat- en dassegewoonten vertelde, kwam er geen eind aan de dingen waarover ze konden praten en denken.

En dit was nog maar een klein deel van de toverkracht. Het feit dat hij werkelijk op zijn benen had gestaan, was enorm belangrijk voor Colin geweest, en toen Mary hem vertelde van de toverformule die ze had uitgesproken, vond hij dat een prachtig bedenksel. Hij kwam er telkens op terug.

'Natuurlijk bestaat er een massa toverkracht in de wereld', zei hij eens diepzinnig, 'maar de mensen weten niet wat ze ermee doen moeten. Misschien moet je wel beginnen met net zo lang te zeggen dat er prettige dingen gaan gebeuren tot ze ook werkelijk gebeuren. Ik ga het eens proberen.'

De volgende morgen liet hij, zodra ze in de geheime tuin waren, Ben Weatherstaff komen. Ben kwam zo vlug hij maar kon en vond de radja rechtopstaand onder een boom, erg vorstelijk, maar ook met een heel blijde lach op zijn gezicht.

'Goeiemorgen, Ben Weatherstaff', zei hij. 'Ik wilde dat jij en Dickon en Mary op een rij gingen staan, want ik heb jullie iets heel belangrijks te vertellen.'

'Jewel, jongeheer', antwoordde Ben Weatherstaff, aan zijn voorhoofd tikkend.

'Ik ga een wetenschappelijke proef nemen', kondigde de radja aan. 'Als ik groot ben wil ik belangrijke wetenschappelijke ontdekkingen doen en daar is deze proef het begin van.'

'Jewel, jongeheer', zei Ben Weatherstaff, hoewel het voor het eerst van zijn leven was, dat hij iets over belangrijke wetenschappelijke ontdekkingen hoorde.

Het was ook de eerste keer dat Mary ervan hoorde, maar zelfs in dit stadium wist ze al dat Colin, hoe eigenaardig hij ook was, over allerlei moeilijke onderwerpen gelezen had en een grote overtuigingskracht bezat. Als hij zijn hoofd zo oprichtte en je met zijn wonderlijke ogen aankeek, dan was het net of je hem wel moest geloven, zelfs al was hij pas tien – bijna elf – jaar. Op dit ogenblik was hij al héél overtuigend, omdat hij plotseling de bekoring voelde die er in het houden van een redevoering lag.

'De grote wetenschappelijke ontdekkingen die ik van plan ben te doen', hervatte hij, 'staan in verband met de toverkracht. Toverkracht is iets heel belangrijks, waar bijna niemand van afweet, behalve een paar mensen in oude boeken, en Mary een klein beetje omdat ze in India geboren is, waar fakirs zijn. Ik geloof dat Dickon ook iets van toverkracht afweet, maar dat hij misschien zelf niet eens weet, dat hij het weet. Hij betovert dieren en mensen. Ik zou hem nooit bij me hebben laten komen als hij geen dierenbezweerder

174

was geweest – dus ook een jongensbezweerder, want een jongen is een dier. Ik geloof zeker dat er in alles toverkracht zit, maar wij zijn te dom om er gebruik van te maken, zoals van elektriciteit en paarden en stoom.'

Dit alles klonk zo gewichtig, dat Ben Weatherstaff er helemaal onrustig van werd en zich nauwelijks meer stil kon houden.

'Jewel, jongeheer', zei hij, terwijl hij probeerde netjes in het gelid te blijven staan.

'Toen Mary deze tuin ontdekte, leek alles er morsdood', vervolgde de redenaar. 'Maar toen kwam er iets dat de dingen uit de grond dreef en dat dingen uit het niets toverde. De ene dag waren die dingen er nog niet en de volgende dag waren ze er wel. Ik had nooit eerder zulke dingen gezien en ik ben er erg nieuwsgierig door geworden. Wetenschapsmensen zijn altijd nieuwsgierig en ik word later een wetenschapsmens. Ik vraag mezelf aldoor af: 'Wat is het? Wat is het?' Het is natuurlijk iets. Het kan niet niets zijn! Ik weet niet hoe het heet, dus ik noem het maar toverkracht. Ik heb nog nooit de zon zien opgaan, maar Mary en Dickon wel, en naar wat ze mij verteld hebben is dat ook toverkracht. Iets duwt en trekt die zon naar boven. Soms, als ik hier tussen de bomen door naar de lucht kijk, voel ik me zo wonderlijk blij, net alsof er iets in mijn borst duwt en trekt en mij snel doet ademhalen. Toverkracht duwt en trekt en maakt allerlei dingen uit niets. Alles is door toverkracht ontstaan, bladeren en bomen, bloemen en vogels, dassen en vossen, eekhoorns en mensen. Het moet dus overal om ons heen zijn. In deze tuin – overal. De toverkracht in deze tuin heeft me laten opstaan en me laten weten dat ik zal blijven leven. De wetenschappelijke proef, die ik nu ga nemen is, dat ik zal proberen wat van die kracht te krijgen en in mezelf te brengen, zodat ze me voortdrijft en me sterk maakt. Ik weet niet goed hoe ik het moet doen, maar ik denk dat als je er maar steeds aan denkt en erom vraagt, ze misschien wel zal komen. Dat is misschien de eenvoudigste manier om mee te beginnen. Toen ik die eerste keer probeerde op te staan, heeft Mary aldoor in zichzelf gezegd, zo gauw ze maar kon: 'Je kunt het, je kunt het!' en toen ging het. Ik moest zelf natuurlijk ook mijn best doen, maar haar toverkracht heeft mij geholpen, en die van Dickon ook. En nu ga ik iedere morgen en iedere avond en zo vaak ik er overdag maar aan denk, zeggen: 'Ik heb toverkracht in me! De toverkracht zal mij beter maken! Ik word net zo sterk als Dickon, net zo sterk als Dickon!' En jullie moeten het allemaal ook doen. Dat is mijn wetenschappelijke proef. Wil je mij helpen, Ben Weatherstaff?'

'Zeker, jongeheer, zeker, zeker!' zei Ben Weatherstaff.

'Als je het trouw volhoudt, net zo geregeld als soldaten die exerceren, dan zullen we wel zien wat er gebeurt, en of de proef slaagt. Als je iets wilt leren moet je het ook telkens herhalen en er zo lang aan denken tot je het niet meer vergeten kunt en ik denk dat het met toverkracht net zo zal gaan. Als je die maar voortdurend aanroept om je te helpen, dan zal ze eindelijk wel een stukje van jezelf worden en de dingen doen, die je graag wilt.'

'Ik heb in India eens een officier aan mijn moeder horen vertellen dat fakirs dezelfde woorden wel duizendmaal herhalen', zei Mary.

'En ik heb de vrouw van Jem Fettleworth ook wel duizendmaal hetzelfde horen zeggen: dat Jem een smerige dronkelap was', grinnikte Ben Weatherstaff. 'Daar kwam ook altijd wat van, da's een feit. Hij sloeg haar bont en blauw en ging dan naar de 'Rode Leeuw' waar hij stomdronken vandaan kwam!'

Colin fronste zijn wenkbrauwen en moest even nadenken voor hij daar raad mee wist.

'Nou', zei hij, 'je ziet toch dat er wat van kwam. Ze heeft de verkeerde toverkracht gebruikt en daardoor is hij haar gaan slaan. Als ze de goede gebruikt en wat aardigs tegen hem gezegd had, zou hij misschien niet naar de 'Rode Leeuw' zijn gegaan. Wie weet had hij dan wel – eh – een nieuwe hoed voor haar gekocht.'

Ben Weatherstaff gniffelde en er kwam een uitdrukking van schalkse bewondering in zijn kleine oude oogjes.

'Behalve gezonde benen heb je ook een gezond verstand, jongeheer Colin', zei hij. 'Als ik Bess Fettleworth weer eens zie, zal ik haar de toverkracht eens aanraden. Ze zou best in haar schik zijn als het met die geleerdheid eens lukte, en Jem niet minder!'

Dickon had naar de toespraak staan luisteren en zijn ronde ogen straalden. Noot en Dop zaten op zijn schouders en hij had een wit konijn met lange oren in zijn arm, dat hij zachtjes aaide, zodat het zijn oren van puur genot in zijn nek legde.

'Denk jij dat de proef zal lukken?' vroeg Colin, nieuwsgierig aan

Dickon. Hij was dikwijls nieuwsgierig waar Dickon aan dacht, als hij hem of een van zijn dieren met die brede, vrolijke lach aankeek. Ook nu lachte hij weer en zijn lach was nog breder dan anders.

'Dat geloof ik zeker', antwoordde hij. 'Het zal net zoiets zijn als zaad waar de zon op schijnt. Natuurlijk lukt het. Zullen we meteen beginnen?'

Colin wilde niets liever en ook Mary was enthousiast. Op het idee gebracht door plaatjes van fakirs en gelovigen in geïllustreerde bladen stelde Colin voor allemaal met gekruiste benen onder de boom, die een troonhemel van bloesems vormde, te gaan zitten.

'Dan is het net of we in een soort tempel zitten', zei Colin. 'Ik ben moe en ik wil liever zitten dan staan.'

'Pas op!' zei Dickon, 'je moet niet beginnen met te zeggen, dat je moe bent. Dat kon de toverkracht wel eens tegenwerken.'

Colin keek hem aan – keek in zijn onschuldige, ronde ogen.

'Dat is waar', zei hij nadenkend, 'ik moet enkel aan de toverkracht denken.'

Het was allemaal erg indrukwekkend en geheimzinnig, zoals ze daar in een kring zaten. Ben Weatherstaff had het gevoel dat ze hem op een of andere manier bepraat hadden naar de kerk te gaan. In het algemeen was hij sterk tegen kerkdiensten, maar daar de radja de zaak op touw had gezet, maakte hij geen bezwaar en voelde zich zelfs enigszins gevleid dat hij mocht meedoen. Mary zweefde in een soort roes van verrukking. Dickon hield het konijn nog in zijn arm en misschien gaf hij een geheim bezweringsteken dat niemand opmerkte, want toen hij evenals de anderen met gekruiste benen op de grond zat, kwamen de kraai, de vos, de eekhoorns en het lam langzaam naderbij en zochten allemaal, alsof ze het zelf bedacht hadden, een plaatsje in de kring.

'De dieren zijn er ook bij gekomen', zei Colin ernstig. 'Ze willen ons helpen.'

Wat was het nu prettig om naar Colin te kijken, dacht Mary. Hij hield zijn hoofd fier rechtop en er straalde een wonderlijke glans in zijn ogen. Zoals hij daar stond, in het licht dat door de bloesemtakken viel, had hij iets van een jonge priester.

'We gaan beginnen', zei hij. 'Zullen we ons bovenlijf voor- en achterover buigen, Mary, net of we derwisjen zijn?'

'Daar kan ik niet an meedoen', zei Ben Weatherstaff beslist. 'Ik heb de rimmetiek.'

'De toverkracht zal je wel genezen', zei Colin op priesterlijke toon, 'maar we zullen niet buigen voor het zover is. We zullen alleen maar zingen.'

'Zingen kan ik ook niet', zei Ben Weatherstaff, een tikkeltje kribbig. 'De enige keer dat ik het geprobeerd heb, hebben ze me uit het kerkkoor gezet.'

Niemand lachte. Het was hun allen heilige ernst. Er viel zelfs geen schaduw over Colins gezicht. Hij dacht alleen maar aan de toverkracht.

'Dan zal ik zingen', zei hij. En in een soort vervoering begon hij. 'De zon schijnt – de zon schijnt. Dat is de toverkracht. De bloemen groeien, de wortels werken in de aarde. Dat is de toverkracht. De kracht is in mij – in mij – in mij. Zij is in ons allemaal. Zij is in Ben Weatherstaffs rug. Toverkracht! Toverkracht! Kom ons te hulp!'

Hij zei het heel veel keren, wel geen duizend, maar toch een heleboel keren. Mary was volkomen meegesleept. Ze vond het heel vreemd, maar tegelijkertijd verrukkelijk en ze wou wel dat hij nooit ophield. Ben Weatherstaff verzonk in een soort allerplezierigste droomtoestand. Het zoemen van de bijen in de bloesems versmolt met de eentonig zingende stem en deed hem zachtjes indommelen. Dickon zat met gekruiste benen, het konijn sliep in zijn arm. Zijn ene hand rustte op de rug van het lam. Roet had een van de eekhoorns opzij geduwd en zat dicht tegen zijn meester aan op een van zijn schouders; een grijs vlies zakte over zijn ogen. Eindelijk hield Colin op.

'Nu ga ik de hele tuin door lopen', kondigde hij aan.

Ben Weatherstaffs hoofd was net voorovergezakt en hij hief het met een schok op.

'Je hebt geslapen', zei Colin afkeurend.

'Niks d'r van', mompelde Ben. 'De preek was niet slecht, maar ik mot eruit voor ze met de collecte komen.'

Hij was blijkbaar nog niet goed wakker.

'Je bent niet in de kerk', zei Colin.

'Da' weet 'k best', zei Ben overeind scharrelend. 'Wie zegt dat dan? Ik heb alles gehoord. Je zei, dat er toverkracht in mijn rug zat. De dokter noemt het rimmetiek.'

De radja maakte een plechtig handgebaar.

'Dat was een verkeerde toverkracht', zei hij. 'Je wordt helemaal beter. Nu geef ik je verlof om aan je werk te gaan, maar kom morgen terug.'

'Ik wou je anders wel eens door de tuin zien lopen', bromde Ben. 't Was wel geen onvriendelijk gebrom, maar brommerig klonk het toch. Hij was nu eenmaal een eigenwijze oude baas en zijn vertrouwen in de toverkracht was niet onbegrensd. Hij had dus al voor zichzelf uitgemaakt, dat als ze hem wegstuurden hij op zijn ladder zou klimmen om over de muur te loeren, zodat hij bij de hand zou zijn als Colin mocht struikelen of vallen.

De radja stond hem echter genadiglijk toe te blijven en dus stelde de processie zich op. 't Had werkelijk iets van een processie. Colin ging voorop, met Dickon aan zijn ene kant en Mary aan de andere. Ben Weatherstaff strompelde achter hen aan en ook de dieren liepen mee; het lammetje en het vosje volgden Dickon op de hielen, het witte konijn knabbelde nu en dan eens aan een struikje en Roet was de laatste in de rij, met de ernst van iemand die een zware verantwoordelijkheid draagt.

Het was een processie die langzaam, doch met waardigheid voortschreed. Om de paar meter stonden ze stil om even te rusten. Colin steunde op Dickons arm en Ben Weatherstaff hield tersluiks een oogje in het zeil, maar zo nu en dan liet Colin zijn steun los en deed een paar stappen alleen. Hij hield voortdurend zijn hoofd rechtop en zag er bepaald vorstelijk uit.

'De toverkracht is in mij', zei hij voortdurend. 'De toverkracht maakt mij sterk! Ik voel het al! Ik voel het al!'

't Was heel duidelijk dat iets hem steunde en ophief. Hij ging even op de bankjes in de priëlen zitten en een paar maal een ogenblik in het gras, en nu en dan stond hij stil en leunde op Dickon, maar hij dacht niet aan opgeven voor hij de hele tuin rond was geweest. Toen hij weer onder zijn troonhemel was aangeland had hij rode wangen van inspanning en riep triomfantelijk: 'Ik heb het toch klaargespeeld! De toverkracht heeft gewerkt! Dat is mijn eerste wetenschappelijke ontdekking!'

'Wat zal dokter Craven wel zeggen?' bedacht Mary.

'Die zal niets zeggen', antwoordde Colin, 'omdat hij er niets van te horen krijgt. Dit wordt het aller-allergrootste geheim. Niemand mag er iets van weten tot ik zo sterk geworden ben, dat ik net als andere jongens kan lopen en hollen. Ik blijf hier iedere dag in mijn rolstoel komen en laat mij terugrijden. Ik wil niet dat ze allemaal gaan fluisteren en zich ermee bemoeien en ik wil niet dat mijn vader ervan hoort voor de proefneming helemaal geslaagd is. En dan, als hij weer eens op Misselthwaite komt, stap ik heel gewoon zijn kamer binnen en zeg: 'Hier ben ik; ik ben net als andere jongens. Ik ben helemaal gezond en ik word een sterke man. Dat komt door een wetenschappelijke proefneming.'

'Je vader zal denken, dat hij droomt!' riep Mary. 'Hij zal zijn ogen niet geloven!'

Colin bloosde van trots. Door het vaste vertrouwen in zijn eigen genezing had hij de slag al half gewonnen, al begreep hij dit zelf niet. En wat hem 't sterkst aanspoorde was de gedachte aan zijn vader: hoe die wel zou kijken als hij een zoon voor zich zag staan, even recht en gezond als de zoons van andere vaders. In de sombere, ziekelijke dagen, die achter hem lagen, was een van zijn grootste kwellingen het besef geweest dat hij een zwakke stumper was, wiens vader nauwelijks naar hem durfde te kijken.

'Hij zal ze wel *moeten* geloven', zei hij. 'Een van de dingen die ik ga doen als de toverkracht gewerkt heeft en voordat ik met mijn ontdekkingen begin, is gymnastiek.'

'Welzeker', grinnikte Ben Weatherstaff. 'Straks begin je nog te boksen! Je eindigt nog met de eerste prijs te winnen en kampioen van Engeland te worden!'

Colin keek hem berispend aan.

'Weatherstaff', zei hij, 'dat is oneerbiedig. Zulke vrijheden mag je je niet veroorloven, zelfs al ben je in het geheim. Al werkt de toverkracht nog zo goed, bokser word ik nooit. Ik word een wetenschappelijk ontdekker.'

'Ik vraag excuus... ik vraag excuus, jongeheer', antwoordde Ben, onderdanig aan zijn voorhoofd tikkend. 'Ik had moeten begrijpen, dat 't geen zaak was om grapjes over te maken', maar zijn oogjes twinkelden en in zijn hart was hij overgelukkig. Wat kon het hem schelen eens op zijn nummer te worden gezet, als dit een bewijs was, dat het kereltje gezond werd naar lichaam en geest.

24 Laat ze maar lachen

De geheime tuin was niet de enige plek waar Dickon werkte. Om het huisje op de hei lag een stukje grond, dat door een lage muur van ruwe stenen was ingesloten. 's Morgens vroeg en 's avonds in de vallende schemering en alle dagen dat Mary en Colin hem niet zagen was Dickon daar bezig aardappelen en kool, knollen, wortelen en kruiden voor zijn moeder te verbouwen. In gezelschap van zijn dieren verrichtte hij daar ware wonderen en hij scheen er nooit genoeg van te krijgen. Terwijl hij spitte of wiedde, floot en zong hij Yorkshirese liedjes of praatte tegen Roet en Kaptein of tegen de broertjes en zusjes, die hij geleerd had een handje te helpen.

'We zouden er nooit zo goed komen', zei vrouw Sowerby dikwijls, 'als we Dickons tuin niet hadden. Alles doet het bij hem even goed. Zijn aarpels en kolen zijn dubbel zo groot als die bij anderen en ze smaken veel lekkerder.'

Als ze een ogenblikje voor zichzelf had, ging ze graag een praatje bij hem maken. Na het avondeten was het voor Dickon nog een hele poos licht genoeg om te werken en zij had dan een rustig uurtje. Dan kwam ze op het lage muurtje zitten en keek toe en luisterde naar wat hij overdag beleefd had. Ze vond dat een van de gezelligste ogenblikken van de dag. Er stonden niet alleen groenten in de tuin. Dickon had zo nu en dan pakjes bloemzaad gekocht en tussen de bessestruiken en zelfs tussen de kolen kleurige, geurige bloemen gezaaid. Langs de muren kweekte hij reseda en anjers en viooltjes, waarvan hij jaar op jaar het zaad verzamelde, of die ieder voorjaar opnieuw uitliepen en zich steeds meer uitbreidden. Het lage muurtje was een lust om te zien, want Dickon had er varens en oostindische kers en winde tegenop geleid, zodat de stenen nog maar nauwelijks zichtbaar waren.

'Je hoeft alleen maar goeie vrienden met ze te zijn, moeke', zei hij wel eens, 'dan gedijen ze vanzelf. 't Zijn net de dieren. Geef ze te drinken als ze dorst hebben en te eten als ze honger hebben. Ze willen evengoed leven als wij. Als ze doodgingen zou ik 't gevoel hebben, dat ik ze slecht en harteloos behandeld had.'

't Was in die schemeruurtjes dat vrouw Sowerby te horen kreeg wat er allemaal op Huize Misselthwaite gebeurde. Eerst kwam ze alleen te weten dat 'jongeheer Colin' er opeens plezier in had gekregen met Mary naar buiten te gaan en dat 't hem goed deed. Maar het duurde niet lang of de twee kinderen hadden het goed gevonden dat Dickons moeder in vertrouwen werd genomen. Ze twijfelden er geen ogenblik aan dat het geheim bij haar veilig was. Op een mooie, rustige avond vertelde Dickon dus het hele verhaal, met alle opwindende bijzonderheden van de begraven sleutel en het roodborstje en het grauwe waas waardoor alles dood had geleken en het geheim dat Mary eerst aan niemand had willen vertellen. Dickons komst en hoe zij het hem gezegd had, de twijfel aan jongeheer Colin en als hoogtepunt diens kennismaking met het verborgen domein, samengaand met het voorval van Ben Weatherstaffs kwade gezicht boven de muur en Colins plotselinge majesteitelijke kracht – dit alles deed moekes vriendelijke gezicht meermalen van kleur verschieten.

'Lieve hemel!' zei ze, 'wat een zegen dat dat kleine ding op het Huis gekomen is. 't Heeft hàar goed gedaan en 't is zíjn redding geweest. Dus hij heeft werkelijk gestaan en gelopen! En wij die altijd dachten, dat 't een arme, halfwijze stumper was met geen recht bot in zijn lichaam!'

Ze stelde allerlei vragen en haar blauwe ogen waren vol begrijpende aandacht.

'Wat denken ze er op het Huis van, dat hij nu opeens zo vrolijk is en niet meer klaagt?' vroeg ze.

'Ze weten niet wat ze ervan moeten denken', antwoordde Dickon. 'Zijn gezicht verandert met de dag. 't Wordt ronder en is lang niet meer zo spits en die bleke kleur verdwijnt. Maar dat klagen moet hij nog een beetje volhouden.'

'Waarom, in 's hemelsnaam?' vroeg moeke.

Dickon grinnikte. 'Dat doet-ie om ze niet te laten merken wat er gebeurt. Als de dokter erachter kwam, dat hij kan staan en lopen, zou hij het aan meneer Craven schrijven en jongeheer Colin wil hem juist zelf verrassen. Hij wil alle dagen de toverkracht op zijn benen laten werken tot zijn vader thuiskomt en dan is hij van plan naar zijn kamer te gaan en hem te laten zien dat hij net zo recht is als

andere jongens: Maar hij en Mary vonden het 't beste maar een beetje te blijven kermen en kreunen om ze voor de mal te houden.'
Moeke zat al te schudden van het lachen nog voor hij was uitgesproken.

'Nou!' zei ze, 'je hoeft niet te vragen of dat span plezier heeft. Een mooie komedie zal dat daar zijn, en er is niets waar kinderen zo verzot op zijn als komediespelen. Vertel me eens hoe ze het aanleggen, jongen!'

Dickon hield op met wieden en bleef op zijn hurken zitten om het verhaal in kleuren en geuren te vertellen. Zijn ogen twinkelden van de pret.

'Nou... jongeheer Colin wordt iedere keer als-ie uitgaat naar zijn rolstoel gedragen, en dan gaat-ie flink te keer tegen John, de huisknecht, omdat-ie 'm niet voorzichtig genoeg draagt. Hij doet zijn best er zo zielig mogelijk uit te zien, net of-ie zijn hoofd niet rechtop kan houden, tot we uit het gezicht van het huis zijn. Als ze 'm in zijn stoel zetten doet hij niks als kermen en jammeren. Hij en Mary doen het er gewoon om en als hij zucht en klaagt zegt zij: 'Arme Colin! Heb je weer zo'n pijn? Ben je dan zo vreselijk zwak?' Maar 't nare is, dat ze 't soms haast uitproesten van het lachen. Als we goed en wel in de tuin zijn kunnen ze gewoon niet ophouden met lachen en moeten hun gezicht in jongeheer Colins kussens stoppen om te zorgen dat de tuinlui het niet horen, als die soms in de buurt zijn.'

'Hoe meer ze lachen, hoe beter 't voor hen is!' zei moeke, die zelf ook haast niet kon ophouden. 'Zo'n flinke lachbui is beter dan een doos vol pillen. Dat stel wordt nog eens rond en dik!'

'Ze zijn al bezig', zei Dickon. 'Ze hebben zo'n honger, dat ze niet weten hoe ze genoeg te eten moeten krijgen zonder opzien te verwekken. Jongeheer Colin zegt, dat ze niet meer zullen geloven dat hem iets mankeert, als-ie telkens om meer eten vraagt. Mary zegt dat-ie haar portie wel mag opeten, maar hij zegt dat zij dan weer mager wordt en ze moeten juist allebei tegelijk dik worden.'

Moeke moest zo onbedaarlijk lachen toen ze van deze moeilijkheden hoorde, dat ze in haar blauwe jakje zat te schudden en Dickon lachte met haar mee.

'Ik zal je eens wat zeggen, jongen', zei ze, toen ze weer spreken kon.

'Ik heb iets bedacht om ze te helpen. Als jij 's morgens naar ze toegaat dan neem je een kan lekkere verse melk mee en ik zal een knapperig brood voor ze bakken, of wat van die kleintjes met krenten die jullie zo lekker vinden. Niks is zo gezond als verse melk en brood. Dan kunnen ze hun ergste honger in de tuin stillen en dienen de lekkere kostjes die ze thuis krijgen om de holletjes te vullen.'

'Dat is een reuze-idee, moeke!' zei Dickon vol bewondering. 'U weet toch ook overal raad op. Ze zaten er gisteren echt mee in. Ze wisten niet hoe ze 't moesten klaarspelen zonder om meer eten te vragen, ze hadden zo'n hol gevoel!'

'Ja, dat gaat zo. 't Zijn twee jonge lichamen, die hard groeien en die allebei met de dag gezonder worden. Zulke kinderen eten als jonge wolven, en voedsel is vlees en bloed voor hen', zei Moeke. Toen lachte ze met Dickons aanstekelijke lach. 'Wat zullen ze genieten.'

Ze had het goed ingezien, die goedhartige, begrijpende moeke. Mary en Colin genoten, en niet het minst om de dagelijkse komedie. Het waren de verbaasde verpleegster en later dokter Craven zelf geweest die hen zonder het te willen op het idee van deze misleiding hadden gebracht.

'Je eetlust wordt veel beter, Colin', had de zuster een keer gezegd. 'Eerst at je ongeveer niets en waren er allerlei dingen die je niet verdroeg.'

'Ik verdraag tegenwoordig alles', antwoordde Colin, maar toen de zuster hem onderzoekend aankeek, bedacht hij dat hij misschien beter nog niet al te gezond kon lijken. 'Dat wil zeggen, ik verdraag méér dan vroeger. Dat komt van de frisse lucht.'

"t Is mogelijk', zei de zuster, hem nog steeds argwanend aankijkend, 'ik zal het er eens met dokter Craven over hebben.'

'Wat stond ze je aan te kijken!' zei Mary toen ze de kamer uit was. 'Net of ze dacht, dat er wat achter stak.'

'Ze mag er vooral niet achter komen', zei Colin. 'Voorlopig mag niemand er iets van weten.'

Toen dokter Craven diezelfde ochtend kwam, wist die blijkbaar ook niet goed hoe hij het had. Tot Colins ergernis begon hij allerlei vragen te stellen.

'Je bent zo dikwijls in de tuin, waar ga je eigenlijk heen?' begon hij.

Colin nam zijn geliefkoosde houding van hooghartige onverschilligheid aan.

'Dat gaat niemand wat aan', antwoordde hij. 'Ik ga naar een plekje waar ik het prettig vind. Iedereen heeft bevel mij uit de weg te blijven. Ik houd er niet van te worden aangegaapt, dat weet u toch!'

'Enfin, 't schijnt je geen kwaad te doen – die indruk heb ik tenminste. De zuster zegt dat je veel beter eet dan een poos geleden.'

'Misschien', zei Colin, die opeens een inval kreeg, 'misschien is het een onnatuurlijke honger.'

'Ik zou het niet denken', zei dokter Craven. 'Je eten schijnt je goed te bekomen. Je wordt merkbaar dikker en je tint is ook beter.'

'Misschien..., kan het niet zijn dat ik opgeblazen en koortsig ben?' vroeg Colin met een mistroostig gezicht. 'Mensen die binnenkort zullen sterven zijn dikwijls anders dan gewoon.'

Dokter Craven schudde zijn hoofd. Hij voelde Colins pols, stroopte zijn mouw op en betastte zijn arm.

'Er is geen sprake van dat je koortsig bent', zei hij nadenkend, 'en dit is gezond, stevig vlees. Als dat zo doorgaat, jongen, praten we nooit meer over doodgaan. Het zal je vader genoegen doen van deze opmerkelijke verbetering te horen.'

'Maar ik wil niet dat u hem schrijft!' riep Colin heftig. "t Zal alleen maar een teleurstelling voor hem zijn als ik weer achteruitga, en dat kan ieder ogenblik gebeuren! Ik kan vanavond wel hoge koorts krijgen. Om u de waarheid te zeggen voel ik me nu alweer niet zo goed. U mag niet aan vader schrijven – u mag niet – u mag niet! U maakt me boos en u weet hoe slecht dat voor me is. Ik word alweer helemaal gloeierig. Ik vind het net zo naar als er over mij geschreven en gepraat wordt, als dat ik word aangegaapt!'

'Tssj, tssj, jongetje, wind je niet zo op', zei dokter Craven kalmerend. 'Ik zal niets schrijven zonder jouw instemming. Je maakt je veel te druk. Op die manier wordt alles wat we bereikt hebben weer bedorven.'

Hij kwam niet meer op het schrijven aan Colins vader terug en waarschuwde de zuster, toen hij met haar alleen was, dit onderwerp niet met de patiënt aan te roeren.

'De jongen is stukken beter', zei hij. 'Zijn vooruitgang is bijna abnormaal. Maar natuurlijk, nu doet hij vrijwillig wat wij nooit van hem gedaan hebben kunnen krijgen. Jammer dat hij nog zo onevenwichtig is. U moet vooral niets zeggen dat hem kan irriteren.'

Mary en Colin waren nogal geschrokken en overlegden wat hun te doen stond. Zo ontstond het plan om komedie te spelen.

'Misschien is het nodig dat ik nog eens een aanval krijg', zei Colin spijtig. 'Ik wil het veel liever niet en ik ben lang niet akelig genoeg om een erge op touw te zetten. Misschien lukt het wel helemaal niet. Dat brok in mijn keel is er tegenwoordig nooit meer en ik denk aldoor aan prettige dingen in plaats van aan nare. Maar als ze van plan zijn aan vader te gaan schrijven dan moet er toch wel iets gebeuren.'

Hij nam zich voor minder te gaan eten, maar het bleek helaas niet mogelijk, dat fraaie idee ten uitvoer te brengen nu hij iedere morgen met een indrukwekkende eetlust wakker werd en er op het tafeltje naast zijn divan een ontbijt klaar stond van knappende broodjes en verse boter, zachtgekookte eitjes, frambozen en romige melk. Mary kwam altijd bij hem ontbijten en als ze dan tegenover elkaar zaten en de gebakken ham zo verleidelijk rook, keken ze elkaar wanhopig aan.

'Ik denk dat we vanmorgen maar alles moesten opeten, Mary', eindigde Colin dan meestal met te zeggen. 'Van de lunch en het avondeten zullen we dan wat laten staan.'

Maar het kwam er altijd op neer dat ze niets lieten staan, en over de schoongelikte borden die in de keuken terugkwamen, werden daar de nodige opmerkingen gemaakt.

'Ik wou maar dat die plakken ham wat dikker waren', zei Colin wel eens, 'en wat zijn nu twee broodjes voor ons elk?'

"t Is genoeg voor iemand die op sterven ligt', antwoordde Mary, 'maar niet voor iemand die van plan is te blijven leven. Ik zou er wel vier op kunnen als ik die lekkere lucht van de hei zo door het raam ruik.'

De ochtend dat Dickon – nadat ze een uur of twee in de tuin hadden gespeeld – achter een heesterbosje verdween en met een tinnen kan en iets in een geruite doek te voorschijn kwam, de eerste vol verse melk met een dikke laag room erop, en de andere vol eigengebakken krentebroodjes, zó goed ingepakt dat ze nog warm waren, ging er een luid gejuich op. Wat een kostelijk idee van moeke! Wat lief om zoiets te bedenken! Wat waren die krentebroodjes lekker! En wat een heerlijke verse melk!

'Ze heeft ook toverkracht, net als Dickon', zei Colin. 'Daarom bedenkt ze zulke leuke dingen. Zeg haar dat we haar dankbaar zijn, Dickon, hoogst dankbaar.'

Hij was dikwijls geneigd grote-mensenwoorden te gebruiken. Deze bevielen hem zo goed, dat hij ze nog mooier maakte.

'Zeg haar dat we haar attentie buitengewoon op prijs stellen.'

Maar prompt daarop was hij zijn plechtigheid vergeten en viel op de broodjes aan en dronk grote slokken melk uit de kan als een echt gewoon, hongerig jongetje dat buiten gespeeld heeft en zijn ontbijt allang vergeten is.

Dit was het begin van een hele reeks prettige dingen. Ze kwamen uit eigen beweging op de gedachte dat Dickons moeder veertien monden te vullen had en wel eens niet genoeg kon hebben voor twee hongerige magen per dag erbij. Ze vroegen haar dus of ze Dickon wat van hun zakgeld mochten meegeven om allerlei dingen voor te kopen.

Dickon had de verrukkelijke ontdekking gedaan, dat in het park buiten de tuin, waar Mary hem voor 't eerst tegen zijn dieren had horen fluiten, een diep kuiltje was waarin je van stenen een soort oventje kon bouwen om aardappelen in te poffen en eieren te bakken. De aldus bereide eieren waren een ongekende weelde en gloeiend hete aardappelen met zout en een klontje boter een koninklijk gerecht, dat bovendien heerlijk voedzaam was. Aardappelen en eieren kon je net zoveel kopen en eten als je wou, zonder het gevoel te hebben veertien mensen het eten uit de mond te halen.

Iedere zonnige morgen opnieuw werd door de kring van bondgenoten de toverkracht aangeroepen onder de pruimeboom, die, nu de korte bloeitijd voorbij was, een troonhemel van groene bladeren vormde. Na de plechtigheid ondernam Colin altijd zijn wandeltocht en ook verder, gedurende de dag, oefende hij telkens zijn nieuw gewonnen krachten. Hij werd met de dag sterker en leerde steeds grotere afstanden aan één stuk afleggen. En elke dag werd zijn vertrouwen in de toverkracht groter. Naarmate hij zijn kracht voelde toenemen, deed hij telkens opnieuw oefeningen en op een keer kwam Dickon met iets prachtigs.

'Gisteren moest ik voor moeke naar het dorp', vertelde hij, nadat de kinderen hem een dag gemist hadden, 'en bij de 'Rode Leeuw' heb ik Bob Haworth ontmoet. Hij is de sterkste vent uit de hele buurt; hij is kampioen-worstelaar en hij kan hoger springen en verder speerwerpen dan alle anderen. Verleden jaar is-ie helemaal naar Schotland geweest om aan wedstrijden mee te doen. Hij kent me al van toen ik in de wieg lag en hij is altijd erg aardig, dus ik dacht: ik zal hem eens wat vragen. Ik zeg: 'Bob, hoe ben je toch aan zulke sterke spieren gekomen? Heb je iets bijzonders gedaan om zo sterk te worden?' 'Ja zeker, ventje, dat heb ik', zegt hij. 'Een sterke man uit een kermistroep heeft me gewezen hoe ik mijn armen en benen en elke spier van mijn lichaam moest oefenen.' En ik zeg: 'zou een zwakke jongen zich daar sterker mee kunnen maken, Bob?' en hij begint te lachen en zegt: 'Ben jij soms die zwakke jongen?' en ik zeg: 'Nee, maar ik ken een jongen die een hele tijd ziek is geweest en ik zou hem zo graag een paar van die trucjes leren.' Ik heb geen namen genoemd en hij vroeg er ook niet naar. Zoals ik zei is-ie erg aardig en hij heeft me allerlei dingen voorgedaan en ik heb ze net zo lang nagedaan tot ik ze uit mijn hoofd kende.'

Colin had ademloos geluisterd.

'Kun je ze mij leren?' riep hij. 'Wil je dat?'

'Ja, natuurlijk', antwoordde Dickon, opstaande. 'Maar hij zei dat je voorzichtig moest beginnen en niet te lang achter elkaar, want dat je anders te moe werd. Telkens even rusten, zei-d-ie en dan diep adem halen. Maar vooral kalmpjes aan!'

'Ik zal oppassen', zei Colin. 'Maar begin nu, toe, ik ben zo benieuwd. Dickon, je bent een echte tovenaar!'

Dickon deed nu midden op het grasveld een reeks eenvoudige maar doelmatige spieroefeningen. Colin zat met opengesperde ogen toe te kijken. Enkele ervan kon hij zittend nadoen en daarna deed hij er heel voorzichtig een paar op zijn al heel wat sterker geworden benen. Mary deed mee. Roet, die de vertoning aanzag, fladderde van zijn tak naar beneden en trippelde onrustig heen en weer, omdat hij niet kon meedoen.

Van dat ogenblik af vormden de oefeningen een deel van het dagelijkse programma, net als de toverkracht. Colin en Mary konden ze steeds langer volhouden en het resultaat ervan was een dergelijke eetlust, dat ze zich zonder de mand die Dickon iedere morgen achter de struiken neerzette, geen raad zouden hebben geweten. Maar het oventje, de kuil en moeke Sowerby's goede gaven voorzagen zó goed in de behoeften, dat juffrouw Medlock en de zuster en dokter Craven er weer niets van begrepen. Je kunt gemakkelijk op je ontbijt kieskauwen en net doen of je middageten je niet smaakt, als je vol zit met eieren, aardappelen en schuimende verse melk en havermoutkoekjes en krentebroodjes en heidehoning! 'Ze eten vrijwel niets', zei de zuster. 'Ze moesten van honger omkomen met dat ongelukkige beetje en toch zien ze er zo goed uit! Ik kan er geen touw aan vastknopen.'

'Goed uit!' riep juffrouw Medlock verontwaardigd. 'O, ik erger me dood aan die kinderen! 't Zijn me een paar mooie exemplaren! De ene dag barsten ze uit hun kleren en de volgende dag trekken ze hun neus op voor de lekkerste kostjes, die Marie voor hen klaarmaakt. Gisteren hebben ze dat heerlijke gebraden kippetje niet eens aangeraakt, en 't goeie mens had een hele nieuwe pudding expres voor hen bedacht. Maar jawel, ze kreeg hem net zo in de keuken terug. Ze was helemaal overstuur. Ze is bang dat zij er de schuld van krijgt als ze doodgaan van de honger.'

Dokter Craven kwam en keek Colin lang en verwonderd aan. Hij trok een gezicht of hij er niets van begreep, toen de zuster hem van een en ander op de hoogte bracht en hem het bijna onaangeroerde ontbijt liet zien, en met diezelfde uitdrukking op zijn gezicht ging hij naast Colins divan zitten en onderzocht hem. Hij was veertien dagen voor zaken naar Londen geweest en had de jongen dus al die tijd niet gezien. Als kinderen gezond beginnen te worden gaat dat dikwijls verrassend snel. De wasbleke kleur was van Colins gezicht verdwenen; het had nu een warme, rozige tint, zijn mooie ogen stonden helder, de kringen er omheen waren weg en zijn wangen en slapen waren veel gevulder geworden. Zijn eens zo sluike, donkere haar zag er veel gezonder en veerkrachtiger uit. Zijn lippen waren voller en hadden een normale kleur. Als dit een chronisch zieke moest voorstellen, kon de uitbeelding nauwelijks geslaagd worden genoemd. Met zijn hand onder zijn kin zat dokter Craven hem peinzend aan te kijken.

'Het spijt me te horen, dat je weer zo slecht eet', begon hij. 'Dat gaat zo niet, jongen. Op die manier raak je weer kwijt wat je gewonnen

hebt, en je hebt verbazend gewonnen. Een poosje geleden at je juist
zo goed.'
'Ik heb u toch gezegd, dat het geen natuurlijke honger was',
antwoordde Colin.
Mary zat op haar krukje naast de divan en maakte plotseling een
snorkend geluid, dat ze met zoveel geweld trachtte te onderdrukken
dat ze er bijna in stikte.
'Wat scheelt eraan?' vroeg de dokter, zich naar haar omwendend.
'O, niets', zei ze met een strak gezicht. 'Iets tussen een nies en een
hoest, dat in mijn keel schoot.'
'Ik kon me gewoon niet goedhouden', zei ze later tegen Colin. 'Ik
moest ineens aan die dikke aardappel denken, die je gisteren opat en
aan die wijdopen mond van je, toen je in dat broodje met jam hapte.'
'Kunnen de kinderen soms op een of andere manier in het geheim
aan voedsel komen?' informeerde dokter Craven bij juffrouw
Medlock.
'Onmogelijk, behalve als ze het uit de grond graven of van de bomen
plukken', antwoordde de huishoudster. 'Ze zijn de hele dag op het
terrein en zien niemand anders dan elkaar. En als ze iets anders
zouden willen eten dan wat hun wordt bovengebracht hebben ze
hun mond maar open te doen.'
'Enfin', zei dokter Craven, 'zolang ze zonder te eten gedijen hoeven
we ons niet ongerust te maken. De jongen is onherkenbaar.'
'Het meisje ook', zei juffrouw Medlock. 'Ze ziet er bepaald lief uit nu
ze wat gevulder is geworden en niet meer zo zwart kijkt. Ze heeft
mooi haar gekregen en frisse wangen. 't Was eerst toch zo'n naar,
sjagrijnig kind, en nu lachen en dollen die twee soms samen of ze
niet goed wijs zijn. Misschien worden ze daar wel dik van.'
'Misschien wel', zei dokter Craven. 'Laat ze maar lachen.'

25 Het gordijn

En de geheime tuin groeide en bloeide, en iedere morgen waren er nieuwe wonderen. In het nestje van het roodborstje lagen eieren; het wijfje zat erop en hield ze warm met haar zachte verenborstje en beschermende vlerkjes. Eerst was ze erg angstig, en het roodborstje zelf vijandig in zijn waakzaamheid. Zelfs Dickon ging die eerste dagen niet naar het dichtbegroeide hoekje toe, maar wachtte tot hij door een of andere geheimzinnige, kalmerende invloed aan de beide vogelzieltjes scheen te hebben meegedeeld, dat er in de tuin niets was, dat niet voelde als zijzelf; niets, dat het wonder niet besefte dat hun overkwam; niets, dat de ontzaglijke, tedere, hartbrekende schoonheid en ernst van 'eieren' niet begreep. Als er ook maar één wezen in de tuin was geweest, dat niet in het diepst van zijn of haar ziel geweten had, dat wanneer er een 'ei' zou worden weggenomen of beschadigd, de hele wereld zou vergaan, als er maar één was geweest die dat niet voelde en ernaar handelde, dan zou er zelfs in die gouden lentetijd geen geluk hebben bestaan. Maar ze wisten en voelden het allemaal en het roodborstjespaar wist, dat zij het wisten. In 't eerst hield het roodborstje Mary en Colin wantrouwend in het oog. Om een of andere geheimzinnige reden wist hij, dat hij zich over Dickon geen zorgen hoefde te maken. Van het eerste ogenblik af dat hij zijn heldere donkere oogjes op Dickon gericht had, had hij begrepen dat dit geen vreemdeling was, maar een soort vogel zonder veren of snavel. Hij sprak de roodborstjestaal, die met geen enkele andere taal te verwarren is. Met een roodborstje in zijn eigen taal spreken is net of je Frans met een Fransman spreekt. Dickon sprak altijd zo tegen het roodborstje, en daarom deed het er ook niets toe dat hij tegen de mensen altijd zo raar brabbelde. Het roodborstje dacht dat hij dat deed omdat de mensen te dom waren om de gevederde taal te verstaan. Ook Dickons bewegingen waren vogelbewegingen. Hij maakte je nooit aan het schrikken door plotseling iets te doen dat gevaar of dreiging kon betekenen. Ieder roodborstje zou zich met Dickon op zijn gemak voelen, dus zijn tegenwoordigheid stoorde hen niet.

Maar in het begin scheen het wel nodig voor die beide anderen op je hoede te wezen. In de eerste plaats kwam dat jongensdier niet op zijn poten de tuin in. Hij werd erin geschoven in een ding op wieltjes, en hij had wilde-dierenhuiden over zich heen. Dat was op zichzelf al verdacht. En verder, als hij overeind kwam en begon te lopen, deed hij dat op zo'n rare, ongewone manier; en de anderen schenen hem te moeten helpen. Het roodborstje verschool zich dan meestal in het struikgewas en zat het ongerust aan te zien, zijn kopje nu eens scheef naar de ene, dan naar de andere kant. Hij dacht eigenlijk dat die langzame bewegingen wel eens het voorspel van een onverwachte sprong konden zijn, net als bij een kat. Het roodborstje hield hier een paar dagen lange gesprekken over met zijn wijfje, maar besloot toen er maar over op te houden, daar haar angst zo groot werd dat hij vreesde dat het nadelig voor de eitjes zou zijn.

Toen de jongen alleen begon te lopen en het ook vlugger ging, was dit een pak van zijn hart. Maar toch bleef hij nog lange tijd – tenminste het roodborstje vond het een lange tijd – een bron van wantrouwen. Hij deed toch niet als andere menselijke wezens. Hij leek wel erg graag te wandelen, maar dan ging hij opeens weer zitten of liggen en stond dan op zo'n rare manier op om opnieuw te beginnen.

Op een keer herinnerde het roodborstje zich, dat hij, toen hij zelf had leren vliegen net zo gedaan had. Hij had korte vluchtjes gemaakt van een paar meter en had dan weer moeten uitrusten. Zou die jongen dan soms bezig zijn te leren vliegen, of liever gezegd lopen? Hij deelde deze inval aan zijn vrouwtje mee en toen hij haar vertelde dat de 'eieren' zich waarschijnlijk net zo zouden gaan gedragen, als ze uitgebroed waren, was ze volkomen gerustgesteld en kreeg er zelfs aardigheid in om over de rand van haar nest naar de jongen te kijken, waarbij ze dan altijd dacht dat de 'eieren' veel knapper zouden zijn en het veel vlugger leren. Maar dan zei ze weer vergoelijkend, dat mensen nu eenmaal altijd onhandiger en trager dan 'eieren' waren en de meesten hun leven lang niet schenen te leren vliegen. Je ontmoette ze tenminste nooit in de lucht of boven in de bomen.

Na een poosje begon de jongen net te lopen als de anderen, maar toch deden alle drie de kinderen soms rare dingen. Ze stonden soms onder de bomen en bewogen dan hun armen en benen en hun hoofden op een manier die geen wandelen, geen hardlopen en geen zitten was. Ze herhaalden die bewegingen een paar maal per dag en het roodborstje kon zijn vrouwtje nooit goed verklaren wat ze dan deden of probeerden te doen. Hij kon alleen maar zeggen dat de 'eieren' stellig nooit zo zouden staan wapperen, maar daar de jongen die zo vloeiend de vogeltaal sprak er ook aan meedeed, konden ze veilig vertrouwen, dat die gebaren niet gevaarlijk waren. Natuurlijk had het roodborstjespaar nooit van de kampioen-worstelaar Bob Haworth gehoord en van zijn oefeningen om geweldige spierballen te krijgen. Roodborstjes zijn anders dan mensen, hun spieren worden van het begin af aan geoefend en komen vanzelf tot ontwikkeling. Als je al je voedsel vliegend op moet halen, lopen je spieren geen gevaar bij gebrek aan oefening te verzwakken.

Toen de jongen net als de anderen liep en rondholde en spitte en wiedde, heerste er rust en vrede in het nestje in de hoek. Angst voor de 'eieren' behoorde tot het verleden. Als je wist dat de 'eieren' zo veilig waren als geld bij de bank en je zoveel interessante dingen had om naar te kijken, werd broeden werkelijk een gezellig werk. De moeder van de 'eieren' verveelde zich op regendagen zelfs een beetje omdat de kinderen dan niet kwamen.

Maar Mary en Colin verveelden zich ook op regendagen niet. Op een ochtend toen het regende dat het goot, en Colin een beetje ongedurig werd en op zijn divan moest blijven liggen, omdat het niet veilig was te gaan rondlopen, kreeg Mary een inval.

'Nu ik een echte jongen ben', had Colin gezegd, 'zitten mijn armen en benen en mijn hele lichaam zo vol toverkracht, dat ik ze haast niet stil kan houden. Ze willen aldoor iets te doen hebben. Weet je, Mary, als ik 's morgens wakker word, als 't nog heel vroeg is en de vogels beginnen te fluiten en te zingen en 't net is of alles zingt van vreugde, zelfs de bomen en dingen die we niet echt kunnen horen, dan krijg ik een gevoel dat ik uit mijn bed moet springen om ook te fluiten en te zingen. Maar wat zou er gebeuren, als ik het eens werkelijk deed!'

Mary stikte van het lachen.

'Dan zou de zuster komen aanvliegen, en juffrouw Medlock zou komen aanvliegen en ze zouden denken dat je gek was geworden en de dokter laten halen', zei ze.

Colin moest zelf ook lachen bij de gedachte. Hij zag hun gezichten al, eerst dodelijk verschrikt en dan stomverbaasd omdat hij op zijn benen stond.

'Kwam mijn vader maar thuis', zei hij. 'Ik verlang er zo naar het hem te laten zien. Ik denk er voortdurend aan, want we kunnen toch niet lang meer zo doorgaan. Ik kan al dat stilliggen en komedie-spelen haast niet meer volhouden en bovendien zie ik er nu toch heel anders uit. Hè, ik wou dat het niet regende vandaag.'

Op dat ogenblik kreeg Mary een ingeving.

'Colin', begon ze geheimzinnig, 'weet je wel hoeveel kamers er hier in huis zijn?'

'Misschien wel duizend', zei hij schouderophalend.

'Ongeveer honderd, waar nooit een mens komt', zei Mary. 'Ik ben op een regenachtige dag eens op onderzoek uit geweest. Daar heeft niemand iets van geweten, hoewel juffrouw Medlock me bijna heeft betrapt. Toen ik terugkwam, ben ik de weg kwijtgeraakt en in jouw gang terechtgekomen. Dat was de tweede keer dat ik je hoorde huilen.'

Colin vloog overeind op zijn divan.

'Honderd kamers waar nooit een mens komt', zei hij. ''t Klinkt bijna als een geheime tuin. Kunnen we ze niet eens gaan bekijken? Als jij mijn stoel duwt hoeft niemand te weten waar we heengaan.'

'Dat had ik ook juist gedacht', zei Mary. 'Niemand zou ons achterna durven gaan en er zijn brede gangen waar je kunt lopen. Daar kunnen we dan ook onze oefeningen doen. Er is ergens een Indisch kamertje met een kastje vol ivoren olifantjes. Er zijn alle mogelijke kamers.'

'Bel eens even', verzocht Colin.

Toen de zuster verscheen gaf hij zijn orders.

'Ik wou mijn wagentje hebben', zei hij. 'Mary en ik gaan het ongebruikte gedeelte van het huis bekijken. John moet me tot aan de schilderijengalerij helpen omdat daar een paar trapjes zijn. Dan moet hij weggaan en ik wil hem niet meer zien voor ik hem weer laat roepen.'

Na die morgen vormden ook regendagen geen probleem meer. Toen de huisknecht de rolstoel naar de schilderijengalerij had gereden en het tweetal zoals hem bevolen was alleen had gelaten, keken Colin en Mary elkaar lachend aan. Zodra Mary zich overtuigd had dat John inderdaad naar lagere gewesten was afgedaald, stapte Colin uit zijn stoel.

'Ik ga eerst hard van de ene kant van de galerij naar de andere hollen', zei hij, 'en dan ga ik springen en dan zullen we Bob Haworth zijn oefeningen doen.'

Dat alles gebeurde en nog veel meer. Ze bekeken de schilderijen en vonden samen het stijve kleine meisje weer, in haar jurk van groen brokaat en met de papegaai op haar vinger.

'Dat moet allemaal familie van me zijn', zei Colin. 'Ze zijn natuurlijk allang dood. Die met de papegaai is geloof ik een oud-oud-oud-tante van me. Ze lijkt wel wat op jou, Mary, niet zoals je er nu uitziet, maar toen je pas hier was. Je bent nu heel wat dikker en vrolijker.'

'Jij ook', zei Mary en toen begonnen ze allebei weer te lachen.

Ze gingen naar de Indische kamer en speelden met de olifantjes. Ze vonden het roze damasten boudoir en het gat in het kussen, maar de muizen waren groot geworden en weggelopen en het gat was leeg. Ze zagen nòg meer kamers en deden nòg meer ontdekkingen dan Mary op haar eerste tocht. Ze vonden nieuwe gangen en trapjes en hoekjes en nieuwe oude schilderijen die ze bekeken, en vreemde oude voorwerpen, die ze niet konden thuisbrengen. 't Was een geweldig interessante morgen, en het gevoel dat je door hetzelfde huis doolde waar zoveel andere mensen waren, maar die toch mijlenver van je weg leken, had een zeldzame bekoring.

'Wat leuk dat we dit gedaan hebben', zei Colin. 'Ik heb nooit geweten dat ik in zo'n ontzettend groot, wonderlijk huis woonde. Ik vind het enig. We zullen hier als het regent nog veel vaker gaan ronddwalen, wie weet wat we nog allemaal vinden.'

Die ochtend hadden ze, behalve al het andere, zo'n eetlust opgedaan dat ze, toen ze weer in Colins kamer waren, 't niet over hun hart konden verkrijgen de lunch onaangeroerd terug te sturen.

Toen de zuster met het blad beneden kwam, kwakte ze het op het aanrecht zodat de keukenmeid de schoongelikte borden en schalen zag.

'Kijk nou weer eens!' zei ze. 'Wat is het hier toch een rare boel. Die kinderen zijn nog het raarst van alles.'

'Als ze dat alle dagen zo deden', zei John, de sterke jonge huisknecht, 'zou ik tenminste begrijpen waarom hij twee keer zoveel weegt als een maand geleden. De betrekking wordt bijna te zwaar voor me!' Die middag merkte Mary op, dat er in Colins kamer iets veranderd was. Ze had het de vorige dag ook al gezien, maar niets gezegd omdat ze meende dat het een toeval was. Ook nu zei ze niets, maar keek toch aandachtig naar het schilderij boven de schoorsteenmantel. Dat kon ze doen, omdat het gordijn was weggeschoven. Dat was de verandering die ze had opgemerkt.

'Ik weet wel wat je wilt vragen', zei Colin, toen ze een paar minuten gekeken had. 'Ik weet het altijd als je iets wilt vragen. Je denkt, waarom is dat gordijn nu weg?' Hij wachtte even en zei toen: 'Het blijft voortaan zo.'

'Waarom?' vroeg Mary.

'Omdat ik niet meer boos word, als ik haar zie lachen. Eergisteren ben ik 's nachts wakker geworden bij helder maanlicht en toen was het net of de hele kamer vol toverkracht was. Alles was zo prachtig dat ik niet kon blijven liggen. Ik ben opgestaan en uit het raam gaan kijken. 't Was heel licht in de kamer en er viel een plek maanlicht net op het gordijn en toen moest ik het opeens, of ik wilde of niet, openschuiven. Ze keek op me neer en 't was net of ze lachte, omdat ze zo blij was dat ik daar stond. Dat vond ik zo'n prettig gevoel, dat ik haar nu aldoor zo wil zien lachen. Misschien heeft zij ook wel iets met de toverkracht te maken gehad.'

'Je lijkt tegenwoordig zó op haar', zei Mary, 'dat ik wel eens denk of je haar geest ook kunt zijn, die nu in een jongen zit.'

Die gedachte scheen diepe indruk op Colin te maken. Hij dacht erover na en antwoordde toen aarzelend: 'Als ik haar geest was, zou vader wel van me gaan houden.'

'Wil je graag dat hij van je houdt?' vroeg Mary.

'Ik heb het altijd zo naar gevonden, dat hij niet van me hield. Als hij van me ging houden, zou ik hem alles van de toverkracht vertellen. Misschien zou dat hem wat vrolijker maken.'

26 't Is moeke!'

Hun vertrouwen in de toverkracht bleef onverzwakt. Na het zingen van de toverformule hield Colin soms hele voordrachten over het onderwerp.

'Ik doe het graag', legde hij uit, 'omdat ik later als ik groot ben en wetenschappelijke ontdekkingen ga doen daar ook voordrachten over zal moeten houden. Nu oefen ik me vast een beetje. Ik kan alleen nog niet zo lang achter elkaar spreken, omdat ik nog jong ben en omdat Ben Weatherstaff anders weer denkt dat hij in de kerk zit en in slaap gaat vallen.'

"t Mooiste van zo'n preek is dat een mens net kan zeggen wat-ie wil en niemand hem kan tegenspreken', zei Ben. 'Ik zou d'r waarachtig zelf ook wel eens zin in hebben.'

Maar intussen verslond de oude Ben Colin, die onder zijn boom het woord voerde, met zijn ogen. Met kritische genegenheid zat hij hem op te nemen. 't Was niet zozeer de 'preek' die hem interesseerde, als wel de benen die met de dag steviger werden, het jongenshoofd dat zo fier was opgeheven, het eens zo spitse kinnetje en de holle wangen die rond en gevuld waren geworden en de ogen waaruit een licht straalde, dat hem van een ander ogenpaar nog zo duidelijk voor de geest stond. Soms, als Colin Bens ernstige blik op zich gevestigd voelde, dacht hij wel eens: waar zou hij nu aan denken? en eens, toen hij met grote aandacht naar hem leek te luisteren, kon hij niet laten het hem te vragen.

'Waar zit je zo aan te denken, Ben Weatherstaff?'

'Ik dacht', antwoordde Ben, 'dat je van de week vast wel een pondje of drie was aangekomen. Ik zat naar je kuiten en je schouders te kijken. Ik zou je wel eens op de weegschaal willen hebben.'

'Dat komt van de toverkracht, en – eh – natuurlijk ook van de melk en de broodjes en zo van Dickons moeder', zei Colin. 'Je ziet dat de wetenschappelijke proef geslaagd is.'

Die morgen was Dickon te laat voor de toespraak. Toen hij kwam was hij rood en warm van het harde lopen en straalde zijn glundere snuit nog meer dan anders. Daar er na de regen heel wat te wieden viel, gingen ze gauw aan het werk. Na zo'n zachte regendag was er altijd van alles te doen. Het vocht, dat goed voor de bloemen was, deed ook allerlei onkruid opschieten, dat gauw moest worden uitgetrokken voor de fijne worteltjes zich te vast in de aarde hadden gezet. Colin kon nu even goed en handig wieden als de anderen, en onder de hand verkondigde hij zijn diepzinnigheden.

'De toverkracht werkt het beste als je zelf ook werkt', zei hij die morgen. 'Je kunt het in je botten en je spieren voelen. Later ga ik boeken over botten en spieren lezen, maar ik ga een boek schrijven over toverkracht. Daar loop ik nu aldoor over te denken. Ik ontdek telkens nieuwe dingen om erin te zetten.'

Niet lang nadat hij dit gezegd had, legde hij zijn troffel neer en richtte zich uit zijn gebukte houding op. Hij had een poosje gezwegen en ze dachten dat hij weer over een nieuwe toespraak aan het denken was. Dat gebeurde dikwijls. Toen hij zo plotseling zijn troffel neergooide, hadden Mary en Dickon de indruk dat hij door een nieuwe, verrassende gedachte gegrepen werd. Hij richtte zich in zijn volle lengte op en strekte triomfantelijk zijn beide armen uit. Zijn wangen gloeiden en zijn wonderlijke ogen straalden van geluk. Plotseling was hij iets pas goed gaan beseffen.

'Mary! Dickon!' riep hij uit. 'Kijken jullie eens naar me!'

Ze hielden op met wieden en keken hem aan.

'Weten jullie nog wel die eerste morgen toen jullie me hierheen hebben gebracht?' vroeg hij.

Dickon keek hem doordringend aan. Omdat hij een dierenbezweerder was, zag hij meer dan andere mensen en over veel van die dingen sprak hij met niemand. Nu zag hij ook zoiets aan Colin.

'Jazeker, dat weten we nog best', zei hij.

Ook Mary keek met aandacht, maar zei niets.

'Net op dit ogenblik', zei Colin, 'dacht ik er opeens zelf aan, toen ik naar mijn hand keek die met de troffel bezig was, en ik moest opstaan om te zien of het wel echt waar was. Maar het ís waar! Ik ben beter, helemaal beter!'

'Dat ben je zeker', zei Dickon.

'Ik ben beter! Ik mankeer niets meer!' zei Colin weer en zijn gezicht werd rood tot onder zijn haar.

Hij had het al wel eerder geweten, hij had het gehoopt en gevoeld en erover nagedacht, maar dat ene ogenblik had het besef van de werkelijkheid hem als het ware overstelpt, en hij moest het uiten of hij wilde of niet.

'Ik blijf leven... leven net als andere mensen!' riep hij in vervoering uit. 'Ik ga duizenden en nog eens duizenden dingen ontdekken. Dingen over mensen en dieren en alles wat groeit, net als Dickon, en ik zal altijd de toverkracht blijven oproepen. Ik ben gezond! Ik ben helemaal gezond! Ik zou... ik zou wel heel hard willen schreeuwen, zo blij en zo dankbaar ben ik.'

Ben Weatherstaff, die dicht bij de kinderen aan een rozestruik bezig was, keek over zijn schouder.

'Zing d'r es een lofzang op', deed hij op zijn brommerigste toon aan de hand. Hij had niet veel met psalmen en gezangen op en hij deed het voorstel niet met bijzonder veel eerbied.

Maar Colin bezat een onderzoekende geest en had nog nooit van een lofzang gehoord.

'Wat is dat?' informeerde hij.

'Nou, ik wed dat Dickon er wel een kent', zei Ben Weatherstaff. Dickon antwoordde met zijn alles-aanvoelende dierenbezweerderslachje.

'Ze zingen ze in de kerk. Ik ken er een, waarvan moeke altijd denkt dat de leeuweriken hem ook zingen als ze 's morgens de lucht invliegen.'

'Als ze dat zegt zal het wel een mooi lied zijn', antwoordde Colin. 'Ik ben nog nooit in de kerk geweest; ik was altijd te ziek. Toe, Dickon, zing hem eens, ik zou het zo graag horen.'

Dickon voldeed op de eenvoudigste en natuurlijkste wijze aan het verzoek. Hij begreep beter wat er in Colin omging dan Colin zelf. Hij begreep de dingen zo instinctief, dat hij niet eens wist dat hij ze begreep. Hij nam zijn pet af en keek glimlachend rond.

'Je moet ook je pet afnemen', zei hij tegen Colin, 'en jij ook, Ben, en je moet opstaan, dat weet je toch?'

Colin nam zijn pet af en de zon scheen warm op zijn haar, terwijl hij goed keek wat Dickon zou gaan doen. Ben Weatherstaff scharrelde overeind en ontblootte zijn hoofd met een soort verlegen, halfgeërgerde uitdrukking op zijn oude gezicht, alsof hij niet goed wist waarom hij zoiets mals deed.

Staande tussen de bomen en de rozestruiken begon Dickon heel gewoon en onbevangen met zijn heldere jongensstem te zingen:

> 'Grote God wij loven U
> Heer, o Sterkste aller sterken
> Heel de wereld buigt voor U
> En bewondert Uwe werken.
> Gij die waart te allen tijd
> Blijft Gij ook in eeuwigheid.'

Toen hij zweeg stond Ben Weatherstaff nog doodstil, zijn kaken stijf opeengeklemd, maar met ontroering in zijn op Colin gerichte blik. Colins gezicht drukte ernstige bewondering uit.

"t Is een mooi lied', zei hij, 'erg mooi. Misschien betekent het precies wat ik bedoel als ik hard wil roepen, dat ik zo blij om de toverkracht ben. Of misschien...' vervolgde hij aarzelend, 'ís het wel precies hetzelfde. Hoe weten we eigenlijk of we overal wel de juiste naam van kennen? Zing het nog eens Dickon, en laten wij 't ook eens proberen, Mary. Ik wil 't ook graag zingen. 't Is mijn lied. Hoe begint 't ook weer? Grote God, wij loven U...'

En ze zongen het nog eens, en Mary en Colin zongen zo goed ze konden, en Dickons stem nam helder en fris de leiding, en bij de tweede regel schraapte Ben Weatherstaff zijn keel en bij de derde zong hij zo luid mee, dat het barbaars klonk en toen de laatste tonen verklonken zag Mary dat hij weer net zo raar deed als toen hij ontdekt had dat Colin recht van lijf en leden was; zijn kin trilde en hij knipperde met zijn ogen en zijn verweerde oude wangen waren nat.

'Ik heb vroeger nooit veel in die zingerij gezien', zei hij schor, 'maar misschien kom ik nog eens tot andere gedachten. Jongeheer Colin, je bent van de week geloof ik wel vier pond aangekomen, als 't niet meer is!'

Colin tuurde intussen naar iets aan de andere kant van de tuin dat zijn aandacht getrokken had, en legde plotseling zijn hand op Mary's arm.

'Wie komt daar naar binnen?' zei hij. 'Wie is dat?'

De deur in de klimopmuur was zachtjes opengegaan en er was een vrouw binnengekomen. Ze was bij de laatste regel van hun gezang de deur door gekomen en had stil naar hen staan luisteren en kijken.

Met de donkergroene klimop achter haar, het zonlicht dat door de bladeren zeefde en haar wijde blauwe jak bespikkelde, en haar vrolijke frisse gezicht dat hun vanuit de verte toelachte, leek ze wel op een van die mooie gekleurde platen uit Colins boeken. Ze had wonderbaarlijk lieve ogen, die alles in zich leken op te nemen – hen allemaal, ook Ben Weatherstaff en de dieren en alle bloemen die in bloei stonden. Hoe onverwacht haar komst ook was, toch had geen van allen het gevoel dat ze hier niet hoorde. Dickons ogen straalden als sterren.

''t Is moeke!' riep hij en holde naar haar toe.

Colin stak ook het grasveld over en Mary ging met hem mee; beide kinderen voelden hun hart kloppen.

''t Is moeke', zei Dickon weer toen ze haar bijna bereikt hadden. 'Ik wist dat jullie haar graag wilden zien en daarom heb ik haar verteld waar de deur zat.'

Colin stak met een soort vorstelijke verlegenheid zijn hand uit, maar zijn ogen lieten haar gezicht niet los.

'Zelfs toen ik nog ziek was verlangde ik ernaar u te zien', zei hij. 'U en Dickon en de geheime tuin. Daarvoor had ik nog nooit naar iets of iemand verlangd.'

Zijn opgeheven gezicht bracht een plotselinge verandering op het hare teweeg. Ze bloosde, haar mondhoeken trilden en 't was of haar ogen vochtig werden.

'Ach, lieve jongen!' bracht ze bevend uit. 'Ach, lieve jongen!' alsof ze zelf niet wist wat ze zei. Ze zei niet 'jongeheer Colin', maar gewoon 'lieve jongen'. Ze had 't net zo tegen Dickon kunnen zeggen als ze in diens ogen iets gezien had dat haar ontroerde. Colin werd helemaal warm van binnen.

'Bent u blij dat ik zoveel beter ben?' vroeg hij.

Ze legde haar hand op zijn schouder en lachte de tranen uit haar ogen weg.

'Dat ook', zei ze, 'maar je lijkt zo sprekend op je moeder dat ik er gewoon van schrok.'

'Denkt u', vroeg Colin een beetje verlegen, 'dat mijn vader daar blij om zal zijn?'

'Natuurlijk, lieve jongen', antwoordde ze en klopte hem zachtjes op zijn schouder. 'Je vader moet thuis komen... hoe eerder hoe beter.'

'Suze Sowerby', zei Ben Weatherstaff, die ook naderbij gekomen was, 'wat zeg je van die kerel zijn benen? Twee maanden geleden leken 't wel trommelstokken met kousen erom, en de mensen vertelden dat-ie o- en x-benen tegelijk had, en kijk nou es!'

Suze Sowerby lachte bemoedigend.

'Binnenkort zijn dat een paar flinke, stevige jongensbenen', zei ze. 'Laat hem maar buiten spelen, en in de tuin werken en flink eten en veel melk drinken, dan zullen er – God zij gedankt – geen steviger in heel Yorkshire rondlopen.'

Ze legde haar handen op Mary's schouders en keek haar met moederlijke tevredenheid aan.

'En jij ook!' zei ze. 'Je bent al bijna zo groot als onze Liesbeth. Ik wed dat jij ook op je moeder lijkt. Onze Martha heeft me verteld dat ze zo'n knappe dame geweest is. Jij wordt een bloeiende roos als je volwassen bent, kleintje, God zegen je!'

Ze vertelde er niet bij dat Martha, toen ze op haar uitgaansdag thuiskwam en het onaantrekkelijke, pipse kind beschreef, gezegd had dat ze niets geloofde van wat juffrouw Medlock vertelde. 'Ik geloof nooit dat een mooie moeder zo'n mormel van een kind kan hebben', had ze er nog bijgevoegd.

Mary had wel andere dingen gehad om aan te denken dan haar veranderde uiterlijk. Ze wist alleen dat ze er 'anders' uitzag en veel meer haar scheen te hebben en dat het hard groeide. Maar terugdenkend aan de mooie Mem Sahib, waar ze vroeger zo graag naar gekeken had, vond ze 't toch prettig dat ze er later misschien ook zo uit zou zien.

Suze Sowerby ging de hele tuin met hen rond en moest alle verhalen horen en elke struik en iedere boom bewonderen die weer levend geworden was. Colin liep aan haar ene kant en Mary aan de andere, en beiden keken telkens op naar dat gezellige, blozende gezicht en begrepen maar niet waarom ze hun toch zo'n heerlijk, veilig gevoel gaf. 't Was net of ze hen zonder woorden begreep, zoals Dickon zijn dieren. Ze boog zich over de bloemen en praatte ertegen alsof het kinderen waren. Roet fladderde achter haar aan en zei zo nu en dan 'kra' en ging op haar schouder zitten zoals hij bij Dickon deed. Toen ze haar van het roodborstje vertelden en van de eerste vliegoefeningen van de jongen, had ze een moederlijk vertederd lachje en zei: 'Ik

202

denk dat 't net zoiets is als kleine kinderen die leren lopen, maar ik zou me geen raad geweten hebben als de mijne vleugels in plaats van benen gehad hadden.'

Omdat ze zo'n lief aardig mens was op haar eenvoudige manier, vertelden de kinderen haar op 't laatst ook alles van de toverkracht. 'Gelooft u in toverkracht?' vroeg Colin, nadat hij haar 't een en ander over Indische fakirs verteld had. 'Ik hoop van wel.'

'Zeker geloof ik erin jongen', zei ze. 'Ik heb 't nooit bij die naam genoemd, maar wat maakt een naam uit? Ik wed dat ze er in Frankrijk en Duitsland weer andere woorden voor hebben. Dezelfde kracht, die het zaad doet zwellen en de zon laat schijnen, heeft van jou een gezonde jongen gemaakt, en dat is de Grote, Goede Kracht, die niet, zoals wij domme mensen, aan namen hecht. De Grote, Goede Kracht stoort zich daar niet aan. Die gaat maar door met werelden te maken bij miljoenen, werelden zoals wij zelf zijn. Blijf maar altijd in de Goede Kracht geloven, waar de hele wereld vol van is, en noem ze maar net zoals je wilt. Jullie zongen ervan toen ik de tuin in kwam.'

'Ik was zo blij', zei Colin, zijn mooie, vreemde ogen naar haar opheffend. 'Ik voelde opeens hoe anders ik was geworden, hoe sterk mijn armen en benen waren, en hoe ik kon spitten en lopen, en toen sprong ik op en wilde iets heel hard roepen tegen iedereen die 't maar horen wilde.'

'De toverkracht heeft de lofzang stellig gehoord', verzekerde Dickons moeder. 'Die zou naar alles geluisterd hebben, wat je ook gezongen had, mijn jongen. De blijdschap,... daar ging het om. Ach, jongen, jongen, wat betekenen namen voor de Schepper van alle Vreugde', en weer klopte ze hem zacht en hartelijk op zijn schouder.

Ze had een mand volgepakt, die deze dag een waar feestmaal bevatte, en toen de kinderen honger kregen en Dickon de mand uit haar schuilplaats haalde, gingen ze allemaal met elkaar onder een boom zitten en keek moeke lachend toe, hoe ze hun eten verslonden en ze genoot van hun eetlust. Ze was erg vrolijk en maakte hen aan 't lachen om allerlei malle dingen. Ze vertelde verhalen in plat Yorkshire's en leerde hun nieuwe woorden. Ze lachte onbedaarlijk toen de kinderen haar vertelden hoe moeilijk het werd om nog altijd te doen of Colin een kwijnende zieke was.

'Ziet u, we moeten altijd zo verschrikkelijk lachen', legde Colin uit, 'en dat klinkt helemaal niet ziek. We proberen het in te slikken, maar dat lukt meestal niet en dan komen er zulke rare geluiden uit.'

'Er is iets waar ik dikwijls aan moet denken', zei Mary, 'en als ik daar plotseling aan denk kan ik mijn lachen haast niet houden. Stel je voor dat Colins gezicht nog eens zo rond wordt als de volle maan. 't Is nu nog niet zo ver, maar hij wordt iedere dag een snippertje dikker, en als hij nu een keer werkelijk zo rond is, wat moeten we dan beginnen!'

Dat wordt dan wel een heel moeilijke komedie', zei Suze Sowerby. 'Maar 't zal niet lang meer nodig zijn. Meneer Craven zal wel gauw thuiskomen.'

'Denkt u dat?' vroeg Colin. 'Waarom?'

Dickons moeder lachte voor zich heen.

'Je zou het zeker verschrikkelijk jammer vinden als hij het hoorde voor je het hem op je eigen manier had kunnen vertellen, is het niet?' vroeg ze. 'Je ligt er zeker 's nachts over te denken hoe je het zult doen?'

'Ik zou het vreselijk vinden als iemand anders het hem vertelde', zei Colin. 'Ik maak telkens nieuwe plannetjes. Op het ogenblik denk ik, dat ik gewoon heel hard zijn kamer binnenhol.'

'De goede man zal zich een ongeluk schrikken', zei moeke. 'Ik zou zijn gezicht wel eens willen zien, jongen. Maar hij moet terugkomen, hoe eerder hoe beter!'

Een van de dingen, waar ze ook over praatten, was het bezoek dat de kinderen aan haar huisje zouden brengen. Er werden uitvoerige plannen gemaakt. Ze zouden met het rijtuig komen en buiten op de hei boterhammen eten. Ze zouden alle kinderen behalve Martha te zien krijgen en ook Dickons tuin, en pas naar huis gaan als ze moe waren.

Eindelijk stond Suze Sowerby op om nog even een praatje bij juffrouw Medlock te gaan maken. Het werd ook tijd om Colin naar huis te rijden. Maar voor hij in zijn rolstoel stapte, kwam hij naar moeke toe en keek haar met een soort verlegen aanhankelijkheid aan en greep plotseling een plooi van haar blauwe jak vast.

'U bent net waar ik ... waar ik altijd naar verlangd heb', zei hij, 'ik

wilde maar dat u ook mijn moeder was, net als van Dickon!'
En Suze Sowerby bukte zich en trok hem met haar moederlijke
armen aan haar hart, tegen het blauwe jak – alsof hij een broertje
van Dickon was. Haar ogen werden vochtig.
'Lieve, lieve jongen', zei ze. 'Je eigen moeder is hier in deze tuin, dat
geloof ik vast. Ze zou nergens anders kunnen zijn. Maar je vader
moet terugkomen, hoe eerder hoe beter!'

27 In de tuin

Zolang de wereld bestaat is er geen eeuw geweest, waarin geen
belangrijke ontdekkingen zijn gedaan. In de vorige eeuw zijn
wonderbaarlijker dingen ontdekt dan in alle daaraan voorafgaande.
In onze eeuw zijn nog veel ongelooflijker dingen aan het licht
gebracht. Aanvankelijk weigeren de mensen te geloven dat iets
nieuws en vreemds werkelijk mogelijk is; dan beginnen ze te hopen
dat het mogelijk is, vervolgens zien ze dát het mogelijk is – en
eindelijk gebeurt het en dan begrijpt niemand waarom de mensheid
niet al veel eerder op het idee gekomen is. Een van de dingen, die de
mensen in de vorige eeuw begonnen te ontdekken, is dat van
gedachten – gewoon maar gedachten – evenveel kracht uitgaat als
van een elektrische dynamo; dat ze even heilzaam voor een mens
kunnen zijn als zonlicht, even slecht als vergif. 't Is net zo gevaarlijk
een treurige of een slechte gedachte in je geest toe te laten als een
roodvonkbacil in je lichaam. Als je met zo'n gedachte blijft
rondlopen kun je daar misschien je hele leven de gevolgen van
ondervinden.
Zolang Mary's geest vervuld was geweest van nare gedachten over
alles wat haar niet beviel, van lelijke meningen over andere mensen
en de koppige wil nooit iets prettig en nooit iets de moeite waard te
vinden, bleef ze een bleek, ziekelijk, mokkend en eenzaam kind.
Maar de omstandigheden waren haar welgezind geweest, ook al

besefte ze dat zelf niet. Ze stuwden haar tot haar eigen bestwil voort.

Toen haar geest langzamerhand vervuld raakte van roodborstjes en heidewoningen vol kinderen, van mopperige oude tuinlui en doodgewone Yorkshirese dienstmeisjes, van lente en geheime tuinen die dagelijks meer tot leven kwamen, en ook van een boerenjongen en zijn lievelingsdieren,... toen bleef er geen plaats meer over voor nare gedachten die slecht voor haar lever en haar spijsvertering waren, en haar bleek en lusteloos maakten.

Zolang Colin zichzelf van alles afsloot, in zijn kamer bleef en altijd dacht aan zijn angsten en zijn zwakheid en zijn afschuw van mensen die naar hem keken, zolang hij altijd tobde over bochels en vroeg doodgaan, was hij een hysterische, zwaarmoedige, abnormale stumper, die niets van lente en zonneschijn wist en ook niet wist dat hij best zou kunnen opstaan en beter worden, als hij 't maar probeerde. Maar toen nieuwe, betere gedachten de oude, afzichtelijke gingen verdringen, begon het leven tot hem terug te keren, zijn bloed stroomde gezond door zijn aderen en zijn kracht nam met elke ademtocht toe. Zijn wetenschappelijke proefneming was de natuurlijkste, eenvoudigste zaak van de wereld, waar niets bovenzinnelijks aan was. We kunnen nog voor veel grotere verrassingen komen te staan als we maar zo verstandig zijn geen akelige of ontmoedigende gedachten te hebben en prettige, dappere ervoor in de plaats krijgen. Twee dingen kunnen nooit één plaats innemen.

> 'Waar je een roos plant, beste kind,
> Kan geen distel groeien.'

Terwijl de geheime tuin tot leven kwam en mèt die tuin twee kinderen, zwierf een eenzame man door de grootse natuur van de Noorse fjorden en door de lieflijkste plekjes van de Zwitserse Alpen, en het was een man die tien jaar lang zijn sombere en rampzalige gedachten met zich rondgedragen had. Hij had geen moed gehad; hij had nooit geprobeerd die duistere gedachten door andere te vervangen. Langs blauwe meren had hij gedwaald met die gedachten; op zonnige bergweiden had hij gelegen, waar blauwe gentianen bloeiden en bloemengeuren de lucht vervulden, en altijd waren die gedachten er. Een vreselijk verdriet was zijn geluk komen verwoesten, diepe duisternis was in zijn ziel gekomen en hij had hardnekkig geweigerd er ook maar één lichtstraaltje in toe te laten. Hij had zijn huis en zijn plichten verwaarloosd en verlaten. Op zijn reizen hing de zwaarmoedigheid als een donkere wolk om hem heen en andere mensen vermeden hem, omdat hij de atmosfeer door zijn somberheid leek te vergiftigen. Vreemdelingen dachten meestal dat ze met een halve krankzinnige te doen hadden of met iemand die een verborgen misdaad op zijn geweten had. Hij was een lange man met een strak gezicht en gebogen schouders, en de naam die hij in de hotelregisters schreef was: 'Archibald Craven, Huize Misselthwaite, Yorkshire, Engeland.'

Hij had half Europa afgereisd sinds Mary Lennox in zijn kamer was geweest en hij haar gezegd had, dat ze haar 'stukje grond' kon krijgen. Hij was op de mooiste plekjes geweest, hoewel hij nergens langer dan een paar dagen gebleven was. Hij had de eenzaamste, afgelegenste oorden opgezocht. Hij had bergen beklommen, waarvan de toppen in de wolken verloren gingen en neergekeken op andere bergen, terwijl de zon opkwam en ze aanraakte met een licht dat schoon als het eerste licht der schepping was.

Maar nooit scheen dat licht hemzelf te raken tot hij op een dag voelde, dat er voor 't eerst in tien jaar iets wonderlijks met hem gebeurde. Hij bevond zich in een onvergelijkelijk mooi dal in Tirol en hij had een wandeling gemaakt door zo'n mooie omgeving, dat geen sterveling daar ongevoelig voor kon blijven. De tocht was lang geweest, maar zijn ziel was duister als tevoren. Eindelijk had hij zich vermoeid uitgestrekt op een bemoste helling bij een beek. 't Was een helder stroompje, dat lustig tussen het sappige, vochtige groen zijn smalle weg zocht. Soms, als het langs en over stenen klotste, maakte het een geluid dat op een heel zacht lachen leek. Hij zag vogels die naar het water toekwamen, er hun kopjes in staken om te drinken en dan met een trilling van hun vlerkjes weer wegvlogen. Het beekje was als een levend ding en toch deed zijn kleine geluid de stilte nog dieper schijnen. In het dal hing een roerloze stilte.

Terwijl hij naar het heldere, vlugstromende water zat te kijken, voelde Archibald Craven zich langzamerhand naar lichaam en geest tot rust komen, een rust zo stil als het dal zelf. Hij dacht dat hij bezig was in slaap te vallen, maar dat was niet zo. Hij zat naar het zonbeschenen water te kijken en zijn ogen begonnen van alles te

zien. Er was een prachtige struik vergeet-mij-nietjes, die zo dicht bij
het water groeiden dat de blaadjes nat waren, en hij merkte dat hij
daarnaar keek zoals hij jaren geleden naar zulke dingen gekeken
had. Met een gevoel van tederheid dacht hij hoe wonderlijk mooi die
honderden diepblauwe bloemetjes waren. Hij wist niet, dat die hele
gewone gedachte langzaam zijn geest vervulde, meer en meer
vervulde, zodat andere gedachten zachtjes verdrongen werden.
't Was alsof in een stilstaande poel een kleine, heldere bron
ontsprong en daar opwelde, steeds hoger opwelde, en tenslotte het
troebele donkere water verdreef. Maar natuurlijk zag hij dat zelf niet
zo in. Hij wist alleen maar dat het hoe langer hoe stiller in het dal
leek te worden, terwijl hij nog steeds naar dat heldere, tere blauw zat
te kijken. Hij wist niet hoe lang hij daar gezeten had en wat hem
overkomen was, maar eindelijk bewoog hij zich alsof hij uit een
droom ontwaakte en stond langzaam op en haalde heel lang en diep
adem, en begreep niet wat er met hem gebeurd was. 't Was alsof er
heel zacht iets in hem was losgegaan en hem bevrijd had.
'Wat is dat?' zei hij, bijna fluisterend, en hij streek met zijn hand
over zijn voorhoofd. 'Ik heb bijna 't gevoel alsof... alsof ik leef!'
Hij weet niet genoeg van zulke wonderlijke, geheimzinnige
ervaringen af om te kunnen uitleggen wat er met hem gebeurd was.
Dat kan niemand. Zelf begreep hij er niets van, maar maanden
later, toen hij weer op Misselthwaite was, zou hij zich die
merkwaardige beleving herinneren. Toevallig hoorde hij toen, dat
op diezelfde dag Colin, die voor het eerst in de geheime tuin kwam,
had uitgeroepen: 'Ik wil altijd en altijd blijven leven!'
Het gevoel van ontspannen rust duurde de hele avond, en hij sliep
een nieuwe verkwikkende slaap. Toch bleef die rust niet lang. Hij
wist niet dat hij haar kon vasthouden. De volgende avond had hij de
deuren weer wijd opengezet voor zijn duistere gedachten, en ze
waren in drommen komen opzetten. Hij verliet het dal en zwierf
weer rusteloos verder. Maar, hoe vreemd hij het zelf ook vond, er
waren nu toch ogenblikken, halve uren soms, waarin de donkere last
weer van hem afgenomen scheen en hij wist, dat hij een levend en
geen dood mens was. Langzaam – heel langzaam – zonder dat hij de
reden begreep... kwam hij mèt de tuin tot leven. Toen de gouden
zomer overging in de dieper gouden herfst, ging hij naar het Como-

208

meer. Daar vond hij een landschap, zo lieflijk als een droom. Hij bracht zijn dagen door op het kristalblauwe water van het meer of hij wandelde in het dichte groen langs de oevers en liep tot hij doodmoe was, in de hoop te kunnen slapen. Maar langzamerhand was hij al beter gaan slapen en werd hij niet meer door zulke gruwelijke dromen gekweld.

'Misschien', dacht hij, 'wordt mijn lichaam wat sterker.'

Het werd ook sterker, maar, dank zij de zeldzame, vredige uren waarin zijn gedachten anders waren, werd ook zijn ziel langzamerhand sterker. Hij begon van Misselthwaite te dromen en dacht erover naar huis te gaan. Soms had hij vage gedachten aan zijn kind, en vroeg zich af wat er in hem om zou gaan, als hij weer bij dat zware, gebeeldhouwde ledikant zou staan en neerzien op het scherpgesneden, ivoorwitte, slapende gezicht met de zwartomwimperde dichte ogen. Hij huiverde bij de gedachte.

Op een prachtige mooie dag had hij zo lang gewandeld, dat, toen hij terugkeerde, de maan al hoog en vol aan de hemel stond en de wereld een en al donkere schaduw en zilver was. De rust van meer en oever en woud was zo betoverend, dat hij er niet toe kon komen de villa die hij bewoonde binnen te gaan. Hij liep door naar een klein begroeid terrasje aan de waterkant, ging op een bank zitten en ademde de hemelse nachtelijke geuren in. Hij voelde de wonderlijke kalmte weer over zich komen, en dieper en dieper worden, tot hij in slaap viel.

Hij wist niet wanneer hij in slaap was gevallen en wanneer hij begon te dromen; zijn droom was zo reëel dat hij niet het gevoel had te dromen. Later herinnerde hij zich hoe klaarwakker hij zich gevoeld had. Hij meende, terwijl hij daar zat en de geur der late rozen inademde en naar het klotsen van het water aan zijn voeten luisterde, dat hij een stem hoorde die hem iets toeriep. 't Was een heldere, jonge, blijde stem, die van ver, héél ver scheen te komen. Maar tegelijk hoorde hij haar zo duidelijk alsof zij vlak bij hem was. 'Archie! Archie! Archie!' riep de stem en toen nog eens, helder, lieflijker dan tevoren, 'Archie! Archie!'

Hij droomde dat hij opsprong, maar in het geheel niet schrok. 't Was zulk een echte stem, en 't sprak zo vanzelf dat hij haar hoorde. 'Lily! Lily!' antwoordde hij. 'Lily! waar ben je?'

'In de tuin', klonk het terug, met het geluid van een gouden fluit. 'In de tuin!'

En toen was de droom uit. Maar hij ontwaakte niet. Hij sliep rustig en kalm, die hele wonderbaarlijke nacht door. Toen hij eindelijk wakker werd, was het klaarlichte dag en stond er een huisknecht verbaasd naar hem te kijken. 't Was een Italiaanse huisknecht, die gewoon was, zoals het hele personeel van de villa, zonder te vragen alle rare dingen van deze vreemdeling te accepteren. Niemand wist ooit wanneer hij zou uitgaan of thuis zou komen, of waar hij zou willen slapen, of dat hij de hele nacht door de tuin zou dwalen, of in de boot op het meer drijven. De man had een blaadje met een paar brieven in zijn hand en wachtte geduldig tot mijnheer Craven ze eraf zou nemen. Toen hij weg was bleef mijnheer Craven er een paar minuten mee in zijn hand zitten en keek naar het meer. De wonderlijke kalmte had hem nog niet verlaten en er was nog iets anders – een lichtheid, alsof het wrede lot dat hem getroffen had iets anders was dan hij gedacht had – of er iets veranderd was. Hij herinnerde zich de droom, de duidelijke, levendige droom.

'In de tuin', mijmerde hij, 'in de tuin! Waarvan de deur op slot is en ik de sleutel zelf heb begraven.'

Toen hij even later een blik op de brieven wierp, zag hij dat de bovenste een Engelse postzegel droeg en uit Yorkshire kwam. Het adres was door een ongeoefende hand geschreven, een hand die hij niet kende.

Nauwelijks over de afzender nadenkend, sneed hij het couvert open. Maar de eerste woorden trokken al dadelijk zijn aandacht.

Weledele Heer,

Ik ben Suze Sowerby, dezelfde die zo vrij was u eens op de hei aan te spreken. Dat was over jongejuffrouw Mary. Nu ben ik zo vrij u te schrijven. Meneer, als ik u was zou ik thuiskomen. Ik denk dat u er blij om zal wezen en, neemt u mij niet kwalijk dat ik het zeg, meneer, maar ik geloof dat de jonge mevrouw u ook zou vragen thuis te komen, als ze hier was.

Uw dienstwillige dienaresse,
Suze Sowerby.

Mijnheer Craven las de brief tweemaal voor hij hem weer in de enveloppe stak. De droom wilde hem niet loslaten. 'Ik ga naar Misselthwaite terug', zei hij. 'Ja, ik ga nu meteen.'
En hij liep de tuin door naar de villa en gaf Pitcher order alles voor het vertrek in orde te maken.
Een paar dagen later was hij weer in Yorkshire, en op zijn lange treinreis zat hij aan zijn jongen te denken, zoals hij in al die tien jaren niet aan hem gedacht had. In die jaren had hij alleen maar de wens gehad hem te vergeten. En nu kwamen, ongewild, allerlei herinneringen bij hem boven. Hij dacht aan de gruwelijke dagen, toen hij als een krankzinnige tekeer was gegaan omdat het kindje leefde en de moeder dood was. Hoe hij het eerst niet had willen zien en, toen hij er eindelijk naar was gaan kijken, het zo'n zwak ziekelijk stumperdje was geweest, dat niemand geloofde dat het langer dan een paar dagen zou leven. Maar tot ieders verwondering gingen de dagen voorbij en stierf het niet, hoewel iedereen dacht dat het een misvormd en ongelukkig schepsel zou blijven. Hij had geen slechte vader willen zijn, maar alle vaderlijk gevoel had hem ontbroken. Hij had gezorgd voor dokters, verpleegsters en alles wat nodig was, maar de gedachte aan het kind deed hem terugschrikken en hij had zich in zijn eigen smart begraven. Toen hij na een afwezigheid van een jaar voor het eerst op Misselthwaite terug was gekomen en het kleine zwakke kind kwijnend en lusteloos de grote, grijze, zwart-omwimperde ogen naar hem had opgeslagen – ogen, zo gelijkend op de stralende ogen waarvan hij zoveel gehouden had en toch zo afschuwelijk anders – kon hij hun blik niet verdragen en had zich doodsbleek afgewend.
Nadien had hij de jongen haast nooit gezien, behalve wanneer hij sliep, en alles wat hij van hem wist was dat hij dodelijk zwak en een kwaadaardige, hysterische, half-krankzinnige natuur had. En de uitbarstingen van woede, die gevaarlijk voor hem waren, konden alleen worden voorkomen door hem in alles zijn zin te geven. Dit waren geen opwekkende herinneringen, maar terwijl de trein door de bergpassen en zonnige vlakten snelde, begon de tot nieuw leven ontwakende man tot andere inzichten te komen en diep en ernstig over alles na te denken.
'Misschien heb ik tien jaar lang verkeerd gehandeld', zei hij tot

zichzelf. 'Tien jaar is een lange tijd. 't Is misschien te laat, veel te laat om nog iets te doen. Wat bezielt me eigenlijk!'

Dit was natuurlijk de verkeerde toverkracht – te beginnen met 'te laat' te zeggen. Zelfs Colin had hem dat kunnen vertellen. Maar wat wist deze man van goede of slechte toverkracht? Niets. Dat moest hij nog leren. Hij vroeg zich af of de moederlijke Suze Sowerby hem misschien had geschreven omdat ze de jongen er slecht aan toe vond – misschien was hij ongeneeslijk ziek. Als hij niet nog steeds in die wonderlijke gemoedsrust had verkeerd, die over hem was gekomen, dan zou hij zich nog ellendiger hebben gevoeld dan anders. Maar die kalmte had iets van moed en hoop in hem doen ontwaken. In plaats van steeds het ergste te denken, begon hij zelfs aan betere mogelijkheden te geloven.

'Zou ze misschien menen dat ik een goede invloed op hem kan uitoefenen?' dacht hij. 'Ik zal haar op weg naar Misselthwaite even opzoeken.'

Maar toen hij het rijtuig bij het huisje op de hei liet stilhouden, drongen er zeven, acht spelende en stoeiende kinderen omheen, zeiden hem allemaal vriendelijk en beleefd goedendag en vertelden dat hun moeder 's morgens vroeg naar de andere kant van de hei was gegaan om een vrouw te helpen die een kindje had gekregen. 'Onze Dickon', deelden ze ongevraagd mede, was op het Huis in een van de tuinen aan het werk, waar hij bijna elke dag heenging.'

Mijnheer Craven bekeek de verzameling stevige, roodwangige dreumesen, die hem elk op hun eigen manier toelachten; hij kwam tot de conclusie dat het een aardig, gezond troepje was. Hij glimlachte eens terug en haalde een goudstuk uit zijn zak, dat hij gaf aan 'onze Liesbeth', de oudste van het gezelschap.

'Verdeel het maar in achten', zei hij.

Daarna reed hij weer weg temidden van veel gegniffel en gegiechel, handenwuiven, elleboogstoten en blijdschap.

De rit over de bloeiende heide was hem een openbaring. Hoe kwam het, dat hij nu een gevoel had thuis te komen, een gevoel dat hij gemeend had nooit meer te zullen hebben? Hoe kwam het dat de schoonheid van land en lucht en de onafzienbare paarse vlakte hem zo gelukkig maakten, dat zijn hart warm werd nu hij het grote oude huis naderde, waar zijn voorouders al zeshonderd jaar hadden

212

gewoond? Met welke gevoelens van afkeer was hij er de laatste keer van weggereden, huiverend bij de gedachte aan al die dichte kamers en de jongen in het grote bed met de damasten gordijnen. Was het mogelijk dat hij hem misschien iets beter zou terugvinden en dat hij zijn afkeer kon overwinnen? Hoe levendig was die droom geweest – hoe lieflijk en helder de klank van de stem, die hem had toegeroepen: 'In de tuin... in de tuin!'

'Ik zal proberen de sleutel te vinden', dacht hij. 'Ik zal de deur laten openmaken. Ik *moet* het doen, al begrijp ik zelf niet waarom.'

Toen hij op het Huis kwam, viel het de bedienden, die hem met het gebruikelijke eerbetoon ontvingen, op dat hij er beter uitzag dan anders en niet onmiddellijk naar zijn eigen kamers verdween, waar hij gewoon was, bediend door Pitcher, zich terug te trekken. Hij ging naar de bibliotheek en liet juffrouw Medlock roepen. Lichtelijk nerveus, nieuwsgierig en met een rode kleur kwam ze haar opwachting maken.

'Hoe is het met Colin, juffrouw?' informeerde hij.

'Wat zal ik u daarvan zeggen, meneer', antwoordde ze, 'hij is... hij is erg veranderd.'

'Erger?'

Juffrouw Medlock zat bepaald met het geval verlegen.

'Ja, ziet u, meneer', trachtte ze uit te leggen, 'noch dokter Craven, noch de zuster, noch ik weten wat we ervan denken moeten.'

'Hoe komt dat?'

'Om u de waarheid te zeggen, meneer, aan de ene kant is de jongeheer veel beter, maar aan de andere kant zijn we er niet gerust op. Met zijn eetlust is het treurig gesteld... en dan... hij doet zo vreemd... zo...'

'Is hij – eh – eigenaardiger geworden?' vroeg mijnheer Craven ongerust.

'Juist, meneer, dàt is het. Hij wordt hoe langer hoe eigenaardiger, als je hem vergelijkt met hoe hij vroeger was. Hij at vrijwel niets, dat weet u; toen is hij plotseling gaan eten als een wolf, en daarna is hij er weer mee opgehouden en kregen we alles weer in de keuken terug. Misschien weet u nog wel, dat hij nooit met een stok de deur uit te krijgen was? De tonelen die we hebben meegemaakt om hem in zijn rolstoel naar buiten te krijgen, zijn niet te beschrijven. Hij raakte zo buiten zichzelf, dat dokter Craven het onverantwoordelijk vond het door te zetten. Nou, meneer, en toen, vlak na een van zijn ergste aanvallen, kreeg hij 't plotseling in zijn hoofd iedere dag uit te gaan met jongejuffrouw Mary, en Dickon van Suze Sowerby, die de stoel moest duwen. Jongejuffrouw Mary en Dickon schijnen in zijn smaak te vallen en Dickon brengt zijn tamme dieren mee, en of u het geloven wilt of niet, meneer, hij is van de ochtend tot de avond buiten.'

'Hoe ziet hij er uit?' was de volgende vraag.

'Als hij behoorlijk at, meneer, zou je denken dat hij wat dikker werd, maar wij zijn bang dat hij alleen maar opgeblazen is. Hij lacht soms zo raar als hij met jongejuffrouw Mary alleen is. Vroeger lachte hij nooit. Dokter Craven wil graag dadelijk bij u komen, als 't schikt. Die weet ook niet wat hij ervan moet denken.'

'Waar is Colin nu?' vroeg mijnheer Craven.

'In de tuin, meneer. Hij is altijd in de tuin, maar d'r mag nooit een levend wezen in de buurt komen, zo bang is hij dat ze naar hem zullen kijken.'

Mijnheer Craven hoorde de laatste woorden nauwelijks.

'In de tuin!' zei hij, en nadat hij juffrouw Medlock had weggestuurd, mompelde hij nog eens: 'In de tuin!'

Hij moest zich geweld aandoen om tot de werkelijkheid terug te keren, maar toen stond hij op en ging naar buiten. Hij liep, net als Mary indertijd gedaan had, door het hek in het heesterbosje en langs de ligusters en de bloembedden om de fontein. De fontein was nu in werking en omringd door een weelde van felgekleurde herfstbloemen. Hij stak het gazon over en sloeg het pad langs de tuinmuren in. Hij liep langzaam en met neergeslagen ogen. 't Was of hij onweerstaanbaar teruggetrokken werd naar de plaats, die hij al die jaren vermeden had, maar hij had niet kunnen zeggen waarom.

Hoe dichter hij erbij kwam, hoe langzamer zijn tred werd. Hij wist waar de deur was, al hing de klimop er overheen, maar hij wist niet precies meer waar de sleutel lag, de begraven sleutel.

Hij bleef even stilstaan en keek om zich heen, maar plotseling hoorde hij een geluid en schrok. Was dit alles dan toch een droom? De deur was met klimop bedekt, de sleutel lag onder de struiken begraven, er was in geen tien jaar een menselijk wezen door die poort naar binnengegaan ... en toch kwamen er geluiden uit de tuin. 't Waren de geluiden van vlugge, schuifelende voeten die wel krijgertje onder de bomen leken te spelen, 't waren vreemde klanken van onderdrukt gelach en gepraat, zachte uitroepen en gesmoorde vreugdekreten. 't Leek wel alsof daar kinderen lachten, kinderen die met moeite probeerden geen lawaai te maken, maar die het straks als de pret haar hoogtepunt bereikte, zouden uitschateren. Wat droomde hij ... wat hoorde hij daar in 's hemelsnaam? Was hij bezig zijn verstand te verliezen en verbeeldde hij zich dingen te horen, die niet voor menselijke oren bestonden? En toen kwam het ogenblik, het niet meer tegen te houden ogenblik, waarop de geluiden vergaten zich stil te houden. De voeten renden al sneller en sneller, ze naderden de tuindeur, een uitbarsting van lachend gejuich dat niet te onderdrukken was, de deur in de muur werd wijd opengegooid, zodat het klimopgordijn opzij sloeg, en er stormde een jongen naar buiten, die de man niet zag en bijna tegen hem aanvloog.

Mijnheer Craven had zijn armen uitgestoken om het kind voor een onverwachte botsing te behoeden en toen hij hem tegenhield om te kijken wie daar in 's hemelsnaam uit de tuin kwam stond hij volkomen sprakeloos.

't Was een lange, aardige jongen, sprankelend van leven, met rode wangen van het harde lopen. Hij streek met een snelle beweging zijn dikke haar naar achteren en sloeg een paar wonderlijke grijze ogen op, ogen vol kinderlijke pret en met een franje van donkere wimpers. 't Waren die ogen die mijnheer Craven naar adem deden snakken.

'Wie ... wat? Wie?' stamelde hij.

Dit was niet wat Colin had verwacht, niet wat hij zich had voorgesteld. Aan zulk een ontmoeting had hij nooit gedacht. Maar toch, zo aan te komen stormen, als winnaar van een wedloop – was dit niet nog veel beter? Hij richtte zich in zijn volle lengte op. Mary, die hem op de hielen had gezeten en ook door de deur kwam gevlogen, vond dat hij op dat ogenblik langer leek dan ooit tevoren, stukken langer.

'Vader', zei hij, 'ik ben het, Colin. U kunt het natuurlijk niet geloven en ik zelf soms ook niet. Maar ik ben Colin.'

Evenmin als juffrouw Medlock, begreep hij wat zijn vader bedoelde, toen deze verwezen mompelde:

'In de tuin! In de tuin!'

'Ja', babbelde Colin verder, "t is door de tuin gekomen, en door Mary en Dickon en de dieren... en de toverkracht. Niemand weet er iets van. We hebben het geheim gehouden tot u thuis zou komen. Ik ben helemaal beter; ik kan harder lopen dan Mary. Ik ga aan allerlei sport doen.'

Het kwam er allemaal zo natuurlijk, zo gezond uit – hij struikelde van opwinding over zijn woorden, zijn ogen straalden – dat de ziel van de man trilde van ongelovige vreugde.

'Bent u niet blij, vader?' eindigde hij. 'Bent u niet blij? Ik blijf leven, altijd en altijd en altijd!'

Mijnheer Craven legde zijn handen op de beide schouders van de jongen en hield hem vast. Hij wist dat hij de eerste ogenblikken niet zou kunnen spreken.

'Laten we de tuin ingaan, mijn jongen', zei hij eindelijk, 'en vertel me dan alles.'

En de kinderen namen hem mee naar binnen.

De tuin was één bonte kleurenpracht van herfstig geel en oranje en blauw en vlammend rood, en langs de muren stonden late lelies, witte en wit-met-rode. Hij wist nog goed, hoe ze die hadden geplant om de pracht die ze er juist in dit late seizoen van verwachtten. Late rozen hingen in trossen van de bomen en bloeiden nog tegen de muren, en het zonlicht dat de langzaam gelende bomen nog dieper en warmer tintte, maakte dat de teruggekeerde man zich als door een gouden tempel omsloten voelde. Hij stond stil, zoals ook de kinderen stil hadden gestaan toen alles nog grauw en doods was. Verwonderd keek hij om zich heen.

'Ik had gedacht dat alles dood zou zijn', zei hij.

'Dat dacht Mary eerst ook', vertelde Colin. 'Maar 't is weer levend geworden.'

Ze gingen onder hun boom zitten... allemaal, behalve Colin, die zijn verhaal staande wilde doen.

't Was het wonderlijkste verhaal dat hij ooit gehoord had, dacht Archibald Craven, toen alles er holderdebolder uitkwam. Geheim-

216

zinnigheid en toverkracht en dieren, de vreemde nachtelijke kennismaking, het aanbreken van de lente, de diepgekwetste trots die de jonge radja op zijn benen had gezet om de oude Ben Weatherstaff te overtuigen. De hechte vriendschap tussen de drie kinderen, het komediespel, het grote geheim dat zo zorgvuldig bewaard was. De toehoorder lachte tot de tranen in zijn ogen kwamen en soms kwamen er tranen in zijn ogen zonder dat hij lachte. Deze wetenschappelijke ontdekker met zijn geleerde voordrachten en gymnastiekoefeningen was een grappig, aantrekkelijk, gezond jong mensenkind.

'Maar nu', zei hij toen zijn verhaal uit was, 'hoeft het geen geheim meer te blijven. Ze zullen zich wel een ongeluk schrikken als ze me zien, maar ik ga nooit meer in die rolstoel zitten. Ik lóóp met u naar huis terug, vader!'

Ben Weatherstaffs plichten riepen hem zelden uit de tuinen weg, maar bij deze gelegenheid gebruikte hij een voorwendsel om groente naar de keuken te brengen en hij werd door juffrouw Medlock in de personeelskamer op een glaasje bier genodigd, zodat hij erbij was – waar het hem om te doen was – toen de meest opzienbarende gebeurtenis die in lange jaren op Huize Misselthwaite was voorgekomen, plaats greep.

Een van de ramen die op het binnenplein uitzagen, gaven ook een doorkijk naar het grote grasveld. Juffrouw Medlock, die wist dat Ben uit de tuinen kwam, hoopte dat hij een glimp van zijn meester en misschien zelfs van diens weerzien met jongeheer Colin had opgevangen.

'Heb je ze een van beiden soms gezien, Weatherstaff?' vroeg ze.

Ben nam zijn bierpul van zijn mond weg en veegde zijn lippen met de rug van zijn hand af.

'Wel wis en drie', antwoordde hij met een veelbetekenend gezicht.

'Allebei?' informeerde juffrouw Medlock.

'Allebei', knikte Ben. 'Dank u wel, juffrouw, ik lust er nog wel eentje.'

'Samen?' popelde juffrouw Medlock, in haar opwinding zijn bierpul te vol schenkend.

'Samen', en Ben sloeg de helft van zijn nieuwe pul met één teug naar binnen.

'Waar was jongeheer Colin dan? Hoe zag hij eruit? Wat zeiden ze tegen elkaar?'

'Dat heb ik niet gehoord', zei Ben, 'vanwege asdat ik op de ladder stond en alleen maar over de muur kon kijken. Maar dat ken ik u wel vertellen, d'r zijn daarbuiten dingen gebeurd waar jullie hier in huis niks niemendal van af weten. En wat jullie ervan te weten zullen komen dat zal niet lang op zich laten wachten.'

En nog geen twee minuten nadat hij zijn laatste slok bier naar binnen had, wees hij met een plechtig gebaar naar het raam dat door de heesters uitzicht op het grasveld gaf.

'Kijk maar', zei hij, 'als u dan zo nieuwsgierig bent. Kijkt u maar wat daar aankomt.'

Toen juffrouw Medlock keek sloeg ze haar armen ten hemel en gaf een gil, en alle meiden en knechts die het hoorden kwamen aangestoven en keken door het raam met ogen, die haast uit hun hoofd rolden.

Over het grasveld kwam de Heer van Misselthwaite aangelopen, en hij zag eruit zoals de meesten van hen hem nooit gekend hadden. En naast hem, met zijn hoofd fier opgeheven en ogen die van trots en blijdschap straalden, daar liep, zo gewoon en flink als de eerste de beste jongen uit Yorkshire – 'jongeheer Colin'!